Anne de Windy Poplars
Lucy Maud Montgomery

Tradução
Rafael Bonaldi

Ciranda Cultural

© 2020 Ciranda Cultural Editora e Distribuidora Ltda.

Traduzido do original em inglês
Anne of Windy Poplars

Texto
Lucy Maud Montgomery

Tradução
Rafael Bonaldi

Preparação
Karoline Cussolim

Revisão
Mariane Genaro
Fernanda R. Braga Simon

Produção e projeto gráfico
Ciranda Cultural

Ilustração da Capa
Beatriz Mayumi

Dados Internacionais de Catalogação na Publicação (CIP) de acordo com ISBD

M787a   Montgomery, Lucy Maud

           Anne de Windy Poplars / Lucy Maud Montgomery ; traduzido por Rafael Bonaldi ; ilustrado por Beatriz Mayumi. - Jandira, SP : Ciranda Cultural, 2020.
           288 p. ; 16cm x 23cm. - (Ciranda Jovem).

           Tradução de: Anne of Windy Poplars
           Inclui índice.
           ISBN: 978-65-550-0147-1

           1. Literatura infantojuvenil. 2. Romance. I. Bonaldi, Rafael. II. Mayumi, Beatriz. III. Título. IV. Série.

2020-586

CDD 028.5
CDU 82-93

Elaborado por Odilio Hilario Moreira Junior - CRB-8/9949

Índice para catálogo sistemático:
1. Literatura infantojuvenil 028.5
2. Literatura infantojuvenil 82-93

1ª edição em 2020
www.cirandacultural.com.br
Todos os direitos reservados.
Nenhuma parte desta publicação pode ser reproduzida, arquivada em sistema de busca ou transmitida por qualquer meio, seja ele eletrônico, fotocópia, gravação ou outros, sem prévia autorização do detentor dos direitos, e não pode circular encadernada ou encapada de maneira distinta daquela em que foi publicada, ou sem que as mesmas condições sejam impostas aos compradores subsequentes.

SUMÁRIO

O primeiro ano – 1936 7
Capítulo 1 9
Capítulo 2 24
Capítulo 3 42
Capítulo 4 47
Capítulo 5 50
Capítulo 6 62
Capítulo 7 64
Capítulo 8 71
Capítulo 9 75
Capítulo 10 81
Capítulo 11 89
Capítulo 12 94
Capítulo 13 103
Capítulo 14 116
Capítulo 15 120
Capítulo 16 128
Capítulo 17 136

O segundo ano 139
Capítulo 1 141
Capítulo 2 145
Capítulo 3 152
Capítulo 4 159
Capítulo 5 166
Capítulo 6 174
Capítulo 7 181

Capítulo 8 187
Capítulo 9 195
Capítulo 10 197
Capítulo 11 207
Capítulo 12 212
Capítulo 13 214

O terceiro ano 219
Capítulo 1 221
Capítulo 2 223
Capítulo 3 229
Capítulo 4 233
Capítulo 5 238
Capítulo 6 242
Capítulo 7 245
Capítulo 8 250
Capítulo 9 256
Capítulo 10 261
Capítulo 11 266
Capítulo 12 272
Capítulo 13 280
Capítulo 14 282

1936
O
PRIMEIRO ANO

CAPÍTULO 1

(Carta de Anne Shirley, Bacharela em Letras e Belas Artes, Diretora da Escola Secundária de Summerside, para Gilbert Blythe, estudante de medicina da Redmond College, em Kingsport.)

Windy Poplars
Rua do Fantasma
Summerside, Ilha do Príncipe Edward
Segunda-feira, 12 de setembro

QUERIDO,
Não é um endereço e tanto? Já ouviu algo mais delicioso? Windy Poplars[1] é o nome do meu novo lar, e eu o adoro. Também adoro a "Rua do Fantasma", que não existe oficialmente. Deveria ser Rua Trent, mas ela só é chamada assim em raras ocasiões, quando é mencionada no periódico semanal *Weekly Courier*... e, nesses casos, as pessoas olham umas para as outras e dizem: "Onde será que fica isso?". É Rua do Fantasma, mesmo... embora eu não saiba dizer o motivo. Já perguntei para Rebecca Dew, mas tudo que ela disse foi que a rua sempre teve esse nome e que anos atrás surgiu uma história de que o lugar era assombrado, mas ela nunca viu algo de horrível lá além de si mesma.

---

1 "Álamos Ventosos", em inglês. (N. T.)

Eu não deveria estar me precipitando, todavia. Você ainda não conhece Rebecca Dew, mas vai conhecê-la. Ah, com certeza. Prevejo que ela figurará amplamente nas minhas futuras correspondências.

É a hora do crepúsculo, meu querido. (Aliás, "crepúsculo" não é uma palavra adorável? Acho melhor do que "entardecer". Soa como algo tão macio e misterioso e... e... *crepuscular*.) Durante o dia eu pertenço ao mundo... e à noite, ao sono e à eternidade. Porém, no crepúsculo, estou livre de ambos e pertenço somente a mim mesma... e a você. Assim, vou reservar esta hora sagrada para lhe escrever. Ainda que esta não seja uma carta de amor. Estou usando um bico de pena que borra, e não posso escrever cartas de amor com uma pena que borra... ou de ponta afiada... ou de ponta cega. De modo que você só receberá uma carta daquele tipo quando eu tiver exatamente a pena certa. Enquanto isso, contarei sobre meu novo domicílio e seus habitantes. Gilbert, eles são tão encantadores!

Eu vim ontem para Summerside à procura de uma pensão. A senhora Rachel Lynde me acompanhou, supostamente para fazer algumas compras, mas, na verdade, sei que veio para escolher uma pensão para mim. Apesar do meu diploma, a senhora Lynde ainda me considera uma jovenzinha inexperiente que precisa ser guiada, orientada e supervisionada.

Viemos de trem e, ah, Gilbert, tive uma aventura muito engraçada. Você sabe que sou do tipo de pessoa que sempre é encontrada pelas aventuras. Acho que eu as atraio, pelo visto.

Aconteceu quando o trem estava parando na estação. Eu me levantei e, ao inclinar-me para pegar a mala da senhora Lynde (ela planejava passar o domingo com uma amiga na cidade), apoiei os nós dos dedos com toda a força no que parecia ser o braço lustroso de um assento. Um segundo depois, recebi um golpe violento que quase me fez uivar. Gilbert, o que parecia ser o braço de um assento era a cabeça calva de um homem, que me encarava com raiva e era evidente que havia acabado de acordar. Eu me desculpei humildemente e desci do trem o mais rápido que pude. A última coisa que vi foi o olhar fixo dele em mim. A senhora Lynde ficou mortificada, e meus dedos ainda estão doloridos!

Não imaginava que daria tanto trabalho encontrar uma pensão. Uma tal de senhora Pringle havia hospedado várias diretoras da Escola Secundária nos últimos quinze anos, mas, por algum motivo desconhecido, de uma hora para a outra ela decidira que estava cansada "do incômodo" e não me recebeu. Vários outros lugares adequados deram desculpas afáveis. Vários outros lugares não eram adequados. Nós andamos pela cidade a tarde toda e ficamos acaloradas, cansadas, desanimadas e com dor de cabeça... pelo menos eu fiquei assim. Já estava pronta para ceder ao desespero... e, então, a Rua do Fantasma surgiu!

Quando fomos visitar a senhora Braddock, uma velha amiga da senhora Lynde, ela disse que talvez "as viúvas" pudessem me hospedar e que elas queriam uma pensionista para pagar o salário de Rebecca Dew, pois elas não terão condições de mantê-la a menos que entre um dinheirinho extra. E, se a Rebecca for embora, quem ordenhará a velha vaca vermelha?

A senhora Braddock lançou-me um olhar fulminante, como se achasse que eu deveria ordenhar a vaca vermelha, mas não acreditaria em mim nem se eu jurasse saber fazê-lo.

A senhora Lynde quis saber de quais viúvas a senhora Braddock estava falando. Ela respondeu que eram a tia Kate e a tia Chatty, como se todo mundo, até mesmo uma inadvertida bacharela em Letras e Artes, tivesse a obrigação de saber. A senhora Braddock disse, ainda, que a tia Kate é a viúva do capitão Amasa MacComber, e a tia Chatty, do senhor Lincoln MacLean, uma mera viúva, mas todos as chamam de "tias". Elas moram no fim da Rua do Fantasma.

Rua do Fantasma! Estava decidido. Eu tinha que me hospedar com as viúvas. Então, implorei à senhora Lynde para irmos até lá naquele momento. Parecia que, se perdêssemos mais um instante, a Rua do Fantasma iria esvanecer de volta à Terra das Fadas.

Porém, a senhora Braddock falou que eu poderia visitá-las, mas era Rebecca quem decidiria se iriam me hospedar ou não. Rebecca Dew é quem dita as regras em Windy Poplars, é a verdade.

Windy Poplars! Não podia ser verdade... não podia. Eu devia estar sonhando. E a senhora Lynde até comentou que o lugar tinha um nome engraçado. Entretanto, a senhora Braddock disse: "Ah, o capitão MacComber o chamava assim. Era a casa dele, sabe. Ele plantou todos os álamos ao redor da propriedade e se orgulhava muito deles, por mais que nunca ficasse por muito tempo nas raras ocasiões em que estava em casa. Tia Kate dizia que era um inconveniente, mas nunca descobrimos se ela referia-se às curtas estadias ou ao fato de o capitão se dar ao trabalho de voltar para casa. Bem, senhorita Shirley, espero que consiga hospedagem lá. Rebecca Dew é uma boa cozinheira e um gênio com batatas frias. Se ela gostar de você, sua estadia vai ser um paraíso. Se não gostar... Bem, ela não gostará e ponto. Ouvi dizer que há um novo banqueiro na cidade à procura de uma pensão, e ela pode preferi-lo. Engraçado a senhora Tom Pringle não aceitar você. Summerside é cheia de Pringles e aparentados. São chamados de "A Família Real", e é melhor ganhar as graças deles, senhorita Shirley, do contrário nunca se dará bem na Escola Secundária. Eles sempre mandaram na cidade... há uma rua em homenagem ao velho capitão Abraham Pringle. Eles formam um clã considerável, mas quem manda na tribo são as duas velhas senhoras em Maplehurst. Ouvi dizer que estavam comentando sobre você".

Então, perguntei por que estariam comentando se sou uma completa desconhecida para elas. E a senhora Braddock respondeu: "Bem, um primo de terceiro grau delas se candidatou para o cargo de diretor, e todos acham que ele deveria ter sido escolhido. Quando sua inscrição foi aceita, o bando todo desatou a reclamar. Bem, as pessoas são assim. Temos que aceitá-las como são, você sabe. Eles serão dóceis como carneirinhos, mas estarão contra você o tempo todo. Não quero desencorajá-la, mas é melhor estar preparada, e espero que você se saia bem, só para aborrecê-los. Se as viúvas a aceitarem, você não se importará de comer com Rebecca Dew, não é mesmo? Ela não é uma empregada, sabe? É uma prima distante do capitão, que não come à mesa quando há companhia... Ela sabe o lugar dela nesses casos, mas, se for se hospedar lá, ela não considerará você uma visita, é claro".

Eu garanti à ansiosa senhora Braddock que iria adorar fazer as refeições com Rebecca Dew e arrastei a senhora Lynde de lá. Eu tinha que chegar antes do banqueiro.

A senhora Braddock nos acompanhou até a porta e me disse para não ferir os sentimentos da tia Chatty, pois ela fica chateada com facilidade. A pobrezinha é muito sensível e não tem as mesmas condições financeiras que a tia Kate... ainda que a tia Kate também não tenha muito dinheiro. E a senhora Braddock ainda falou: "A tia Kate gostava muito do marido dela... do próprio marido, digo... mas a tia Chatty não... não gostava do dela, quero dizer. Não me admira! Lincoln MacLean era um velho ranzinza... Mas ela acredita que as pessoas a culpam por isso. Por sorte, hoje é sábado. Se fosse sexta-feira, tia Chatty nem sequer consideraria acolhê-la. É de se esperar que a tia Kate fosse a supersticiosa, não é verdade? Marinheiros costumam ser assim. Mas é a tia Chatty... apesar de o marido dela ter sido carpinteiro. Ela já foi muito linda".

Eu garanti à senhora Braddock que os sentimentos da tia Chatty seriam honrados, mas ela nos seguiu até a calçada e continuou: "Kate e Chatty não vasculharão suas coisas quando estiver fora. Elas são muito conscientes, mas pode ser que Rebecca Dew o faça, porém não fará fofocas. E, se eu fosse você, não usaria a porta da frente, pois elas a usam apenas para coisas realmente importantes, e não acho que é aberta desde o funeral de Amasa. Tente a porta lateral, a chave fica sob o vaso de flores no peitoril da janela; então, se não houver ninguém em casa, destranque a porta, entre e aguarde. E faça o que quiser, mas não elogie o gato, pois Rebecca Dew não gosta dele".

Prometi que não elogiaria o gato, e conseguimos ir embora. Nós chegamos à Rua do Fantasma em pouco tempo. É uma rua lateral muito curta que leva ao campo aberto, e ao longe uma colina azul proporciona um belo pano de fundo. De um lado não há nenhuma casa, e o terreno desce em declive até o porto, e do outro lado há somente três. A primeira é apenas uma casa... não há mais nada a ser dito sobre ela. A seguinte é uma mansão grande, imponente e com ares lúgubres feita de tijolos vermelhos polidos, com um telhado de mansarda irregular e janelas de trapeira, um gradil de ferro por toda a extensão da parte superior plana, tantos abetos e pinheiros amontoados ao seu redor que é quase impossível ver a casa e seu interior deve ser assustadoramente escuro. E a terceira e última é Windy Poplars, bem na esquina, com a rua tomada pela grama alta à sua frente e uma verdadeira estrada rural, belamente sombreada pelas árvores, do outro lado.

Apaixonei-me por ela de imediato. Você sabe que há casas que nos causam impacto à primeira vista, por alguma razão que não é possível definir, e Windy Poplars é uma delas. Posso descrevê-la como uma casa de madeira branca... muito branca... com persianas verdes... muito verdes... com uma "torre" em um canto e uma janela trapeira de cada lado, um muro baixo de pedra separando-a da rua, com álamos-tremulantes plantados em intervalos ao longo de sua extensão, e um grande jardim nos fundos, onde flores e vegetais cresciam em uma deliciosa confusão... Porém, tudo isso não é capaz de transmitir seu encanto. Em suma, é uma casa com personalidade e com uma pitada do gostinho de Green Gables. Eu disse a senhora Lynde que este é o lugar para mim e que estava predestinado.

A senhora Lynde não parecia acreditar muito em predestinação e falou que ia ser uma longa caminhada até a escola. Eu respondi que não importava, pois será um bom exercício. E tem ainda aquele adorável bosque de bétulas e bordos do outro lado da estrada. A senhora Lynde viu, mas tudo que disse foi que esperava que os mosquitos não me importunassem.

Eu também esperava, pois detesto mosquitos. Um mosquito é pior do que um peso na consciência na hora de dormir.

Fiquei contente por não termos que usar a porta da frente. Parecia tão intimidadora... uma grande porta dupla de madeira, flanqueada por painéis de vidro vermelhos com motivos florais. Não parecia pertencer à casa em absoluto. A pequena porta verde lateral, à qual chegamos por uma linda trilha de pedras chatas de arenito na grama, era muito mais amigável e convidativa. O caminho era ladeado por canteiros impecáveis e bem cuidados de capim-amarelo, corações-sangrentos, lírios-tigre, cravinas, abrótanos, buquês-de-noiva, margaridas vermelhas e azuis, e o que a senhora Lynde chama de "piônias". É claro que nem todas florescem nesta estação, mas era óbvio que já haviam desabrochado na hora certa, e com louvor. Havia um canteiro de rosas em um canto distante, entre Windy Poplars e a casa sombria, próximo a um muro de tijolos coberto de heras, com uma treliça arqueada acima de uma porta verde desbotada bem no meio dele. Ramos de videira cruzavam a porta, o que deixava evidente que não era aberta há muito tempo. Era na verdade uma meia porta, pois a metade de cima era meramente uma abertura oblonga por meio da qual era possível ter um vislumbre de um jardim abandonado do outro lado.

Assim que passamos pelo portão do jardim de Windy Poplars, notei um punhado de trevos ao lado da trilha. Um impulso me levou a inclinar-me para observá-lo. Você acredita, Gilbert? Ali, bem diante dos meus olhos, havia três trevos de quatro folhas! Isso que é um bom presságio! Nem mesmo os Pringles poderiam contestá-lo. E eu senti a certeza de que o banqueiro não tinha a mínima chance.

A porta lateral estava aberta, de forma que era evidente que alguém estava em casa, e nós não precisamos olhar embaixo do vaso. Nós batemos, e Rebecca Dew nos atendeu. Sabíamos que era Rebecca Dew porque não poderia ser mais ninguém no mundo todo e seu nome não poderia ser outro.

Rebecca Dew tem cerca de quarenta anos, e, se um tomate tivesse cabelos negros escorridos para trás, olhinhos negros cintilantes, um nariz diminuto com a ponta arredondada e lábios finos, ele seria exatamente como ela. Tudo em Rebecca parecia ser curto demais: braços, pernas, o pescoço e o nariz... tudo menos seu sorriso. Este era largo o suficiente para ir de orelha a orelha.

Porém, nós não vimos seu sorriso logo de início. Sua expressão era grave quando perguntei se poderia conversar com a senhora MacComber.

– Você quer dizer a senhora do capitão MacComber? – corrigiu ela, como se houvesse uma dezena de senhoras MacCombers na casa.

– Sim – respondi com educação. E fomos prontamente levadas a uma sala, onde ficamos esperando. Era pequena e confortável, um pouco atravancada pelas cobertas que protegiam os móveis, mas com uma atmosfera calma e amistosa que me agradou. Cada peça de mobília tinha um lugar específico, que ocupava há anos. E como reluziam! Nenhum verniz comprado seria capaz de produzir aquele brilho. Só podia ser fruto do trabalho árduo de Rebecca. Havia um navio em detalhes dentro de uma garrafa sobre a cornija que interessou muito a senhora Lynde, que não conseguia imaginar como tinha sido colocado ali dentro, mas achava que ele dava à sala um "ar náutico".

"As viúvas" chegaram, e eu gostei delas imediatamente. Tia Kate era alta, magra, com cabelos grisalhos e um pouco austera, o mesmo tipo físico de Marilla. E tia Chatty era baixa, magra, grisalha e um pouco melancólica. Talvez tivesse sido muito bonita algum dia, mas de sua beleza não restava nada além dos olhos, que chamavam atenção... suaves, grandes e castanhos.

Expliquei a minha situação, e as viúvas se entreolharam. Então, tia Chatty disse que precisava consultar a Rebecca Dew, e a tia Kate concordou.

Assim, Rebecca Dew foi chamada da cozinha. O gato veio com ela, um maltês grande e felpudo, com o peito e o pescoço brancos. Gostaria de tê-lo acariciado, mas, ao lembrar-me do aviso da senhora Braddock, eu o ignorei.

Não havia sequer o esboço de um sorriso na expressão de Rebecca ao me encarar. "Rebecca, a senhorita Shirley deseja se hospedar aqui", disse a tia Kate, que não era de desperdiçar palavras, como vim a descobrir. "Mas acho que não podemos acomodá-la". "Por que não?" perguntou Rebecca Dew. "Temo que seria muito trabalho para você", alegou a tia Chatty. "Estou bem acostumada com trabalho", respondeu Rebecca Dew. Não dá para separar esses nomes, Gilbert. É impossível... embora as viúvas o façam. Elas se dirigem a ela por Rebecca. Não sei como conseguem.

Porém, a tia Chatty persistiu e disse que estavam velhas demais para ter jovens entrando e saindo de casa. E Rebecca Dew rebateu: "Fale por si mesma, tenho apenas quarenta e cinco anos e ainda faço uso de minhas faculdades mentais. E eu acho que seria bom ter uma pessoa jovem em casa, e uma moça é sempre melhor que um moço, que fumaria dia e noite... e colocaria fogo na casa enquanto dormimos. Se precisam mesmo de um pensionista, ela é a minha sugestão, mas, é claro, a casa é de vocês".

Ela falou e desapareceu... como Homero[2] gostava tanto de dizer. Eu sabia que estava tudo resolvido, mas a tia Chatty fez questão de que eu subisse para ver se o quarto era de meu agrado. E por fim falou: "Você ficará no quarto da torre, querida. Não é tão espaçoso quanto o quarto de visitas, mas tem uma abertura para a chaminé de um fogão, para o inverno, e uma vista muito melhor. É possível ver o velho cemitério de lá".

Eu sabia que iria amar o quarto, pois o próprio nome, "quarto da torre", já me deixava extasiada. Senti como se estivéssemos vivendo naquela velha cantiga que costumávamos cantar na escola de Avonlea, sobre a donzela que "habitava uma torre alta junto ao mar cinzento". O cômodo era muito agradável, afinal. Um pequeno lance de degraus de quina levava até ele a partir do patamar da escadaria. Era um tanto pequeno... mas não tanto quanto aquele horrível quarto em que morei durante meu primeiro ano em Redmond, bem no corredor. Havia duas janelas trapeiras, uma voltada para o oeste e outra maior para o norte, e no canto formado pela torre situava-se outra janela de três lados que se abria para fora, com prateleiras logo abaixo para meus livros. O piso estava coberto por tapetes bordados redondos, e a grande cama de dossel tinha uma colcha com padrões triangulares, tão impecavelmente arrumada e lisa que parecia uma lástima ter de arruiná-la na hora de dormir. E é tão alta, Gilbert, que para subir nela eu tive de usar uma escadinha

---

2 Poeta épico da Grécia Antiga, a quem tradicionalmente se atribui a autoria dos poemas épicos *Ilíada* e *Odisseia*. (N. T.)

móvel engraçada que fica guardada debaixo da cama durante o dia. Ao que parece, o capitão MacComber comprou o artefato em algum lugar "estrangeiro" e o trouxe para casa.

Um canto abrigava um pequeno armário com prateleiras, adornado com papel branco de bordas arredondadas e buquês de flores pintados nas portas. Uma almofada azul e redonda ficava sobre o assento debaixo da janela; era uma almofada com um botão preso no fundo de seu centro, que lhe dava o aspecto de uma grossa rosquinha azul. Havia um lavabo com uma estante de prateleiras; na de cima cabiam apenas uma bacia e um jarro azul-esverdeado, e na de baixo, uma saboneteira e um jarro para água quente. Havia também uma gaveta com um puxador de latão repleta de toalhas, e na prateleira acima dela encontrava-se uma dama de porcelana com sapatinhos rosa, uma faixa dourada e uma rosa vermelha de porcelana nos cabelos dourados.

O cômodo inteiro estava banhado pela luz dourada que entrava por entre as cortinas da cor do milho, e nas paredes caiadas de branco projetavam-se as sombras das faias lá de fora, criando uma extraordinária tapeçaria... uma tapeçaria vívida, tremeluzente e em constante mudança. De alguma forma, parecia um quarto muito alegre, e me senti a garota mais rica do mundo. Quando estávamos indo embora, a senhora Lynde disse que eu estaria segura lá. E eu suponho que algumas coisas me parecerão um pouco opressivas, depois da liberdade que tive na Casa da Patty. Disse isso só para provocá-la, e ela me reprovou: "Liberdade! Não fale como uma ianque, Anne".

Eu me mudei hoje, de mala e cuia. É claro que odiei ter de deixar Green Gables. Não importa quanto tempo eu passe longe, no instante em que chegam as férias volto a fazer parte daquele lugar como se nunca tivesse partido, e meu coração se parte quando tenho que ir embora, mas sei que vou gostar daqui. E que a casa gostou de mim, pois sempre sei se um lugar gosta de mim ou não.

As vistas das janelas são belíssimas, incluindo o velho cemitério, cercado por uma fileira de pinheiros escuros, aonde se chega por uma estrada sinuosa delimitada por canais. Da janela oeste eu posso ver o porto e as praias distantes e embrumadas, com os pequeninos barcos a vela de que gosto tanto e os navios que partem "em busca de portos longínquos", que frase fascinante! Há tanto espaço para imaginação nela! Da janela norte posso ver o bosque de bétulas e bordos do outro lado da estrada. Você sabe que eu sempre venerei as árvores. Quando estudamos Tennyson[3] em nosso curso de Inglês em Redmond, eu me identifiquei com a pobre Enone[4], lamentando por seus pinheiros dizimados.

Para além do bosque e do cemitério existe um vale encantador, com uma estrada sinuosa que o corta como uma fita vermelha brilhante, e casinhas brancas aqui e ali. Alguns vales são adoráveis por alguma razão desconhecida. É prazeroso só de olhar para eles. E, mais adiante ainda, está minha colina azul. Eu a chamarei de Rainha das Tormentas... a paixão dominante, etc.

Posso ficar sozinha aqui quando quiser. Você sabe que gosto de ficar sozinha de vez em quando. Os ventos serão meus amigos, que uivarão, suspirarão e cantarolarão ao redor da minha torre... os ventos alvos do inverno... os ventos verdes da primavera... os ventos anis do verão... os ventos carmesins do outono... e os ventos selvagens de todas as estações... "Vento tempestuoso que cumpre a sua palavra"[5]. Esse verso da Bíblia sempre me encantou, como se todo e cada vento tivesse uma mensagem para mim. Sempre invejei o garoto que voou com o Vento Norte naquela boa e velha história de George MacDonald. Em alguma noite, Gilbert, eu abrirei a janela da minha torre e caminharei para os braços do vento... E Rebecca Dew jamais saberá por que a minha cama amanheceu intacta.

Espero que, quando encontrarmos nossa "casa dos sonhos", meu querido, haja muito vento ao redor dela. Eu me pergunto onde fica...

---

3 Alfred Tennyson (1809-1892), poeta inglês. (N. T.)
4 Ninfa da mitologia grega, personagem de um célebre poema de Tennyson. (N. T.)
5 Antigo Testamento, Salmos 148:8. (N. T.)

essa casa desconhecida. Vou amá-la mais à luz da lua ou da manhã? Este lar do futuro onde teremos amor, amizade e trabalho... e algumas aventuras divertidas para rirmos na velhice. Velhice! Será que ficaremos velhos algum dia, Gilbert? Parece-me impossível.

Da janela esquerda da torre eu posso ver os telhados da cidade, este lugar onde viverei por pelo menos um ano. Nessas casas vivem pessoas que serão minhas amigas, embora eu ainda não as conheça, ou talvez minhas inimigas. Pois pessoas de gênio ruim como os Pyes existem em todos os lugares, com os mais diferentes nomes, e, pelo que entendi, precisarei tomar cuidado com os Pringles. As aulas começam amanhã e terei que ensinar geometria! Sem dúvida, não deve ser pior do que aprender a matéria. Peço ao céu que não haja nenhum gênio da matemática entre os Pringles.

Faz somente meio dia que estou aqui, mas é como se eu conhecesse as viúvas e Rebecca Dew a minha vida toda. Elas já pediram que eu as chame de "tias", e eu pedi que me chamem de Anne. Eu chamei a Rebecca Dew de "senhorita Dew" uma vez, e ela indagou-me: "Senhorita o quê?" Respondi, com cautela: "Dew, não é o seu nome?". E ela respondeu: "Bem, é sim, mas faz tanto tempo que não sou chamada de senhorita Dew que até me assustei. É melhor não fazer mais isso, senhorita Shirley. Não estou acostumada". Eu disse que ia me lembrar disso, tentando com todas as forças não incluir o "Dew", mas sem êxito.

A senhora Braddock tinha razão ao dizer que a tia Chatty era sensível. Descobri isso na hora do jantar. A tia Kate disse algo sobre "o aniversário de sessenta e seis anos de Chatty". Por acaso, eu olhei para a tia Chatty e vi que ela... Não, ela não estava aos prantos. Seria um termo extremo demais para sua atitude. Ela simplesmente transbordou, as lágrimas se acumularam nos olhos grandes e castanhos dela e escorreram, natural e silenciosamente.

A tia Kate perguntou com certa brusquidão à tia Chatty qual era o problema, e ela pediu que a tia Kate que a perdoasse. E, então, o sol voltou a brilhar.

O gato era um macho de olhos dourados, com uma pelagem branca elegante e impecável. A tia Kate e a tia Chatty o chamavam de Dusty Miller, pois esse era seu nome, e Rebecca Dew o chamava de "aquele gato", pois se ressentia dele e do fato de ter que lhe dar um pedacinho de cinco centímetros quadrados de fígado todas as manhãs e noites, limpar os pelos dele da poltrona da sala de estar com uma velha escova de dentes sempre que o animal subia ali escondido e ter que buscá-lo quando saía para a rua tarde da noite. Tia Chatty contou que Rebecca Dew sempre detestou gatos, e Dusty em especial. Ela continuou: "O velho cachorro da senhora Campbell (ela tinha um cachorro) trouxe o bicho até aqui na boca, dois anos atrás. Suponho que ele pensou que não fazia sentido levá-lo à senhora Campbell. Coitadinho, todo molhado e com frio, só pele e osso. Nem um coração de pedra teria recusado protegê-lo. Então, Kate e eu o adotamos, mas Rebecca Dew nunca conseguiu nos perdoar. Não fomos diplomáticas naquela época e devíamos ter nos recusado a abrigá-lo. Não sei se você notou a forma como lidamos com a Rebecca". Tia Chatty olhou de soslaio para a porta entre a sala de jantar e a cozinha.

Eu tinha notado, e era lindo de se ver. Summerside e Rebecca Dew podem achar que ela manda aqui, mas as viúvas têm uma opinião diferente. Tia Chatty completou: "Não queríamos hospedar o banqueiro; seria bem enervante ter um moço jovem em casa e ficaríamos muito preocupadas se ele não fosse regularmente à igreja, mas fingimos que queríamos, então Rebecca Dew simplesmente se negou a falar do assunto. Estamos muito contentes em ter você aqui, querida, tenho certeza de que será um prazer cozinhar para você. Espero que goste de nós. Rebecca Dew tem muitas qualidades; ela não era tão arrumada quando chegou aqui, quinze anos atrás, como é agora. Certa vez, Kate teve que escrever o nome dela "Rebecca Dew" no espelho da sala para mostrar-lhe como estava empoeirado. Porém, isso nunca mais foi necessário, pois Rebecca Dew sabe ler nas entrelinhas. Espero que o quarto seja confortável, querida. Você pode deixar a janela aberta à noite. Kate não aprova o ar noturno, mas sabe que os hóspedes precisam de certos privilégios. Ela e eu dormimos no mesmo quarto e combinamos que uma noite a janela fica fechada, para ela, e na outra noite a janela fica aberta, para mim. Sempre é possível resolver pequenos problemas assim, não acha? Onde há boa vontade, há um caminho. Não se assuste se ouvir a Rebecca perambular pela casa à noite; ela ouve ruídos o tempo todo e levanta para investigá-los. Acho que é por isso que ela não queria hospedar o banqueiro, pois temia topar com ele de camisola. Espero que não se importe com o fato de Kate não falar muito. É o jeito de ser dela. E a Kate deve ter muito que contar, ela viajou o mundo todo com Amasa MacComber na juventude. Quem dera eu tivesse assuntos para conversar como ela, mas eu nunca saí da ilha do Príncipe Edward. Muitas vezes me pergunto por que as coisas são assim, pois eu amo conversar e não tenho nada para contar, e a Kate sabe um monte de coisas e detesta falar, mas acredito que a providência divina saiba o que é melhor".

Embora a tia Chatty seja boa de papo, ela não disse tudo isso sem fazer pausas. Eu fiz comentários nos momentos adequados, mas que não tiveram nenhuma importância.

Elas têm uma vaca que fica no pasto da propriedade do senhor James Hamilton, subindo a estrada, e Rebecca vai até lá para ordenhá-la. Há sempre uma grande quantidade de creme e, pelo que pude notar, Rebecca Dew passa um copo de leite fresco pela abertura do portão do jardim para a "ajudante" da senhora Campbell todas as manhãs e tardes. É para a "pequena Elizabeth", que deve bebê-lo por ordens médicas. Quem é essa "ajudante", ou a pequena Elizabeth, ainda tenho que descobrir. A senhora Campbell é a habitante e dona da fortaleza ao lado... que se chama Evergreens.

Creio que não dormirei esta noite; nunca durmo na primeira noite em uma casa estranha, e esta é a cama mais estranha que já vi. Mas isso não tem importância. Sempre amei a noite e vou gostar de ficar acordada na cama, pensando em tudo na vida, no passado, no presente e no que está por vir. Especialmente no que está por vir.

Esta é uma carta penosa, Gilbert. Prometo não o castigar com outra tão longa novamente, mas eu queria lhe contar tudo, para que consiga imaginar meu novo ambiente por conta própria. Ela chega ao fim agora, pois, para além do porto, a lua está "mergulhando no reino das sombras"[6]. Ainda me falta escrever uma carta para Marilla. Chegará a Green Gables depois de amanhã, então Davy buscará a carta nos correios e a levará até em casa, e ele e Dora se amontoarão ao redor de Marilla enquanto ela a abre, e a senhora Lynde estará de ouvidos atentos... Ai... Ai! Isso me deixou com saudades de casa. Boa noite, meu querido, é o que deseja esta que é e sempre será sua, com todo amor e carinho,
ANNE SHIRLEY

---

6 Referência a um verso do poema *Moonset*, de Emily Pauline Johnson (1861-1913), poetisa canadense de origem moicana. (N. T.)

CAPÍTULO 2

(Trechos de várias cartas da mesma remetente para o mesmo destinatário.)

26 de setembro

Sabe aonde eu vou para ler as suas cartas? Ao bosque do outro lado da estrada. Há um pequeno vale onde o sol sarapinta as samambaias. Um córrego o cruza, e eu me sento em um tronco retorcido coberto de musgo, próximo a uma linda fileira de jovens bétulas. De agora em diante, quando eu tiver certo tipo de sonho... um sonho verde e dourado, raiado de vermelho... o sonho dos sonhos... vou satisfazer minha imaginação com a crença de que ele é oriundo do meu vale secreto, fruto de uma união mística entre as bétulas mais esguias e etéreas e o córrego murmurante. Eu adoro sentar-me naquele lugar e ouvir o silêncio do bosque. Já parou para pensar em quantos tipos diferentes de silêncio existem, Gilbert? O silêncio das florestas... da costa... dos prados... da noite... das tardes de verão. São todos distintos por causa dos diferentes tons suaves que os alinham. Tenho certeza de que, se eu fosse totalmente cega e insensível ao calor e ao frio, perceberia facilmente onde estou pela qualidade do silêncio ao meu redor.

As aulas começaram há duas semanas, e eu já consegui me organizar. Porém, a senhora Braddock estava certa: os Pringles são um problema para mim, e eu ainda não sei exatamente como vou resolvê-lo, apesar dos meus trevos da sorte. Como a senhora Braddock disse, eles são dóceis como carneirinhos... e tão imprevisíveis quanto.

Os Pringles são do tipo de clã onde todos estão sempre brigando e interferindo na vida um do outro, mas se unem quando o assunto é uma pessoa estranha. Cheguei à conclusão de que há apenas dois tipos de pessoa em Summerside... aquelas que são da família Pringle e aquelas que não são.

Minha sala de aula é cheia de Pringles, e boa parte dos alunos de outras famílias também tem o sangue dos Pringles. A chefe do grupo parece ser Jen Pringle, uma pirralha de olhos verdes que poderia ser o retrato de Becky Sharp[7] aos catorze anos. Creio que ela está organizando deliberadamente uma campanha sutil de insubordinação e desrespeito, que não vai ser fácil de lidar. Ela é hábil em fazer caras irresistivelmente cômicas, e, quando ouço risos abafados ecoar pela classe enquanto estou de costas, sei perfeitamente quem as provocou, apesar de ainda não ter conseguido flagrá-la no ato. Mas é inteligente, também... aquele diabrete! É capaz de escrever redações que não estão muito longe da literatura, e é brilhante na matemática... ai de mim! Tudo que diz ou faz tem uma espécie de centelha, e seu senso de humor seria um laço de união entre nós duas se ela não tivesse começado odiando-me. Pelo visto, temo que ainda vai demorar muito para que Jen e eu consigamos rir juntas de alguma coisa.

Myra Pringle, prima de Jen, é a beldade da escola... e aparentemente carece de cérebro. Ela diz alguns absurdos divertidos... como hoje, por exemplo, quando falou na aula de história que os índios achavam que Champain e seus homens eram deuses ou "criaturas inumanas".

Socialmente, os Pringles são o que Rebecca Dew chama de "ilite" de Summerside. Já fui convidada para o jantar na casa de dois deles... pois

---

7 Protagonista do livro *A Feira das Vaidades*, de William Makepeace Thackeray. (N. T.)

é de bom-tom convidar uma nova professora para jantar, e os Pringles não se omitiriam diante de um gesto desses. Na noite passada, eu fui à casa de James Pringle... o pai de Jen. Ele parece um professor universitário, mas na verdade é estúpido e ignorante. Falou bastante sobre "disciplina", batendo na toalha da mesa com um dedo cuja unha não estava impecável, ocasionalmente cometendo atrocidades com a gramática. "A Escola Secundária de Summerside sempre precisou de uma mão firme, de alguém com experiência, de preferência um professor." Ele temia que eu fosse um "poquinho" jovem demais, "uma falha que o tempo logo corrigirá", disse ele com pesar. Eu não falei nada, pois, se tivesse respondido, talvez fosse me arrepender. Assim, fui dócil como um carneirinho, como qualquer um dos Pringles, e conformei-me em apenas encará-lo placidamente e pensar comigo mesma: "seu velho intratável e preconceituoso!".

Jen deve ter herdado a inteligência da mãe, de quem eu acabei gostando. Jen, na presença dos pais, era um exemplo de decoro. Todavia, apesar das palavras educadas, seu tom era insolente. Cada vez que dizia "senhorita Shirley", esforçava-se para que soasse como um insulto e, toda vez que olhava para meu cabelo, eu sentia como se ele fosse da cor de uma cenoura. Nenhum Pringle, com toda certeza, jamais admitiria que ele é castanho-avermelhado.

Gostei muito mais da família de Morton Pringle... ainda que ele nunca realmente preste atenção no que os outros dizem. Ele fala alguma coisa e então, enquanto você responde, ele está ocupado demais elaborando o próximo comentário.

A senhora Stephen Pringle... a viúva Pringle (Summerside é abundante em viúvas)... enviou-me uma carta dela ontem, uma carta amável, polida e venenosa. Millie tem lição de casa demais... Millie é uma criança delicada que não deve se fatigar. O senhor Bell nunca lhe passava deveres de casa. Ela é uma criança sensível que precisa ser compreendida. O senhor Bell a compreendia tão bem! A senhora Stephen está segura de que eu também conseguirei, se tentar!

Não duvido de que a senhora Stephen ache que eu fiz o nariz de Adam Pringle sangrar durante a aula, motivo pelo qual o garoto teve que voltar para casa. E eu acordei na noite passada e não consegui dormir novamente porque me lembrei de um "i" que não pontuei em uma questão que escrevi no quadro negro. Tenho certeza de que Jen Pringle notou e que um cochicho circulará pelo clã a respeito disso.

Rebecca Dew diz que todos os Pringles vão me convidar para jantar, exceto as senhoras de Maplehurst, e que depois o clã me ignorará para sempre. Como são a "ilite", isso pode significar que serei banida da sociedade de Summerside. Bem, veremos. A batalha já começou, mas ainda não foi ganha nem perdida. Mesmo assim, estou triste com a situação, pois não é possível argumentar com o preconceito. Ainda sou a mesma que era quando criança, não suporto a ideia de que não gostem de mim. Não é lisonjeiro pensar que as famílias da metade dos meus alunos me odeiam e por algo que não é culpa minha. É a injustiça que me machuca. Aí seguem mais exclamações! Algumas exclamações de fato aliviam nossos sentimentos.

Com exceção dos Pringles, gosto muito dos meus pupilos. Alguns são espertos, ambiciosos e esforçados, com um interesse genuíno em aprender. Lewis Allen está pagando pela moradia realizando serviços domésticos na pensão onde está hospedado e não tem nem um pingo de vergonha disso. E Sophy Sinclair percorre os dez quilômetros de ida e os dez de volta, todos os dias, no pelo da velha égua cinza do pai. Isso é o que chamo de determinação! Se eu conseguir ajudar uma garota como ela, que importância terão os Pringles?

O problema é que, se eu não conseguir conquistar os Pringles, não terei muitas possibilidades de ajudar ninguém.

Entretanto, eu amo Windy Poplars. Não é uma pensão... é um lar! E todos gostam de mim, até mesmo Dusty Miller, embora às vezes ele me rejeite, sentando-se deliberadamente de costas e lançando olhares ocasionais por cima do ombro para checar a minha reação. Eu não faço muito carinho nele quando Rebecca Dew está por perto, porque isso realmente a irrita. De dia, ele é um animal caseiro, manso e meditativo; de noite, entretanto, é uma criatura decididamente esquisita. Rebecca afirma que é porque ele nunca tem permissão para ficar fora depois que anoitece. Ela odeia ter que sair no quintal para chamá-lo, pois diz que todos os vizinhos riem dela. Rebecca Dew o chama de maneira tão intensa e retumbante que seus gritos de "bichano... bichano... BICHANO!" podem ser ouvidos por toda a cidade em noites serenas. As viúvas teriam um acesso de raiva se Dusty Miller não estivesse em casa na hora em que fossem para a cama. "Ninguém sabe o que já passei por causa Daquele Gato... ninguém", Rebecca me garantiu.

Não terei problemas com as viúvas, pois gosto delas mais e mais a cada dia. A tia Kate não aprova a leitura de romances, mas informou que não pretende censurar meu material de leitura. A tia Chatty ama romances. Ela os guarda em um "esconderijo" (depois de contrabandeá-los da biblioteca) juntamente com um baralho para jogar Paciência e tudo mais que ela não quer que a tia Kate veja. O esconderijo fica no assento de uma cadeira, que só a tia Chatty sabe que é mais do que uma cadeira. Tenho fortes suspeitas de que ela compartilhou o segredo comigo porque deseja que eu a auxilie com o contrabando mencionado. Não há necessidade alguma de esconderijos em Windy Poplars, pois eu nunca vi uma casa com tantos armários misteriosos, embora, verdade seja dita, Rebecca Dew não permita que sejam misteriosos. Ela os limpa frequentemente, de cabo a rabo. "Uma casa não se limpa sozinha", alega com pesar quando alguma das viúvas protesta. Estou certa de que ela não faria rodeios se encontrasse um livro ou um baralho. Ambos são um horror para sua alma ortodoxa. Rebecca Dew diz que cartas são os livros do demônio e que os romances são ainda piores. A única coisa que Rebecca lê, além da Bíblia, são as colunas sociais do jornal *Guardian* de Montreal. Ela ama entreter-se com as casas, a mobília e as atividades dos milionários. Rebecca divagou: "Imagine só como é afundar em uma banheira dourada". Entretanto, ela é um encanto, pois apareceu com uma velha poltrona confortável de brocado desbotado, que se molda perfeitamente ao meu corpo, e anunciou: "Esta é a sua poltrona, nós a conseguimos para você". E ela não permite que Dusty Miller durma nela, para evitar que minha saia de dar aula fique cheia de pelos, o que daria aos Pringles motivos para falar de mim.

As três ficaram muito interessadas no meu anel de pérolas e no que ele representa. A tia Kate me mostrou sua aliança de noivado (ela não a usa mais porque ficou muito pequena), com turquesas incrustadas. Mas a pobre tia Chatty confessou com lágrimas nos olhos que nunca havia usado um anel de noivado... o marido dela considerava isso "um gasto desnecessário". Ela encontrava-se no meu quarto na ocasião, banhando o rosto com soro de leite coalhado, o que faz todas as noites para preservar a compleição, e pediu que eu jurasse guardar segredo, porque não queria que a tia Kate descobrisse. Então, tia Chatty disse, certa noite: "Ela acharia que é uma vaidade ridícula para uma mulher da minha idade. E tenho certeza de que a Rebecca Dew acredita que mulheres cristãs não devem tentar ser bonitas. Eu costumava esgueirar-me até a cozinha depois que a Kate pegava no sono, mas sempre ficava com medo de que Rebecca Dew aparecesse. Ela tem a audição de um gato, até mesmo quando está dormindo. Se ao menos eu pudesse vir aqui todas as noites para fazer isso... Ah, muito obrigada, minha querida".

Descobri algumas coisas sobre nossos vizinhos que moram em Evergreens. A senhora Campbell (que é uma Pringle!) tem oitenta anos. Ainda não a vi, mas, pelo que pude entender, é uma senhora idosa e austera, que tem uma empregada, Martha Monkman, que é quase tão anciã e taciturna quanto a patroa. Todos se referem a ela como "a ajudante da senhora Campbell". E a bisneta, a pequena Elizabeth Grayson, vive com ela. Elizabeth, que eu não vi nos quinze dias em que estou aqui, tem oito anos e vai à escola pública pelo "caminho de trás", um atalho através dos quintais das casas, de forma que eu nunca a encontrava, indo ou voltando. A mãe dela, que é falecida, era neta da senhora Campbell e também fora criada pela senhora, já que os pais dela também haviam morrido. Ela casou-se com um tal de Pierce Grayson, um "ianque", como diria a senhora Rachel Lynde. Ela morreu quando Elizabeth nasceu, e, quando Pierce Grayson teve que deixar a América de imediato para cuidar da filial de sua empresa em Paris, a criança foi mandada à casa da velha senhora Campbell. Segundo contam, ele "não suportava olhar para ela", porque o bebê havia custado a vida da mãe, e por isso nunca lhe dava atenção. É claro que isso pode muito bem ser pura fofoca, pois a senhora Campbell e a Ajudante nunca falavam dele.

Rebecca Dew afirma que elas são muito severas com a pequena Elizabeth, que não se dá muito bem com elas. Rebecca afirmou que ela não é como as outras crianças e é muito madura para seus oito anos. Certa vez, disse para Rebecca: "Suponha que você está pronta para se deitar e então você sente uma mordida no tornozelo". E Rebecca continuou: "Não é à toa que a menina tem medo de dormir no escuro e elas a obrigam a fazê-lo. A senhora Campbell diz que não quer covardes na casa dela. As duas vigiam a menina como dois gatos de olho em um rato e passam o dia todo dando-lhe ordens. Se faz o menor ruído sequer, elas quase desmaiam e é "xiu, xiu" o tempo inteiro. Ainda vão matá-la com tanto "xiu, xiu". E o que se pode fazer a respeito? O quê, de verdade?".

Gostaria de conhecê-la. Ela me parece um pouco patética. A tia Kate alega que ela é bem cuidada, do ponto de vista físico... O que isso realmente quer dizer é que "elas a alimentam e a vestem bem", mas uma criança não vive só de pão. Jamais esquecerei como minha própria vida era antes de ir para Green Gables.

Vou para casa na sexta-feira à noite para passar dois dias gloriosos em Avonlea. O único inconveniente é que todas as pessoas que encontrarei vão perguntar se estou gostando de dar aula em Summerside.

Mas pense em Green Gables agora, Gilbert... a Lagoa das Águas Brilhantes com sua névoa azulada... os bordos do outro lado do riacho começando a ganhar tons de vermelho... as samambaias douradas e marrons na Floresta Assombrada... e o pôr do sol na Travessa dos Amantes, aquele lugar precioso. Meu coração adoraria estar lá agora com... com... Adivinha quem?

Sabe, Gilbert, há momentos em que suspeito fortemente que te amo!

Windy Poplars
Rua do Fantasma
Summerside
10 de outubro

HONRADO E RESPEITADO SENHOR,
É assim que começa uma carta de amor da avó da tia Chatty. Não é lindo? Que sensação de superioridade o avô deve ter sentido! Você prefere isso a "querido Gilbert", etc? Mas, no geral, acho que estou contente por você não ser o avô... ou UM avô. É maravilhoso pensar que somos jovens e que temos nossa vida inteira pela frente... juntos... não é mesmo?

(Várias páginas omitidas. O bico de pena de Anne evidentemente ou não estava afiado ou estava cego ou enferrujado.)

Estou sentada no assento debaixo da janela da torre, olhando para as árvores, acenando contra o céu cor de âmbar e, mais adiante, o porto. Ontem à noite, dei um passeio adorável comigo mesma. Realmente tinha que ir para algum outro lugar, pois o ambiente estava um pouco triste em Windy Poplars. A tia Chatty estava chorando na sala de estar porque seus sentimentos tinham sido feridos, a tia Kate estava chorando em seu quarto porque era aniversário da morte do capitão Amasa, e Rebecca Dew estava chorando na cozinha por nenhum motivo aparente. Nunca tinha visto Rebecca Dew chorar e, quando tentei descobrir com diplomacia qual era o problema, ela perguntou com irritação se uma pessoa não podia desfrutar de umas boas lágrimas quando precisava. Então, resolvi dar no pé dali e deixá-la se divertindo.

Saí e fui em direção ao porto. Havia um agradável aroma fresco de outubro no ar, misturado com o delicioso odor dos campos recém-arados. Caminhei e caminhei até o crepúsculo transformar-se em uma noite enluarada de outono. Estava sozinha, mas não solitária. Tive uma série de conversas com amigos imaginários e pensei em tantos epigramas que fiquei surpresa comigo mesma. Não pude deixar de me divertir, apesar da preocupação com os Pringles.

Meu espírito me impele a proferir alguns lamentos com respeito aos Pringles. Detesto admitir, mas as coisas não estão indo bem na Escola Secundária de Summerside. Não tenho dúvida de que uma conspiração foi organizada contra mim.

Por exemplo, o dever de casa nunca é feito por nenhum dos Pringles e seus parentes, e apelar para os pais é inútil. Eles são afáveis, educados, evasivos e sei que todos os pupilos que não são da família Pringle gostam de mim, mas o vírus da desobediência está debilitando o moral da sala inteira. Certa manhã, encontrei a minha mesa virada do avesso e de cabeça para baixo. Ninguém sabia quem era o culpado, é claro. E ninguém pôde ou soube me dizer quem deixou sobre a mesma uma caixa de onde saltou uma cobra artificial, em outro dia. Todos os Pringles gargalharam de mim, e suponho que eu tenha ficado muito assustada, mesmo.

Jen Pringle chega atrasada com frequência, sempre com uma desculpa perfeitamente infalível, dita com polidez e um sorrisinho insolente. Ela passa bilhetes durante a aula bem debaixo do meu nariz. Encontrei uma cebola descascada no bolso do meu casaco hoje. Adoraria trancafiar aquela garota e deixá-la à base de pão e água até que aprendesse a se comportar.

O pior, até hoje, foi a minha caricatura que encontrei no quadro negro em uma manhã, feita com giz branco e com cabelo escarlate. Todos negaram a autoria, incluindo Jen, mas eu sabia que ela era a única aluna que poderia ter feito aquele desenho. Estava bem feito. Meu nariz... que, como você sabe, sempre foi meu orgulho e alegria... era curvado para baixo, e minha boca era a de uma solteirona avinagrada que havia passado trinta anos ensinando em uma escola cheia de Pringles, porém era eu. Acordei às três da madrugada naquela noite e estremeci de aflição diante da lembrança. Não é estranho que as coisas que nos afligem durante a noite raramente são as ruins? Apenas as humilhantes.

Todos os tipos de rumor estão correndo por aí. Sou acusada de ter dado nota baixa nas provas de Hattie por ela ser uma Pringle. Dizem que "dou risada quando as crianças cometem erros". (Bem, de fato eu ri quando Fred Pringle definiu um centurião como "alguém que viveu há centenas de anos". Não pude evitar.)

James Pringle está dizendo que "não há disciplina na escola", disciplina alguma. E um informe está circulando dizendo que fui "abandonada quando criança".

Estou começando a encontrar o antagonismo dos Pringles em outros lugares. Tanto no âmbito social quanto no educacional, Summerside parece estar nas mãos dos Pringles e não é à toa que são chamados de Família Real. Não fui convidada para o passeio organizado por Alice Pringle no sábado passado. E, quando o senhor Frank Pringle lançou a ideia de um chá em prol de um projeto da igreja (Rebecca Dew me informou que as damas vão "construir" o novo pináculo!), fui a única garota na igreja presbiteriana que não foi convidada para juntar-se à comissão. Ouvi dizer que a esposa do ministro, que mora em Summerside há pouco tempo, sugeriu que eu fosse convidada para o coral, mas foi informada de que todos os Pringles desertariam se ela o fizesse. Isso deixaria uma lacuna tão grande que o coral simplesmente não conseguiria seguir em frente.

Obviamente, não sou a única professora com problema com os alunos. Quando os outros mandam seus pupilos para serem "disciplinados" (como eu odeio esta palavra!), metade deles é da família Pringle. Só que ninguém se queixa deles.

Dois dias atrás, eu mantive Jen depois da aula para que terminasse algumas lições que ela havia deliberadamente deixado de fazer. Dez minutos depois, a carruagem de Maplehurst parou diante da escola e a senhorita Ellen apareceu na porta: uma senhora de idade belamente vestida, com um doce sorriso, elegantes luvas negras de renda e um proeminente nariz aquilino, parecia ter saído das gravuras de uma caixa para chapéus de 1840. Lamentava muito, mas poderia levar Jen para casa?

Ela ia visitar alguns amigos em Lowvale e tinha prometido levar a Jen. A garota sorriu triunfantemente, e tomei consciência mais uma vez das forças que estavam direcionadas contra mim.

Em meus dias de maior pessimismo, penso que os Pringles são uma mescla da família Sloane com os Pyes, todavia sei que não são e creio que poderia gostar deles se não fossem meus inimigos. São, na maior parte do tempo, um grupo franco, alegre e leal. Poderia gostar até da senhorita Ellen. Eu nunca vi a senhora Sarah, que faz dez anos que não sai de Maplehurst.

Rebecca Dew disse com desdém: "É delicada demais ou é o que acredita ser, mas não há nada de errado com seu orgulho. Todos os Pringles são orgulhosos, mas aquelas duas ultrapassam todos os limites. Devia ouvi-las falar de seus ancestrais, pois o velho pai delas, o capitão Abraham Pringle, era um senhor refinado. Seu irmão, Myrom, já não era tanto, mas os Pringles não falam muito dele. De qualquer forma, receio que você passará por maus bocados por casa de todos eles, pois, quando tomam uma decisão sobre alguma coisa ou alguém, não são conhecidos por mudarem de ideia, mas mantenha a cabeça erguida, senhorita Shirley... mantenha a cabeça erguida". Já a tia Chatty suspirou e disse que gostaria de conseguir a receita do bolo da senhorita Ellen; esta já havia prometido várias vezes, mas nunca a enviou. Era uma antiga receita de família, e eles são tão exclusivos com relação às receitas!

Em sonhos fantásticos e selvagens me vejo obrigando a senhorita Ellen a entregar a receita de joelhos para a tia Chatty e fazendo com que Jen tome mais cuidado com a dicção. O que mais me enlouquece é que eu poderia fazer isso facilmente se o clã inteiro dela não apoiasse suas travessuras.

(Duas páginas omitidas.)
Sua serva obediente,
ANNE SHIRLEY
P.S. Era assim que a avó da tia Chatty assinava as cartas de amor.

15 de outubro

Hoje, nós ficamos sabendo que houve um roubo do outro lado da cidade na noite passada. Invadiram uma casa e levaram dinheiro e uma dúzia de colheres de prata. Por conta disso, Rebecca Dew foi até a casa do senhor Hamilton para ver se ele podia emprestar um cachorro. Ela o prenderá na varanda dos fundos e me aconselhou a trancar meu anel de noivado em algum lugar seguro!

A propósito, descobri por que a Rebecca Dew estava chorando. Ao que parece, houve uma comoção doméstica. Dusty Miller "comportou-se mal novamente", e Rebecca Dew disse à tia Kate que ela deveria tomar providências com Aquele Gato, pois ele a estava deixando esgotada. Era a terceira vez em um ano, e ela sabia que o animal fazia de propósito, mas a tia Kate respondeu que, se a Rebecca Dew deixasse o gato sair sempre que miasse, ele não teria motivos para se comportar mal. Rebecca Dew disse que é o fim da picada.

Consequentemente, lágrimas!

A situação com os Pringles está se tornando um pouco mais tensa a cada semana. Encontrei algo muito impertinente escrito em um de meus livros ontem, e Homer Pringle saiu da classe virando estrelinhas por todo o corredor quando a aula terminou. Além disso, também recebi recentemente uma carta anônima repleta de insinuações maldosas. De alguma forma, não culpo Jen pelo livro nem pela carta; por mais arteira que seja, ela não se rebaixaria a tal nível. Rebecca Dew está furiosa, e estremeço ao pensar no que ela faria aos Pringles se tivesse chance; o gênio de Nero não se compararia ao dela. Realmente não a culpo, pois em certas ocasiões eu adoraria dar a cada um dos Pringles uma poção envenenada, ao melhor estilo dos Bórgia.

Creio que não contei muita coisa sobre os outros professores. Há outros dois, sabe... a vice-diretora, Katherine Brooke, do Primário, e George Mackay, do Preparatório. Não há muito o que dizer sobre o George: ele é um rapaz tímido e amigável na casa dos vinte anos, dono de um leve e delicioso sotaque escocês que evoca pastagens com casebres baixos e ilhas enevoadas, seu avô "era da ilha de Skye" e se sai muito bem com o Preparatório. Ainda o conheço bem pouco, mas gosto dele. No entanto, temo que terei dificuldades para gostar de Katherine Brooke.

Katherine é uma moça de cerca de vinte e oito anos, creio eu, embora pareça ter trinta e cinco. Contaram-me que tinha esperanças de ser promovida a diretora, e desconfio que tenha rancor de mim por ter conseguido o cargo, ainda mais por eu ser consideravelmente mais jovem que ela. É uma boa professora, ainda que um tanto autoritária, não é muito popular, porém não se importa com isso! Parece não ter amigos ou parentes e vive em uma casa de aspecto triste na desmantelada ruazinha Temple. Veste-se muito mal, nunca sai socialmente, e dizem que é "maldosa". É muito sarcástica, e seus alunos temem seus comentários ácidos. Contam que a maneira como arqueia as sobrancelhas negras e grossas e arrasta as palavras os reduz a pó. Quem dera eu conseguisse fazer o mesmo com os Pringles, porém não gostaria de ser respeitada pelo medo, como ela faz, pois quero que meus alunos me amem.

Apesar do fato de, aparentemente, não ter problemas para deixá-los na linha, ela está sempre mandando alguns deles para mim... especialmente os Pringles. Sei que faz isso de propósito e tenho a triste certeza de que se regozija com minhas dificuldades e que adoraria me ver humilhada.

Rebecca Dew disse que ninguém consegue fazer amizade com ela. As viúvas já a convidaram várias vezes para jantar no domingo... as boas almas sempre fazem isso com os solitários e sempre preparam uma apetitosa salada de frango para eles... Mas ela nunca veio. Então elas desistiram, pois, como a tia Kate diz, "tudo tem limites".

Há rumores de que é muito esperta e que pode cantar e recitar... "declamar", como disse a Rebecca Dew, mas que nunca faz nem um nem outro. Certa vez, a tia Chatty pediu que recitasse no jantar de domingo, e a tia Kate disse que ela se recusou de maneira muito rude, e Rebecca Dew concordou com um mero grunhido.

Katherine tem uma voz grave e profunda, quase masculina... que realmente parece um grunhido quando não está de bom humor.

É bonita, mas poderia aproveitar melhor esse fato. Tem a pele morena e cabelos negros magníficos que estão sempre penteados para o lado oposto da testa alta, presos em um coque desajeitado na base do pescoço. Seus olhos não combinam com o cabelo, já que são de um tom claro de âmbar sob as sobrancelhas negras. Tem orelhas das quais não deveria se envergonhar e as mãos mais bonitas que já vi. Além disso, tem uma boca bem delineada, mas se veste pessimamente, pois parece ter o dom de escolher as cores e os estilos que não deveria usar. Verdes-escuros sem-graça e tons de cinza enfadonhos, quando é muito pálida para tais cores, e listras que tornam a figura alta e esguia dela ainda mais alta e esguia. E sempre parece ter dormido nas roupas que usa.

Seus modos são muito desagradáveis. Como diria Rebecca Dew, ela parece que está sempre procurando briga. Quando passo por ela nas escadas, sinto como se estivesse pensando coisas horríveis de mim. Toda vez que conversamos, ela me faz sentir como se tivesse dito algo inadequado. Ainda assim, sinto muita pena dela, mesmo sabendo que se enfureceria se soubesse disso, e não posso fazer nada para ajudá-la, pois ela não quer ser ajudada. Um dia, nós três estávamos na sala dos professores e eu fiz algo que, aparentemente, transgrediu uma das regras não oficiais da escola. Katherine disse de maneira cortante: "Talvez você acredite que está acima das regras, senhorita Shirley".

Em outro momento, quando sugeri algumas mudanças que acreditava serem benéficas para a escola, ela disse com um sorriso de escárnio: "Não estou interessada em contos de fadas".

Uma vez, quando elogiei o trabalho e os métodos dela, ela disse: "E qual é o inconveniente por trás de todas essas belas palavras?".

Entretanto, o que me mais me irritou... Bem, um dia, eu peguei casualmente um livro dela na sala dos professores e, ao reparar na contracapa, comentei: "Que bom que seu nome é com K. Katherine é muito mais instigante do que Catherine, pois o K é uma letra muito mais exótica que o C". Ela não respondeu, mas o próximo bilhete que me enviou estava assinado como "Catherine Brooke"!

Eu ri durante todo o trajeto para casa.

Eu desistiria de uma vez por todas de ser amiga dela se não tivesse uma sensação estranha e indefinível de que, por baixo de toda aquela aspereza e indolência, ela está faminta por companhia.

Por fim, com o antagonismo de Katherine e a atitude dos Pringles, não sei o que faria se não fosse pela querida Rebecca Dew, por suas cartas e a pequena Elizabeth. Pois eu conheci a pequena Elizabeth, e ela é uma doçura.

Três noites atrás, eu levei um copo de leite até o portão do muro, e a própria pequena Elizabeth estava lá para buscá-lo em vez da Ajudante. Sua cabeça alcançava um pouco acima da parte sólida do portão, de forma que seu rosto estava emoldurado pela hera. Ela é pequena, pálida, tem cabelos dourados e um semblante tristonho. Os olhos que me encaravam à luz do crepúsculo outonal eram grandes, de um castanho flavescente. A cabeleira loira-prateada estava repartida no meio, presa por um pente circular, e descia em ondas sobre os ombros. Usava um vestido azul celeste xadrezinho e tinha a expressão de uma princesa da Terra dos Elfos. Ela apresentava o que Rebecca Dew chamava de "um ar delicado" e me passava a impressão de uma criança mais ou menos subnutrida, não no físico, mas na alma. Era mais um raio de luar do que um raio de sol. Perguntei se ela era a Elizabeth e me respondeu que não: "Nesta noite eu sou a Betty, pois hoje amo tudo que há neste mundo. Fui a Elizabeth noite passada, e amanhã à noite provavelmente serei a Beth. Isso depende de como estou me sentindo".

Encontrei uma alma gêmea, como pode ver, e fiquei emocionada no mesmo instante. Eu disse a ela que era muito bom ter um nome que você pode mudar facilmente e ainda sentir que é seu, e a pequena Elizabeth assentiu.

Ela disse que podia criar tantos nomes com ele! Elsie, Betty, Bess, Elisa, Lisbeth e Beth... mas não Lizzie. Nunca se sentia como uma Lizzie, e eu perguntei quem poderia. Elizabeth me perguntou depois: "Acha que é tolice, senhorita Shirley? A vovó e a Ajudante acham que é". E eu respondi que não é nem um pouco, é muito inteligente e admirável.

A pequena Elizabeth me estudou com os olhos arregalados por cima da borda do copo. Senti como se estivesse sendo pesada em alguma balança espiritual secreta, e logo percebi que, por sorte, meu peso não era insuficiente. Pois a pequena Elizabeth me pediu um favor, e ela não pede favores a quem não gosta. Pediu, timidamente, se eu me importaria de erguer o gato para que ela pudesse acariciá-lo.

Dusty Miller estava se esfregando nas minhas pernas. Eu o levantei, e a pequena Elizabeth estendeu a mão pequenina e fez carinho na cabeça dele delicadamente. "Gosto mais de filhotes de gatos do que de bebês", disse ela olhando para mim com um curioso ar de provocação, como se soubesse que eu ficaria chocada, mas que a verdade precisava ser dita. Eu disse que talvez ela nunca tenha tido muito contato com bebês e que por isso não saiba como são doces. Depois perguntei se ela tinha um gatinho. Elizabeth balançou a cabeça e respondeu: "Ah, não. A vovó não gosta de gatos. E a Ajudante os detesta. Ela saiu hoje, e é por isso que pude vir buscar o leite. Adoro vir buscar o leite, pois Rebecca Dew é uma pessoa muito amável". E eu perguntei se Elizabeth estava chateada por ela não ter vindo nesta noite. A menina balançou a cabeça e respondeu: "Não, você também é muito amável. Tinha vontade de conhecer você, mas estava com medo de que isso não fosse acontecer antes que o Amanhã chegasse".

Ficamos ali, conversando, enquanto Elizabeth bebericava o leite com cuidado, e ela me contou tudo sobre o Amanhã. A Ajudante havia dito que o Amanhã nunca chega, mas Elizabeth sabia que não era verdade, pois ele vai chegar em algum momento. Em uma bela manhã, ela acordará e descobrirá que é Amanhã, não Hoje, mas Amanhã, e coisas acontecerão... coisas maravilhosas. Talvez até ganhe um dia para fazer exatamente o que quiser, sem ninguém para vigiá-la... embora Elizabeth ache que isso seja bom demais para acontecer, até mesmo Amanhã. Ou talvez ela descubra o que há no fim da estrada do porto... aquela estrada sinuosa como uma víbora vermelha, que leva, segundo Elizabeth, ao fim do mundo. Talvez a Ilha da Felicidade fique lá, e Elizabeth está decidida de que há uma Ilha da Felicidade em algum lugar, onde todos os barcos que nunca voltaram estão ancorados, e ela a encontrará quando o Amanhã chegar. Elizabeth disse: "E, quando o Amanhã chegar, eu terei um milhão de cachorros e quarenta e cinco gatos. Eu contei isso à vovó quando não me deixou ter um gato, senhorita Shirley, e ela ficou brava e disse: 'Não estou acostumada que falem comigo dessa forma, senhorita Impertinência'. Fui mandada para a cama sem janta, só que eu não tive a intenção de ser impertinente. E não consegui dormir, porque a Ajudante disse que conhecia uma criança que morreu durante o sono depois de ser impertinente".

Quando Elizabeth terminou o leite, ouvimos algumas batidas rápidas vindas de alguma janela oculta pelos abetos. Acho que fomos observadas durante todo esse tempo. Minha pequena elfa correu, e seus cabelos dourados cintilaram por entre as fileiras de abetos até desaparecerem.

Quando contei minha aventura a Rebecca Dew, pois de alguma forma ela se qualifica como uma aventura, Gilbert, ela disse que Elizabeth é uma criaturinha sonhadora e que um dia havia perguntado: "Você tem medo de leões, Rebecca Dew?". "Nunca vi um, de forma que não posso dizer ao certo", Rebecca respondeu. "Haverá um monte de leões Amanhã", disse Elizabeth, "mas serão leões belos e amigáveis". "Criança, você vai virar um par de olhos se continuar me encarando desse jeito", Rebecca disse que a menina a olhava através dela, como se estivesse vendo algo no Amanhã dela. "Estou tendo pensamentos profundos,

Rebecca Dew", disse Elizabeth. E Rebecca Dew disse que o problema dessa criança é que ela não ri muito.

Recordei que Elizabeth não riu durante nossa conversa. Creio que ela não aprendeu como fazer isso. Aquela casa grande é muito silenciosa, solitária e desprovida de risadas. Parece tediosa e melancólica até mesmo agora, quando o mundo é uma explosão de cores outonais. A pequena Elizabeth escuta muitos sussurros perdidos.

Acho que uma das minhas missões em Summerside será ensiná-la como rir.

Sua tenra e leal amiga,
ANNE SHIRLEY.

P.S. Mais da avó da tia Chatty!

CAPÍTULO 3

Windy Poplars
Rua do Fantasma
Summerside
25 de outubro

QUERIDO GILBERT,
O que acha? Fui jantar em Maplehurst!
A própria senhorita Ellen escreveu o convite. Rebecca Dew ficou muito animada. Ela achou que nunca iriam me notar e tinha total certeza de que não tinha sido por amabilidade. Rebecca disse, também, que elas têm alguma intenção sinistra, não havia dúvidas! Eu também sentia algo parecido. E Rebecca Dew me ordenou a vestir a minha melhor roupa.
Então, coloquei meu lindo vestido creme com violetas púrpura e fiz um novo penteado, com uma mecha na testa. Ficou muito bom.
As damas de Maplehurst são decididamente encantadoras à maneira delas, Gilbert, e eu poderia amá-las se me permitissem. Maplehurst é uma mansão altiva e exclusiva, detrás de uma cortina de árvores, que não mantém relações com as casas comuns. Possui em seu pomar a figura de uma mulher talhada em madeira, proveniente do famoso barco do velho capitão Abraham, o "Vá e Pergunte a Ela", e ao redor dos

degraus da frente há fileiras de abrótanos, trazidos do Velho Mundo há mais de cem anos pelo primeiro Pringle a emigrar. Outro ancestral delas lutou na batalha de Minden, e sua espada está pendurada na parede da sala de visitas ao lado do retrato do capitão Abraham. O capitão é pai delas, de quem sentem um tremendo orgulho.

Elas têm elegantes espelhos acima das antigas cornijas negras e caneladas, uma vitrine com flores de cera, lindos quadros de barcos antigos, uma grinalda tecida com o cabelo de cada Pringle já conhecido, conchas imensas e uma colcha no quarto de visitas bordada com incontáveis leques.

Nós nos sentamos em cadeiras estilo Sheraton na sala de estar, que era decorada com papel de parede de tiras prateadas, pesadas cortinas de brocado nas janelas e mesas com tampo de mármore. Sobre uma delas havia uma bela miniatura de um barco com casco vermelho-escuro e velas alvas como a neve, o "Vá e Pergunte a Ela". Havia também um imenso candelabro suspenso no teto, todo de vidro e pingentes, e um espelho redondo com relógio em seu centro, algo que o capitão Abraham havia trazido do "estrangeiro". Era estupendo e adoraria ter algo assim em nossa casa dos sonhos.

Até mesmo as sombras eram eloquentes e tradicionais. A senhorita Ellen me mostrou cerca de milhões de fotografias de membros da família Pringle, muitas delas daguerreótipos em estojos de ouro. Um grande gato com pelagem branca, preta e alaranjada subiu no meu colo, só para ser levado no mesmo instante para a cozinha pela senhorita Ellen, que pediu desculpas logo em seguida, mas suspeito que ela se desculpou com o gato antes de voltar para a sala.

A senhorita Ellen foi a que falou mais. A senhorita Sarah é uma mulher de idade minúscula, magra, sorumbática e gentil, de cabelos brancos como a neve e olhos negros como o vestido de seda que usava juntamente com uma anágua engomada, com as mãos delgadas de veias saltadas repousando sobre o colo entre finos babados de renda, e parecia ser frágil demais para falar. Ainda assim, Gilbert, tive a impressão de que todos os Pringles, incluindo a própria senhorita Ellen, dançavam conforme a música dela.

O jantar foi delicioso. A água estava gelada, a toalha de mesa e os guardanapos de linho eram elegantes, e os talheres e as taças eram finos. Fomos servidas por uma empregada, que era quase tão afetada e aristocrática quanto as anfitriãs. Porém, a senhorita Sarah fingiu ser um pouco surda sempre que eu falava. Achei que eu iria engasgar com cada garfada, e toda a coragem esvaiu-se de mim. Senti-me como uma mosca presa em uma armadilha. Gilbert, eu nunca, nunca vou conseguir conquistar ou vencer a Família Real. Eu me vejo renunciando ao cargo no Ano-novo, pois não tenho a mínima chance contra um clã assim.

Mesmo assim, não pude deixar de sentir um pouco de compaixão pelas anciãs ao olhar pela casa. O lugar já tivera vida, pessoas nasceram, morreram, foram felizes ali... Seus habitantes conheceram o sono, o desespero, o medo, a alegria, a esperança, o ódio. E agora não restava nada além das lembranças que as mantinham vivas ou do orgulho que sentiam por elas.

A tia Chatty está muito aborrecida, pois, quando ela desdobrou um lençol limpo para colocar na minha cama, encontrou um vinco no formato de um diamante bem em seu centro, e ela tem certeza de que isso é o prenúncio de uma morte na casa. A tia Kate está indignada com tamanha superstição, mas acho que prefiro as pessoas supersticiosas. Elas dão cores à vida. O mundo não seria um lugar sacal se todos fossem sábios e sensatos... e bons? Sobre o que conversaríamos?

Uma catástrofe aconteceu duas noites atrás. Dusty Miller passou a noite fora, apesar dos gritos ressoantes da Rebecca Dew no quintal. E, quando retornou pela manhã... Ah, coitadinho! Um olho estava completamente fechado, havia um calombo do tamanho de um ovo no queixo, seu pelo estava duro de tanta lama, e uma das patas tinha uma mordida. Porém, que expressão triunfal e impenitente trazia no olho bom! As viúvas ficaram horrorizadas, mas Rebecca Dew disse, exultante: "Aquele Gato nunca tinha se metido em uma boa briga antes. E aposto que o outro gato está bem pior!".

Uma névoa está encobrindo o porto hoje, ocultando a estrada vermelha que a pequena Elizabeth deseja explorar. Ervas daninhas e folhas estão sendo queimadas em todos os jardins da cidade, e a combinação de fumaça e neblina está transformando a Rua do Fantasma em um lugar enigmático, fascinante e encantado. Já está tarde, e minha cama está dizendo: "tenho sonhos para você". Acostumei-me a subir o lance de degraus para chegar até a cama... e para descer dela. Ah, Gilbert, ainda não contei isto para ninguém, mas é engraçado demais para continuar escondendo. Na primeira manhã em que acordei em Windy Poplars, eu me esqueci completamente dos degraus e saltei da cama toda animada. Estatelei-me no chão feito um saco de tijolos, como diria a Rebecca Dew. Ainda bem que não quebrei nenhum osso, mas fiquei com marcas roxas por uma semana.

A pequena Elizabeth e eu nos tornamos boas amigas. Ela está vindo buscar o leite por conta própria, pois a Ajudante está acamada com o que Rebecca Dew chama de "broquíti". Sempre a encontro aguardando por mim no portão, com os grandes olhos refletindo a luz do crepúsculo. Conversamos por cima do portão, que não é aberto há anos. Elizabeth bebe o leite o mais devagar possível para estender o nosso papo, e sempre, quando termina a última gota, ouvem-se as batidas na janela.

Descobri que uma das coisas que vão acontecer Amanhã é que ela receberá uma carta do pai. Ela nunca recebeu nenhuma, e pergunto-me o que se passa na cabeça desse homem. Então, Elizabeth disse: "Sabe, ele não conseguia suportar olhar para mim, senhorita Shirley, mas talvez não se importe em escrever para mim". Eu perguntei, revoltada: "Quem falou que ele não suportava olhar para você?", e Elizabeth respondeu: "A Ajudante. Deve ser verdade, do contrário ele já teria vindo me visitar algumas vezes". Sempre que Elizabeth diz "a Ajudante", eu a imagino como uma grande e intimidadora letra A, com seus ângulos e cantos.

Era a Beth que estava ali naquela noite... Ela só fala do pai quando é a Beth. Ela faz caretas para a avó e a Ajudante pelas costas quando é a Betty, mas, quando se transforma na Elsie, sente-se culpada e tem vontade de confessar, apesar de ter medo. Muito raramente é a Elizabeth; nesses casos, ela tem a expressão de alguém que ouve a música das fadas e que sabe do que as rosas e os trevos conversam. Ela é muito peculiar, Gilbert... tão sensível como as folhas dos álamos ventosos, e eu a amo. Enfurece-me saber que aquelas duas mulheres terríveis a obrigam a dormir no escuro. Certa vez Elizabeth disse: "A Ajudante disse que já tenho idade suficiente para dormir sem uma luz, mas sinto-me tão pequena, senhorita Shirley, pois a noite é grande e horrível. E eu tenho medo do corvo empalhado que fica no quarto. A Ajudante falou que ele arrancaria os meus olhos às bicadas se eu chorasse; é óbvio que não acredito nisso, mas tenho medo mesmo assim. As coisas sussurram umas com as outras durante a noite. Contudo, não terei medo de nada Amanhã, nem de ser raptada!". Eu disse que não há perigo algum de ela ser raptada. E Elizabeth argumentou: "A Ajudante disse que sim, se eu for a algum lugar sozinha ou falar com estranhos, mas você não é uma estranha, não é mesmo, senhorita Shirley?", e eu respondi que não e que sempre teremos uma à outra no Amanhã.

CAPÍTULO 4

Windy Poplars
Rua do Fantasma
Summerside
10 de novembro

QUERIDO,

A pessoa que mais odeio no mundo costumava ser aquela que estraga a ponta da minha pena, mas não posso odiar Rebecca Dew, apesar de seu hábito de usar minhas penas para copiar receitas quando estou no trabalho. Ela fez isso de novo e, como resultado, você não receberá uma carta longa ou uma carta de amor desta vez. (Meu amado.)

Os grilos cantaram sua última canção. As noites estão tão geladas que agora tenho um fogão a lenha atarracado e retangular em meu quarto. Rebecca Dew o instalou... e, por isso, eu a perdoo por usar minhas penas. Não existe algo que aquela mulher não possa fazer, e ela sempre acende o fogo para mim pouco antes de eu chegar da escola. É um fogão diminuto... poderia erguê-lo com as próprias mãos. Parece um petulante cachorrinho preto com suas quatro pernas de ferro curvas, mas, quando está cheio de tocos de madeira, ele irradia um vermelho róseo e um calor maravilhoso, tão aconchegante que você nem imagina. Estou sentada diante dele agora, com os pés sobre seu gradil, escrevendo esta carta apoiada em meu colo.

Praticamente todo o resto de Summerside está no baile promovido por Hardy Pringle, e eu não fui convidada. E a Rebecca Dew está tão irritada com isso que eu não gostaria de estar na pele do Dusty Miller. Entretanto, quando penso em Myra, a filha do senhor Hardy, linda e desmiolada, tentando provar em um exame que os "anglos" da base de um triângulo isósceles são iguais, eu perdoo todo o clã dos Pringles. Semana passada ela incluiu o "pé da forca" com toda a seriedade em uma lista de árvores! Contudo, justiça seja feita, nem todos os disparates originam-se dos Pringles. Recentemente, Blake Fenton definiu um jacaré como um "tipo de inseto grande". São os pontos altos da vida de uma professora!

Parece que vai nevar nesta noite. Gosto das noites em que a neve está prestes a cair. O vento está soprando "na torre e nas árvores", tornando meu quarto ainda mais aconchegante do que já é. A última folha dourada será arrancada das faias pelo vento ainda hoje.

Creio que, a essa altura, já fui convidada para jantar em todas as partes... refiro-me aos lares dos meus pupilos, tanto aqueles que moram na cidade quanto os que moram no campo. E, ah, querido Gilbert, estou tão enjoada de conserva de abóbora! Nunca, nunca permita que tenhamos isso em nossa casa dos sonhos.

Em quase todas as casas que visitei no último mês, foi servida C. de A. no jantar. Da primeira vez, eu adorei... estava tão dourada que era como se eu estivesse comendo uma compota de raios de sol... e, inadvertidamente, eu a elogiei. Rumores de que eu gostava muito de C. de A. começaram a correr, e as pessoas passaram a prepará-la de bom grado para mim. Fui à casa do senhor Hamilton na noite passada, e Rebecca Dew me garantiu que eu não teria de comer C. de A., porque nenhum dos membros da família gostava do prato. No entanto, ao sentar-me à mesa do jantar, deparei-me com a inevitável tigela de cristal cheia de C. de A. sobre o aparador. A senhora Hamilton, servindo-me uma porção generosa, disse: "Eu não tinha nenhuma conserva de abóbora em casa, mas ouvi dizer que você gosta muito. Então, quando fui visitar a minha prima em Lowvale no sábado passado, eu disse: 'Vou receber a senhorita Shirley para jantar nesta semana, e ela adora conserva de abóbora. Gostaria que me emprestasse um pote para servir a ela'. E aqui está, e você pode levar para casa o que sobrar".

Você deveria ter visto a expressão de Rebeca Dew quando voltei da casa do senhor Hamilton com um pote quase cheio de C. de A.! Ninguém gosta disso por aqui, de forma que nós o enterramos no jardim na calada da noite. Rebecca Dew perguntou aflita se eu ia colocar isso em uma história. Desde que ela descobriu que ocasionalmente escrevo ficção para revistas, vive com medo... ou esperança, não sei... de que eu coloque tudo que acontece em Windy Poplars em uma história. Porém, Rebecca quer eu escreva sobre os Pringles, acabando com eles. Infelizmente, porém, são os Pringles que estão acabando comigo, e, entre eles e meu trabalho na escola, é escasso o tempo que tenho para escrever ficção.

Agora restam apenas folhas murchas e caules congelados no jardim. Rebecca Dew protegeu as rosas com palha e sacos de batata, e sob a luz do crepúsculo elas parecem exatamente com anciões encurvados, apoiando-se em bengalas.

Hoje recebi um cartão-postal de Davy com dez beijos representados por cruzinhas e uma carta da Priscilla escrita em um papel que "uma amiga do Japão" havia lhe enviado... um papel macio e fino como seda, com flores de cerejeiras etéreas como fantasmas. Estou começando a ter suspeitas sobre essa amiga dela, mas sua imensa carta foi a dádiva que o dia me deu, e eu a li quatro vezes, para degustar cada pedacinho, como um cachorro limpando a tigela! Essa certamente não é uma comparação romântica, mas é a que surgiu na minha cabeça. Ainda assim, cartas, até mesmo as melhores, não são satisfatórias. Quero ver você. Estou feliz por faltarem somente cinco semanas para as férias de Natal.

CAPÍTULO 5

Anne, sentada à janela de sua torre em um entardecer do fim de novembro, com a pena em mãos e o olhar sonhador, contemplou o mundo sob o poente e teve o súbito desejo de dar um passeio até o velho cemitério. Ela ainda não o tinha visitado, pois preferia o bosque de bétulas e bordos na estrada do porto para suas caminhadas vespertinas. Porém, em novembro há sempre um período, depois que as folhas caem, em que ela considera quase indecente embrenhar-se nas matas... uma vez que sua glória terrestre já desapareceu, e a glória celestial do espírito, da pureza e da alvura ainda não as agraciou. Assim, Anne resolveu ir ao cemitério; sentia-se tão abatida e sem esperanças que considerou o cemitério um lugar alegre, em comparação. Além do mais, Rebecca Dew disse que o lugar estava repleto de Pringles, que eles eram sepultados ali há gerações e que a família preteria o novo cemitério até que "não coubesse mais nenhum deles ali". Anne achou que seria positivamente encorajador ver a quantidade de Pringles que se encontrava onde não podiam mais incomodar ninguém.

Em relação aos Pringles, Anne sentia que havia chegado ao limite do tolerável. A situação assemelhava-se cada vez mais a um pesadelo, e a sutil campanha de insubordinação e desrespeito organizada por Jen Pringle havia finalmente chegado ao ápice. Na semana anterior, ela havia pedido que a classe escrevesse uma redação sobre "os acontecimentos mais importantes da semana". A de Jen Pringle era brilhante, pois a pestinha era inteligente e havia inserido um insulto ardiloso à professora, tão evidente que era impossível de ignorar. Anne a mandou para casa e disse que ela teria de se desculpar antes que tivesse permissão para voltar à escola. Era só o que faltava, a guerra havia finalmente sido declarada entre Anne e a família Pringle, e a coitada não tinha dúvida sobre qual lado sairia vitorioso. O conselho da escola iria apoiar os Pringles e ela teria que escolher entre permitir que Jen voltasse ou ser convidada a resignar o cargo.

Anne sentia muita amargura. Ela dera o seu melhor e sabia que teria obtido bons resultados se tivesse tido pelo menos uma chance de lutar.

"Não é culpa minha", pensou com tristeza. "Quem conseguiria ter êxito diante de tamanha ofensiva, de tais táticas?"

E ter de voltar para Green Gables derrotada! E aguentar a indignação da senhora Lynde e o júbilo dos Pyes! Até mesmo a simpatia dos amigos seria angustiante. E, depois que a notícia do fracasso em Summerside se espalhasse, ela jamais iria conseguir emprego em outra escola.

Mas, pelo menos, eles não tinham levado a melhor na questão da peça de teatro. Anne riu com um pouco de malícia, e seus olhos se encheram de um deleite travesso ao lembrar-se do acontecido.

Ela havia organizado um Clube de Artes Dramáticas na escola e dirigido uma peça montada às pressas para angariar fundos para um de seus projetos de estimação: comprar gravuras boas para as salas de aula. Ela se forçou a convidar Katherine Brooks para ajudá-la, pois a outra professora sempre parecia ser deixada de lado. Não obstante, Anne acabou se arrependendo disso diversas vezes, posto que Katherine mostrou-se ainda mais ríspida e sarcástica do que de costume. Raros eram os ensaios em que não fazia algum comentário corrosivo, e suas sobrancelhas tiveram uma sobrecarga de trabalho. E o pior foi que Katherine insistiu em dar o papel de Mary, rainha da Escócia, a Jen Pringle.

– Ninguém mais na escola conseguiria interpretá-la – alegou, com impaciência. – Ninguém mais tem a personalidade necessária.

Anne não tinha tanta certeza. Ela achava que Sophy Sinclair, que era alta e tinha olhos cor de avelã e um vistoso cabelo castanho, seria uma Rainha da Escócia melhor do que Jen. Só que Sophy não fazia parte do Clube e nunca havia participado de uma peça.

– Nada de novatos. Não quero meu nome associado a algo que não seja um sucesso – dissera Katherine de mau humor, e Anne cedera. Ela não podia negar que Jen era muito boa no papel. A menina tinha um talento natural para a atuação e aparentemente estava se entregando de corpo e alma. Eles ensaiaram quatro tardes por semana e, a princípio, tudo correu bem. Jen parecia tão interessada no papel que se comportou adequadamente, no que diz respeito à peça. Anne não interagiu com ela, deixando-a aos cuidados de Katherine. Uma ou duas vezes, porém, ela flagrou uma expressão de triunfo furtiva no rosto de Jen que a deixou intrigada, sem ter a mínima ideia de seu significado.

Uma tarde, assim que o ensaio havia começado, Anne encontrou Sophy Sinclair aos prantos em um canto do vestiário feminino. De início ela piscou vigorosamente os grandes olhos acastanhados e negou, mas logo desatou a chorar.

– Eu queria estar na peça... eu queria ser a rainha Mary – soluçou. – Nunca tive oportunidade. Papai não me deixou participar do grupo porque temos contas a pagar, e cada centavo faz diferença. E eu não tenho nenhuma experiência, também. Sempre adorei a rainha Mary... Fico arrepiada só de ouvir o nome dela. Não acredito e jamais acreditarei que ela teve algum envolvimento com o assassinato de Darnley. Teria sido maravilhoso fazer de conta que era ela, só por um instante!

Mais tarde, Anne concluiu que foi seu anjo da guarda que respondeu à menina.

– Vou adaptar o papel para você, Sophy, e vou ensiná-la a representá-lo. Vai ser um bom treinamento e, como planejo apresentar a peça em outros lugares, se tudo der certo aqui, não será mal ter uma substituta, caso a Jen não possa ir, mas nós não contaremos isso a ninguém.

No dia seguinte, Sophy já tinha memorizado o papel. Todas as tardes, ela ia para Windy Poplars com Anne após as aulas e ensaiava na torre. As duas se divertiam muito juntas, pois Sophy era dona de uma vivacidade serena. A peça ia ser apresentada na última sexta-feira de novembro, no salão da prefeitura. A divulgação foi intensa, e todos os lugares reservados se esgotaram. Anne e Katherine passaram duas tardes decorando o salão, uma banda foi contratada, e uma notória soprano viria de Charlottetown para cantar entre os atos. O ensaio geral foi um sucesso, Jen era realmente excelente, e o resto do elenco não ficava atrás. Na manhã de sexta-feira, Jen faltou à escola, de tarde. A mãe dela avisou que a menina estava com uma terrível dor de garganta, e a família temia que fosse amidalite. Todos lamentavam muito, mas de forma alguma ela deveria participar da peça naquela noite.

Katherine e Anne se entreolharam, unidas pela primeira vez pelo desânimo em comum.

– Teremos que cancelar a apresentação – disse Katherine, por fim. – E isso é sinônimo de fracasso, e há tanta coisa já marcada para dezembro! Bem, sempre achei uma tolice organizar uma peça nesta época do ano.

– Não vamos adiá-la – disse Anne, com um olhar intenso. Ela não ia comentar com Katherine Brooke, mas tinha certeza absoluta de que as amídalas de Jen Pringle estavam tão inflamadas quanto as dela. Independentemente se algum dos outros Pringles estava envolvido ou não, aquilo tratava-se de um esquema premeditado para arruinar a peça que ela, Anne Shirley, havia planejado.

– Ah, se é o que deseja... – disse Katherine, com um dar de ombros indolente. – Mas o que pretende fazer? Colocar alguém para ler as falas da personagem? Seria um desastre... Mary é o centro da peça!

– Sophy Sinclair pode fazer a personagem tão bem quanto Jen. O figurino vai servir nela e, felizmente, você o costurou e ficou com ele, e não Jen.

A peça estreou naquela noite, diante de uma plateia lotada. Uma Sophy reluzente interpretou Mary... personificou Mary, de uma forma que Jen Pringle jamais teria conseguido... Ela se parecia com a rainha, com seus trajes de veludo, gola alta e as joias. Os alunos da Escola Secundária, que nunca tinham visto Sophy usar algo além de vestidos de sarja simplórios e deselegantes, casacos sisudos e chapéus velhos, assistiram à apresentação boquiabertos. De imediato, decidiu-se que ela precisava tornar-se membro permanente do Clube de Artes Dramáticas. A própria Anne pagou pela taxa de inscrição, e, daquele momento em diante, ela foi considerada uma das alunas que "fazia diferença" na escola. Contudo, ninguém sabia ou sonhava, muito menos a própria Sophy, que aquele era o primeiro passo em um caminho que a levaria ao estrelato. Dali a vinte anos, Sophy Sinclair se tornaria uma das principais atrizes na América, mas provavelmente nenhuma salva de palmas soou tão doce em seus ouvidos quanto os aplausos selvagens em meio aos quais a cortina cerrou-se no salão da prefeitura de Summerside, naquela noite.

A senhora de James Pringle voltou para casa com um relato que quase fez com que a filha explodisse de inveja. Como Rebecca Dew disse, emocionada, Jen finalmente estava experimentando do próprio veneno, e o resultado disso foi o insulto na redação sobre acontecimentos importantes.

Anne caminhou até o velho cemitério por uma vereda que se aprofundava entre os canais de deságue feitos de pedra cobertos de musgo, adornados por samambaias vítimas da friagem. Álamos delgados e pontudos, cujas folhas ainda não tinham sido totalmente despidas pelos ventos de novembro, cresciam a intervalos ao longo do caminho, destacando-se contra a cor ametista das colinas. O velho cemitério, com metade de suas lápides inclinadas em ângulos canhestros, era cercado por uma fileira de pinheiros altos e sombrios. Anne não esperava encontrar alguém ali e ficou um tanto surpresa ao ver a senhorita Valentine Courtaloe, com seu nariz comprido e delicado, os lábios finos, os ombros curvados e meigos, e seu ar de inexpugnável feminilidade, ao passar pelo portão. Ela conhecia a senhorita Valentine, é claro, como todos em Summerside. Ela era a costureira local, e o que ela não sabia sobre as pessoas, vivas ou mortas, não deveria ser levado em consideração. Anne queria perambular sozinha, ler os antigos epitáfios e decifrar os nomes dos enamorados esquecidos pelo tempo, encobertos pelo líquen. Entretanto, não houve escapatória quando a senhorita Valentine enganchou o braço ao dela e prosseguiu com as honras do cemitério, onde obviamente estavam enterrados tantos membros da família Courtaloe quanto dos Pringles. A senhorita Valentine não tinha uma gota do sangue dos Pringles e um dos pupilos favoritos de Anne era sobrinho dela, de modo que não foi um grande esforço ser afável com ela, tomando muito cuidado para jamais insinuar que ela costurava para viver. A senhorita Valentine era muito sensível em relação a isso.

– Fico feliz por estar aqui nesta tarde – disse a senhorita Valentine. – Posso contar tudo sobre as pessoas que estão enterradas aqui. Sempre digo que devemos saber os detalhes dos defuntos para desfrutar de um cemitério. Gosto mais de caminhar aqui do que no cemitério novo. Somente membros das famílias antigas são sepultados aqui, enquanto que os fulanos e sicranos vão para o novo. Ah, houve tantos funerais em minha família!

– Suponho que toda família antiga seja assim – disse Anne, visto que a senhorita Valentine evidentemente esperava que dissesse algo.

– Não, nenhuma família teve tantos como a nossa – defendeu-se. – Temos uma saúde muito frágil. A maioria morreu por causa de uma tosse. Esse é o túmulo da minha tia Bessie, que foi uma verdadeira santa. Mas não há dúvida de que a irmã dela, a tia Cecilia, era uma pessoa mais interessante de se conversar. Da última vez que nos vimos, ela me disse: "Sente-se aqui, minha querida, sente-se. Eu vou morrer nesta noite, às onze e dez, mas isso não é motivo para que não coloquemos as fofocas em dia pela última vez". O mais estranho, senhorita Shirley, é que ela morreu naquela noite às onze e quinze. Você é capaz de explicar como ela sabia?

Anne não era capaz.

– Meu tataravô Courtaloe está enterrado aqui. Ele veio para cá em 1760 e ganhava a vida construindo rocas de fiar. Dizem que ele montou mil e quatrocentas rocas ao longo da vida. Quando morreu, o ministro fez um sermão com base no texto "e suas obras os seguirão"[8], e o velho Myrom Pringle comentou que, no caso dele, o caminho até o céu ficaria atravancado de rocas de fiar. Você acha que foi um comentário de bom-tom, senhorita Shirley?

Se o comentário não tivesse sido feito por um Pringle, Anne não teria dito com tamanha veemência "certamente que não" enquanto estudava a lápide adornada por uma caveira e ossos cruzados, como se também questionasse o bom gosto dela.

– Minha prima Dora está enterrada aqui. Ela teve três maridos, mas todos morreram em muito pouco tempo. A infeliz não tinha sorte para escolher homens saudáveis, e o último chamava-se Benjamin Banning. Ele não está enterrado aqui, mas em Lowvale, com a primeira esposa dele. Benjamim não aceitava a morte, Dora dizia que ele iria para um mundo melhor. "Talvez, talvez", dizia, "mas estou bastante acostumado com as imperfeições dele". Tomou sessenta e um medicamentos diferentes; apesar disso, até que durou bastante. Toda a família do tio Courtaloe está aqui, e há uma roseira plantada aos pés de cada túmulo, e, minha nossa, como florescem! Venho aqui todos os verões e colho algumas para meu vaso de rosas. Seria um pecado desperdiçá-las, não acha?

– Eu... imagino que sim.

– Minha pobre irmã mais nova, Harriet, jaz aqui – suspirou a senhorita Valentine. – Tinha um cabelo magnífico, mais ou menos da mesma cor que o seu, só que não tão vermelho. Chegava até a altura do joelho. E ela estava noiva quando faleceu. Ouvi dizer que você está noiva. Eu nunca quis muito me casar, mas acredito que teria sido bom estar comprometida com alguém. Ah, tive algumas oportunidades, é claro...

---

8   Referência ao Novo Testamento, Apocalipse 14:13. (N. T.)

Talvez eu tenha sido muito exigente... Mas uma Courtaloe não pode se casar com qualquer um, não é?

Aparentemente, não.

– Frank Digby... naquele canto, sob os sumagres... queria se casar comigo. Eu até que senti um pouco de remorso depois de recusá-lo... Mas um Digby, minha nossa! Ele se casou com Georgina Troop, que sempre chegava um pouco mais tarde na igreja para exibir suas roupas. E como ela gostava de roupas! Foi enterrada em um vestido azul tão lindo... fui eu quem o fez, para que usasse em um casamento, mas no fim das contas ela acabou usando no próprio funeral. Tinha três filhos adoráveis, que costumavam sentar na minha frente na igreja, e eu sempre lhes dava doces. Você acha que é errado dar doces para crianças na igreja, senhorita Shirley? Não os de menta, esses não têm problema. Há algo de religioso nas balas de menta, não acha? Só que os coitadinhos não gostam delas.

Quando os túmulos dos Courtaloe se esgotaram, as lembranças da senhorita Valentine ficaram mais apimentadas. Já não fazia diferença se eram da família ou não.

– Aqui está a velha senhora Russel Pringle. Com frequência me pergunto se ela está no céu ou não.

– Por quê? – perguntou Anne, chocada.

– Bem, ela sempre odiou a irmã, Mary Ann, que morreu alguns meses antes dela. "Se Mary Ann está no céu, então não vou ficar lá", costumava dizer, e era uma mulher de palavra, minha querida... no estilo dos Pringles. Ela era da família Pringle e casou com seu primo Russell. Esta é a senhora Dan Pringle... Janetta Bird morreu aos setenta anos e dizem que ela considerava errado morrer com mais de setenta anos, pois este é o limite na Bíblia. As pessoas dizem coisas tão engraçadas, não é mesmo? Ouvi dizer que a única coisa que ela fez sem pedir a permissão do marido foi morrer. Minha querida, sabe o que ele foi capaz de fazer certa vez que ela comprou um chapéu de que ele não gostou?

– Não consigo nem imaginar.

– Ele o comeu! – disse solenemente a senhorita Valentine. – Claro, era um chapéu pequeno... de renda, com flores... e sem plumas. Ainda assim, deve ter sido bem indigesto. Sei que teve dores de estômago terríveis por um bom tempo. Obviamente, eu não o vi comê-lo, mas nunca tive dúvida sobre a veracidade dessa história. Acha que é verdade?

– Não duvido de nada quando se trata de um Pringle – disse Anne, com amargura.

A senhorita Valentine segurou o braço dela compassivamente.

– Eu a entendo... de verdade. A forma como eles têm tratado você é horrível, mas Summerside não é habitada apenas pelos Pringles, senhorita Shirley.

– Às vezes acho que é – disse Anne, com um sorriso pesaroso.

– Não, não é. E há um bom número de pessoas que adoraria vê-la levar a melhor sobre eles. Não desista, não importa o que façam. É o velho satanás que os influencia. Acontece que são muito unidos, e a senhorita Sarah queria que o primo deles ficasse com a escola. Bem, a família de Nathan Pringle está aqui. Nathan sempre achou que a esposa estava tentando envenená-lo, mas não parecia se importar. Falava que isso deixava a vida mais empolgante. Uma vez, ele desconfiou de que ela havia posto arsênico em seu mingau de aveia; ele saiu e o jogou para um dos porcos, e o animal morreu três semanas depois. Mas ele disse que talvez fosse apenas uma coincidência e, de qualquer forma, ele não tinha como ter certeza de que era o mesmo porco. Por fim, ela acabou morrendo antes dele, e Nathan disse que ela sempre fora uma esposa boa de verdade, exceto por esse detalhe. Creio que seria um ato de caridade acreditar que ele estava errado.

– "Sagrado à memória da senhorita Kinsey" – leu Anne, espantada. – Que inscrição extraordinária! Ela não tinha outro nome?

– Se tinha, ninguém sabia – disse a senhorita Valentine. – Ela veio da Nova Escócia e trabalhou por quarenta anos na casa de George Pringle. Ela se apresentou como senhorita Kinsey, e todos a chamavam assim.

Morreu de repente, só então descobriu-se que ninguém sabia seu primeiro nome ou se tinha algum parente. Assim, colocaram isso em sua lápide, e a família de George Pringle organizou um funeral muito bonito e pagou pelo monumento. Era uma criatura leal e trabalhadora, e, se você a tivesse conhecido, teria achado que seu nome de batismo era senhorita Kinsey. A família de James Morleys está aqui. Eu fui às bodas de ouro do casal. Que alvoroço... Presentes, discursos e flores... Todos os filhos deles em casa... E eles sorrindo e cumprimentando todo mundo, quando na verdade se odiavam com todas as forças.

– Eles se odiavam?

– Amargamente, minha querida. Todo mundo sabia. Há anos... desde o começo da vida de casados, praticamente. Eles discutiram a caminho de casa depois do casamento. Fico imaginando como conseguem ficar aqui, deitados placidamente um do lado do outro.

Anne estremeceu novamente. Que horrível... Sentar-se à mesa um de frente para o outro... deitar-se um ao lado do outro na mesma cama... ir à igreja para batizar os filhos... odiando-se o tempo todo! E eles provavelmente se amavam no início. Será que Anne e Gilbert... Bobagem! Os Pringles estavam mexendo com os nervos dela.

– O belo John MacTabb está enterrado aqui. Sempre se suspeitou de que Annetta Kennedy afogou-se por causa dele. A família MacTabb inteira sempre foi bonita, mas nunca se pôde confiar em uma palavra sequer do que dizem. Havia uma lápide aqui para o tio dele, Samuel, que supostamente tinha morrido afogado no mar, há cinquenta anos. Quando ele apareceu com vida, a família retirou a lápide. O homem de quem a haviam comprado não quis aceitá-la de volta, por isso a senhora Samuel a usava no fogão e era uma placa de mármore ótima para misturar massa, dizia ela. As crianças viviam levando biscoitos para a escola com a marca de letras e números... marcas do epitáfio. Elas eram muito generosas com eles, mas nunca tive coragem de prová-los. Tenho um paladar exigente.

"O senhor Harley Pringle está aqui. Certa vez, ele teve de carregar Peter MacTabb em um carrinho de mão pela rua principal, usando uma touca, por causa de uma aposta de eleição. Summerside inteira apareceu para assistir... exceto os Pringles, obviamente. Eles quase morreram de vergonha.

"Milly Pringle está aqui. Eu gostava muito dela, mesmo que fosse uma Pringle; era muito linda e esbelta como uma fada. Às vezes imagino, minha querida, que, em noites como esta, ela sai do túmulo e dança como costumava fazer, mas suponho que uma cristã não deveria alimentar tais pensamentos. Este é o túmulo de Herb Pringle. Ele era um dos Pringles divertidos: sempre fazia as pessoas rir. Certa vez, ele soltou uma risada bem no meio da igreja, quando um rato despencou das flores no chapéu de Meta Pringle quando ela se inclinou para orar. Eu não tive vontade de rir, pois não fazia ideia de onde aquele rato tinha passado. Ergui minhas saias até os tornozelos e as segurei com firmeza ali até o fim da missa, mas o ocorrido arruinou o sermão para mim. Herb estava sentado atrás de mim e deu um gargalhada. As pessoas que não viram o rato acharam que ele tinha ficado louco, e parecia que a risada dele não teria fim. Se ele estivesse vivo, ficaria do seu lado, com Sarah ou sem Sarah. E este, evidentemente, é o túmulo do capitão Abraham Pringle."

Dominava todo o cemitério. Quatro plataformas retraídas de pedras formavam um pedestal quadrado de onde se erguia um pilar de mármore, sobre o qual se destacava uma urna drapeada ridícula com um querubim tocando uma trombeta em sua base.

– Que horroroso! – disse Anne com sinceridade.

– Ah, você acha mesmo? – A senhorita Valentine parecia escandalizada. – Foi considerado muito bem feito na época em que foi erguido. Aquele é o arcanjo Gabriel, soprando sua trombeta. Acredito que ele dá um toque de elegância ao cemitério. Custou novecentos dólares. O capitão Abraham era um verdadeiro cavalheiro. É uma lástima que tenha morrido e, se ainda fosse vivo, eles não estariam perseguindo você dessa forma. Não me surpreende que Sarah e Ellen tenham orgulho dele, mas creio que elas levem isso longe demais.

    Ao chegarem ao portão, Anne virou-se e olhou para trás. Uma quietude estranha, calma, dominava a terra sem vento. Os longos raios de luar começavam a atravessar os pinheiros sombrios, tocando uma lápide aqui, outra ali, criando sombras peculiares entre elas. No entanto, o cemitério não parecia um lugar lúgubre; na realidade, seus habitantes pareciam estar vivos depois das histórias da senhorita Valentine.

    – Ouvi dizer que você escreve – disse a senhorita Valentine, preocupada, enquanto caminhavam pela estradinha. – As coisas que lhe contei não vão aparecer em suas histórias, vão?

    – Tenha a certeza de que não – prometeu Anne.

    – Você acha que é errado ou perigoso falar mal dos mortos? – sussurrou a senhorita Valentine, um tanto receosa.

    – Creio que não seja nem um nem outro – disse Anne. – Apenas... injusto, como se estivéssemos atacando quem não pode se defender. Porém, você não disse nada desagradável sobre ninguém, senhorita Courtaloe.

    – Eu contei que Nathan Pringle achava que a mulher queria envenená-lo...

    – Mas você lhe deu o benefício da dúvida.

    Com isso, a senhorita Valentine foi embora, tranquilizada.

CAPÍTULO 6

No fim da tarde de hoje, dirigi-me rumo ao cemitério [escreveu Anne a Gilbert ao chegar em casa]. Acho que "dirigir-me rumo" é uma frase adorável e tento usá-la sempre que posso. Soa engraçado dizer que desfrutei do meu passeio no cemitério, mas é a verdade. As histórias da senhorita Courtaloe são tão divertidas! Comédia e tragédia estão tão entrelaçadas na vida, Gilbert... A única coisa que me assombra é o relato do casal que viveu junto odiando-se por cinquenta anos, e é quase impossível de acreditar. Alguém já disse que "ódio é apenas o amor que perdeu seu caminho". Aposto que, por trás de toda a aversão, eles se amavam de verdade... Da mesma forma que passei todos aqueles anos achando que odiava você, quando de fato eu o amava profundamente, e acredito que a morte lhes mostrou a verdade. Fico feliz por eu ter descoberto em vida. Descobri também que existem Pringle decentes... os mortos.

Na noite passada, quando desci para tomar um copo de água, encontrei a tia Kate na despensa, passando soro de leite no rosto. Ela pediu que não contasse para a Chatty, pois ela diria que era bobagem. Prometi guardar segredo.

Elizabeth continua vindo buscar o leite, apesar de a Ajudante já ter se recuperado da bronquite. Acho estranho que permitam que a garota venha, porque a velha senhora Campbell é uma Pringle. Sábado passado, Elizabeth, acho que era a Betty naquela noite, entrou em casa correndo e cantando, e pude ouvir distintamente a Ajudante falar na varanda: "O domingo está muito próximo, você não deveria cantar essa canção". Tenho certeza de que a Ajudante proibiria Elizabeth de cantar em qualquer dia da semana, se pudesse!

    Elizabeth usava um vestido novo naquela noite, cor de vinho tinto (elas realmente a vestem bem), e comentou com pesar: "Achei que o vestido ficou bonitinho em mim quando o coloquei nesta noite, senhorita Shirley, e desejei que o papai pudesse me ver. Claro que ele virá me ver Amanhã, mas às vezes parece que esse dia está demorando demais para chegar. Gostaria de poder acelerar um pouco o tempo, senhorita Shirley".

    Agora, meu caro, preciso resolver alguns exercícios de geometria. Eles tomaram o lugar do que a Rebecca Dew chama de "esforços literários". O espectro que me assombra diariamente, agora, é o temor de que surja durante a aula um exercício que não consiga resolver. E o que diriam os Pringles, então...? Ah, que eles diriam?

    Enquanto isso, se ama a mim e ao reino felino, reze por um pobre gato maltratado e amuado. Um rato passou por cima do pé da Rebecca Dew na despensa e desde então ela está espumando de raiva: "Aquele Gato não faz nada além de comer, dormir e deixar que os ratos infestem tudo. É o fim da picada". Ela corre atrás dele de um lado para o outro, afugenta-o de sua almofada favorita, e sei disso porque a peguei no ato, auxilia-o a sair pela porta com o pé, sem um pingo de gentileza.

    ANNE SHIRLEY

CAPÍTULO 7

Na noite de sexta-feira, ao fim de um dia aprazível e ensolarado de dezembro, Anne compareceu a um jantar em Lowvale, cujo prato principal era peru. Wilfred Bryce morava em Lowvale com um tio e a convidara timidamente para acompanhá-lo a um jantar na igreja após a aula e para passar o sábado na casa dele. Anne aceitou, na esperança de conseguir influenciar o tio a deixá-lo continuar frequentando a Escola Secundária. Wilfred temia que não fosse voltar após o Ano-Novo, mas era um garoto esperto, e Anne tinha um interesse especial nele.

Não se pode dizer que Anne adorou a visita, com exceção do prazer que isso proporcionou a Wilfred. Seus tios eram um casal estranho e rústico. Sábado amanheceu nublado, com vento e neve caindo, e Anne perguntou-se como iria suportar o dia. Sentia-se cansada e com sono, já que o jantar havia terminado tarde. Wilfred tinha que ajudar com o trabalho, e não havia um livro sequer à vista. Então, ela lembrou-se do velho baú de marinheiro que vira no fundo do corredor do andar de cima e do pedido da senhora Stanton. Ela estava escrevendo sobre a história do condado de Prince e perguntara se Anne conhecia ou poderia encontrar diários ou documentos antigos que fossem úteis.

– Os Pringles, é claro, possuem vários que eu poderia usar – contou a Anne. – Mas não posso pedir a eles. Você sabe que os Pringles e os Stantons nunca se deram bem.

– Também não posso fazer isso, infelizmente – disse Anne.

– Ah, não espero que você peça a eles. Tudo que quero é que fique de olho quando for visitar outras pessoas. Se encontrar ou ouvir falar de velhos diários, mapas ou algo do tipo, quero que lhes peça emprestado em meu nome. Você não faz ideia das coisas interessantes que encontrei em diários antigos... vislumbres da vida real que trazem de volta à vida os velhos pioneiros. Estou interessada em coisas desse tipo para meu livro, assim como estatísticas e árvores genealógicas.

Anne perguntou à senhora Bryce se eles tinham algum desses tipos de registro antigo, mas ela balançou a cabeça.

– Não que eu saiba, mas há o velho baú do tio Andy, lá em cima. Deve haver algo lá, pois ele costumava viajar com o capitão Abraham Pringle. Vou perguntar ao Duncan se você pode vasculhá-lo.

Duncan avisou que ela podia vasculhá-lo o quanto quisesse e que poderia ficar com qualquer "ducumento" que encontrasse. Ele vinha querendo queimar o conteúdo e usar o baú como caixa de ferramentas. Anne o vasculhou meticulosamente, mas tudo que encontrou foi uma espécie de diário de bordo amarelado que, aparentemente, Andy Bryce mantivera ao longo de seus anos no mar. Anne enganou a manhã tempestuosa com essa leitura divertida. Andy fora um marinheiro experiente que havia feito muitas viagens com o capitão Abraham Pringle, a quem admirava imensamente. Com muito erros de gramática e ortografia, o livreto estava repleto de tributos à coragem e à sagacidade do capitão, especialmente em uma louca empreitada para dobrar o Cabo Horn. Não obstante, tal admiração não parecia estender-se ao irmão de Abraham, Myrom, que era capitão de um navio diferente. Ela leu alguns registros:

"Fomos à casa de Myrom Pringle esta noite. A mulher dele o deixou enfurecido, e ele jogou um copo de água no rosto dela."

"Myrom regressou. Seu navio foi incendiado e tiveram que baixar os botes. Quase morreram de fome. Acabaram comendo Jonas Selkirk, que se suicidara com um tiro. Viveram dele até que o *Mary G.* os resgatou. Foi o próprio Myrom que me contou, achando que daria uma boa história."

Anne estremeceu diante do último registro, que parecia ainda mais aterrorizante graças ao tom trivial com que narrava os fatos tenebrosos. Então, ela mergulhou em devaneios. Não havia nada ali que pudesse ser útil para a senhora Stanton, mas será que as senhoritas Sarah e Ellen não se interessariam pelo diário, já que ele tinha muitas informações sobre o adorado pai delas? E se Anne o enviasse para elas? Duncan Bryce disse que ela podia fazer o que quisesse com ele.

Não, ela não iria fazer isso. Por que deveria tentar agradar-lhes ou alimentar o orgulho absurdo delas, que já era grande o bastante? Elas haviam resolvido tirá-la da escola e estavam conseguindo. O clã delas a havia derrotado.

Wilfred a levou de volta a Windy Poplars naquela noite, e ambos estavam felizes. Anne havia convencido Duncan Bryce a deixar o sobrinho terminar o ano letivo.

– Depois, frequentarei a Queen's durante um ano, e assim conseguirei aprender e educar-me – disse Wilfred. – Como posso recompensá-la, senhorita Shirley? Meu tio não teria dado ouvidos a ninguém, mas ele gosta de você. Quando estávamos no celeiro, ele me disse: "as ruivas sempre conseguem o que querem de mim". E não acho que foi por causa do seu cabelo, senhorita Shirley, ainda que seja muito bonito. Foi simplesmente por causa de... você!

Às duas da manhã, Anne acordou e decidiu que iria enviar o diário a Maplehurst. Afinal, tinha certo apreço pelas senhoras. Tinham tão pouco do que desfrutar na vida... E o único orgulho das duas era o pai. Às três, acordou novamente e resolveu que não iria fazer isso. A senhorita Sarah se fizera de surda! Às quatro, tornou a mudar de ideia. Finalmente, chegou à conclusão de que iria enviá-lo, pois ela não seria mesquinha. Anne tinha horror a pessoas mesquinhas... como os Pyes.

Anne então adormeceu em paz, pensando como era esplêndido despertar no meio da noite e ouvir a primeira tempestade de neve do inverno ao redor da torre, para em seguida aninhar-se entre os cobertores e voltar à Terra dos Sonhos.

Na manhã da segunda-feira, ela embrulhou a velha caderneta com cuidado e a enviou à senhorita Sarah com um bilhete.

PREZADA SENHORITA PRINGLE,
Imagino que este velho diário possa ser de seu interesse. Ele foi dado a mim pelo senhor Bryce para que o enviasse à senhora Stanton, que está escrevendo um livro sobre o condado, mas acredito que não lhe será útil, e então pensei que talvez a senhorita quisesse ficar com ele.
Atenciosamente,
ANNE SHIRLEY.

"Que bilhete mais seco", pensou Anne, "todavia não consigo escrever-lhes de maneira natural. E não ficaria nem um pouco surpresa se elas o enviassem de volta com desdém".

Sob o grácil azul de uma tarde do começo do inverno, Rebecca Dew levou o choque de sua vida. A carruagem de Maplehurst apontou na Rua do Fantasma, avançando sobre a fina neve, e parou diante do portão. A senhorita Ellen desceu e, para o espanto de todos, em seguida surgiu a senhorita Sarah, que não deixava a casa há dez anos.

– Estão se dirigindo à porta da frente – arfou Rebecca Dew, em pânico.

– Por onde mais uma Pringle entraria? – indagou a tia Kate.

– É claro, é claro... Mas a porta está começando a emperrar – explicou Rebecca, tragicamente. – Ela está emperrada, vocês sabem disso. Não é aberta desde que fizemos a faxina geral na casa, na última primavera. É o fim da picada.

A porta da frente estava emperrada, mas Rebecca Dew a escancarou com uma violência desesperada para acompanhar as damas de Maplehurst até a sala de visitas.

"Ainda bem que acendemos a lareira hoje", pensou ela. "Espero que Aquele Gato não tenha deixado pelos no sofá. Se Sarah Pringle ficar com o vestido cheio de pelos em nossa sala..."

Rebecca Dew não ousava imaginar as consequências. Ela chamou Anne (que estava em seu quarto na torre) quando a senhorita Sarah perguntou por ela e então retirou-se para a cozinha, quase enlouquecendo de curiosidade. O que diabos teria feito as velhas damas da família Pringle visitar a senhorita Shirley?

– Se for mais uma estratégia de perseguição... – disse Rebecca Dew em um tom grave.

A própria Anne desceu as escadas com considerável preocupação. Será que tinham vindo devolver o diário com gélido desprezo?

Foi a diminuta, enrugada e inflexível senhorita Sarah que levantou-se e falou sem preâmbulos quando Anne entrou na sala.

– Viemos capitular – disse com amargor. – É a única coisa que nos resta a fazer, e é óbvio que você percebeu isso quando encontrou aquela passagem escandalosa sobre o nosso tio Myrom. Não é verdade... Não pode ser verdade. O tio Myrom só estava fazendo uma brincadeira com Andy Bryce... Andy era tão impressionável, porém todos que não são da família vão acreditar sem pensar duas vezes. Você sabia que isso nos transformaria em um motivo para chacotas... e pior. Ah, você é muito ardilosa, temos que admitir. Jen vai pedir desculpas e se comportar daqui em diante... eu, Sarah Pringle, asseguro-lhe. Se prometer que não contará nada para a senhora Stanton, para ninguém, faremos qualquer coisa, qualquer coisa.

A senhorita Sarah torceu o fino lenço de renda nas mãos pequenas e raiadas de veias azuis. Estava literalmente tremendo.

Anne a encarava com espanto... e horror. Coitadinhas! Elas achavam que estavam sendo chantageadas!

– Ah, houve um mal-entendido terrível – exclamou ela, tomando as frágeis mãos da senhorita Sarah. Eu nem imaginei que vocês pudessem achar que eu estava... Ah, achei que gostariam de ter todos esses detalhes interessantes sobre o incrível pai de vocês. Eu jamais mostraria ou contaria a alguém aquele outro detalhe. Não achei que tivesse importância e nunca acharei.

Houve um momento de silêncio. Então, a senhorita Sarah libertou as mãos gentilmente, levou o lenço até os olhos e sentou-se, com um leve rubor no belo rosto sulcado pelo tempo.

– Nós... tivemos uma impressão errada, minha querida. E... fomos abomináveis com você. Poderia nos perdoar?

Meia hora depois... período que quase foi a morte para Rebecca Dew... as senhoritas foram embora. Foi meia hora de conversas e discussões amigáveis sobre o conteúdo não inflamatório do diário de Andy. Na porta principal, a senhorita Sarah (que não teve nenhum problema de audição durante a visita) parou por um instante e pegou um pequeno pedaço de papel com letras finas e elegantes de sua bolsinha de mão.

– Quase me esqueci... Prometemos à senhora MacLean nossa receita de bolo algum tempo atrás. Você se importaria de entregá-la? E diga a ela que o processo de secagem é muito importante... quase indispensável, aliás. Ellen, sua touca está cobrindo ligeiramente uma de suas orelhas. É melhor ajustá-la antes de sairmos. Nós... estávamos um tanto agitadas quando nos aprontamos para sair.

Anne contou às viúvas e a Rebecca Dew que havia dado o velho diário de Andy Bryce às damas de Maplehurst e que ambas tinham vindo agradecer-lhe. Elas ficaram satisfeitas com a explicação, embora Rebecca Dew suspeitasse de que havia algo mais por trás dessa história... muito mais. Gratidão por um diário surrado e manchado de tabaco não era motivo suficiente para trazer Sarah Pringle até a porta da frente de Windy Poplars. A senhorita Shirley era astuta... muito astuta!

– Vou abrir aquela porta uma vez por dia, de agora em diante – jurou Rebecca. – Só para evitar que emperre. Quase caí de costas quando ela finalmente abriu. Bom, de todo modo, nós conseguimos a receita do bolo. Trinta e seis ovos! Se vocês se livrarem daquele Gato e me deixarem criar galinhas, talvez tenhamos condições de fazê-lo uma vez ao ano.

Dito isso, Rebecca Dew marchou para a cozinha e resignou-se a dar leite Àquele Gato, quando na verdade queria esganá-lo.

A rixa entre Shirley e os Pringles havia cessado. Ninguém fora da família Pringle jamais descobriu o motivo, mas o povo de Summerside compreendeu que a senhorita Shirley, sozinha, de alguma forma misteriosa, havia derrotado o clã inteiro, que passou a comer na mão dela. Jen voltou para a escola no dia seguinte e desculpou-se humildemente com Anne diante da classe toda. Foi uma aluna exemplar dali em diante, e os outros Pringles seguiram o exemplo dela. Quanto aos adultos, o antagonismo deles sumiu como neblina sob o Sol. Não houve mais reclamações sobre a pronúncia de "disciplina" ou o dever de casa. Acabaram-se as indiretas sutis, características do grupo, eles praticamente brigavam entre si para serem gentis com Anne, nenhuma festa ou passeio estava completo sem ela e, por mais que a própria senhorita Sarah tivesse jogado o fatídico diário às chamas, lembranças são lembranças, e a senhorita Shirley tinha uma boa história para contar se decidisse fazê-lo. De forma alguma aquela enxerida da senhora Stanton poderia descobrir que o capitão Myrom Pringle tinha sido um canibal!

CAPÍTULO 8

(Trecho de uma carta a Gilbert.)

Estou em minha torre, e Rebecca Dew está cantarolando *Could I climb?* na cozinha, o que me faz lembrar que a esposa do ministro me convidou para participar do coral! É óbvio que isso foi ideia dos Pringles. Talvez eu possa nos domingos em que não estiver em Green Gables. Os Pringles estenderam a mão direita em sinal de comunhão[9], ainda que com uma vingança oculta na outra... e eu prontamente a aceitei. Que clã!

Já fui a três festas deles. Não vejo nenhuma malícia nisto, mas acho que as garotas da família estão imitando meu estilo de penteado. Oras, "imitação é a forma mais sincera de elogio". E, Gilbert, estou realmente começando a gostar deles... como sempre soube que iria, caso me dessem uma chance. Começo a suspeitar que, mais cedo ou mais tarde, vou descobrir que gosto da Jen. Ela é encantadora quando quer ser e está muito evidente que o deseja ser.

Na noite passada, fui até a cova do leão... em outras palavras, tomei coragem e subi os degraus da varanda de Evergreens, com suas quatro urnas de ferro brancas em cada canto, e toquei a campainha. Quando a senhorita Monkman me atendeu, perguntei se poderia levar a pequena Elizabeth para dar uma volta. Eu esperava uma recusa, mas, depois que

---

9 Referência ao Novo Testamento, Gálatas 2:9. (N. T.)

a Ajudante entrou e conversou com a senhora Campbell, ela voltou e disse com seriedade que sim, mas, por obséquio, que não a trouxesse muito tarde. Pergunto-me se a senhora Campbell também recebeu ordens da senhorita Sarah.

Elizabeth desceu a escadaria escura dançando, parecendo uma fadinha com seu casaco vermelho e o gorrinho verde, quase muda de tanta alegria. Ela sussurrou assim que partiram: "Estou tão elétrica e empolgada, senhorita Shirley. Sou a Betty... sou sempre a Betty quando me sinto assim".

Caminhamos pela Estrada que Leva ao Fim do Mundo até onde nos atrevemos e então voltamos. Nessa tarde, o porto, sob um entardecer carmesim, parecia repleto de insinuações de "terras mágicas longínquas" e misteriosas ilhas em mares desconhecidos. Fiquei emocionada, assim como a pequenina que segurava a minha mão. Elizabeth queria saber: "Se corrermos com toda a velocidade, senhorita Shirley, conseguiremos chegar ao ocaso?". Recordei-me de Paul e de suas fantasias sobre a "Terra do Ocaso". Disse à Elizabeth que teríamos de esperar até o Amanhã para fazer isso. E pedi que ela olhasse aquela ilha dourada de nuvens sobre a entrada do porto, para fazer de conta que aquela é a sua ilha da felicidade.

A sonhadora Elizabeth disse: "Existe uma ilha em algum lugar. Seu nome é Flying Cloud[10]. Não é um nome adorável... um nome digno do Amanhã? Posso vê-la através das janelas do sótão. Ela pertence a um cavalheiro de Boston que tem uma casa de veraneio lá. Mas eu finjo que é minha".

Quando voltamos, inclinei-me e dei um beijo na bochecha de Elizabeth antes de a menina entrar. Jamais esquecerei os olhos dela, Gilbert, pois aquela criança é faminta por amor.

Esta noite, quando veio buscar o leite, percebi que estivera chorando. Ela soluçou: "Elas... obrigaram-me a lavar o seu beijo, senhorita Shirley.

---

10 "Nuvem Voadora", em inglês. (N. T.)

Eu não queria lavar meu rosto nunca mais. Jurei que não faria isso. Eu queria guardar seu beijo, sabe. Consegui ir para a escola nesta manhã com ele, mas de tarde a Ajudante me pegou e esfregou meu rosto com força".

Eu mantive uma expressão séria e disse a ela: "Você não conseguiria passar a vida sem lavar o rosto ocasionalmente, meu anjo. Mas não se preocupe, eu lhe darei um beijo todas as noites em que vier buscar o leite, de forma que não terá importância se você o lavar na manhã seguinte". Ela disse-me que eu sou a única pessoa no mundo que a ama. Quando conversamos, sente o perfume de violetas.

Já ouviu falar de um elogio melhor que esse? Porém, não pude relevar a primeira frase, e disse que a avó de Elizabeth a amava, e ela me respondeu que a avó a odeia. Então eu disse com firmeza: "Você está sendo um pouquinho tola, querida. Sua avó e a senhorita Monkman são pessoas idosas, e idosos se irritam e se preocupam com facilidade. É claro que você as irrita às vezes. Na época em que elas eram jovens, as crianças eram criadas mais rigorosamente do que hoje. Elas são apegadas aos velhos costumes".

Senti que não estava convencendo Elizabeth, contudo. Afinal, elas não a amam, e a garota sabe disso. Ela olhou para trás com cuidado para ver se a porta da casa estava fechada. Então, disse deliberadamente: "A vovó e a Ajudante são só duas tiranas, e eu vou fugir para sempre quando o Amanhã chegar".

Acho que ela esperava que eu ficasse escandalizada... Suspeito que Elizabeth disse isso só para causar uma comoção. Eu apenas ri e a beijei. Espero que Martha Monkman tenha visto da janela da cozinha.

Posso ver Summerside da janela esquerda em minha torre, um amistoso amontoado de telhados brancos... Amistoso, pois, finalmente, os Pringles decidiram ser meus amigos. Aqui e ali, é possível ver uma luz nas janelas. Aqui e ali, há um espectro de fumaça cinza. Estrelas pesadas e baixas cobrem a cidade. É uma "cidade que sonha". Não é uma frase linda? Você se lembra... "Por entre cidades que sonhavam, Galahad passou"[11].

Estou tão feliz, Gilbert. Não terei que voltar derrotada e desacreditada para Green Gables no Natal. A vida é boa... muito boa!

Assim como o bolo da senhorita Sarah. Rebecca Dew o preparou e o deixou "secar" de acordo com as instruções, o que significa simplesmente que ela o envolveu em várias folhas de papel pardo e vários panos e assim o deixou por três dias. Eu o recomendo.

(O mais adequado é "eu o recomendo" ou "eu recomendo-o"? Apesar de ser bacharela em Letras e Belas Artes, nunca tenho certeza. Imagine se os Pringles tivessem descoberto isso antes que eu tivesse encontrado o diário de Andy!)

---

[11] Referência ao poema *Sir Galahad*, de Alfred Tennyson (1809-1892), poeta inglês. (N. T.)

CAPÍTULO 9

Trix Taylor estava empoleirada em uma cadeira na torre, em uma noite de fevereiro, enquanto flocos macios de neve chiavam contra a janela e o fogão absurdamente minúsculo ronronava, incandescente, como um gato preto. Trix estava desabafando com Anne, que vinha se tornando a guardiã de confidências que chegavam por todos os lados. Como todos sabiam que era comprometida, nenhuma das garotas de Summerside temia que fosse uma possível rival; além disso, Anne tinha algo que fazia com que as pessoas se sentissem seguras para confidenciar-lhe seus segredos.

Trix tinha vindo convidá-la para jantar na noite seguinte. Era uma criatura alegre e rechonchuda, com olhos castanhos cintilantes e bochechas róseas, com quem a vida tinha sido generosa em seus vinte anos. Porém, não estava livre de ter problemas.

– O doutor Lennox Carter virá para o jantar amanhã. É justamente por causa disso que queremos a sua presença. Ele é o novo Chefe do departamento de Letras Modernas de Redmond e é terrivelmente inteligente, portanto queremos alguém com cérebro para conversar com ele. Você sabe que não posso me gabar nesse quesito, bem como nenhum dos Pringles. Quanto a Esme... Bem, você sabe, Esme é doce e muito esperta, só que tão tímida que não consegue fazer uso das faculdades na presença do doutor Carter. Ela está perdidamente apaixonada por ele. É lamentável. Eu gosto muito do Johnny, mas jamais me derreteria tanto por ele!

– Esme e o doutor Carter estão comprometidos?

– Ainda não. – Oficialmente. – Porém, ela está torcendo que ele a peça em compromisso desta vez. Por que outro motivo ele viria visitar a prima bem no meio do semestre? Pelo bem da Esme, espero que ele o faça, pois, caso contrário, ela vai morrer. Mas, cá entre você, a cama e eu, não estou ansiosa para tê-lo como cunhado. Ele é terrivelmente fastidioso, Esme diz, e ela está com um medo terrível de que ele não nos aprove. Se for o caso, ela acha que ele nunca a pedirá em casamento. Assim, você pode imaginar como ela está ansiosa para que tudo corra bem amanhã. Não vejo por que algo daria errado... A mamãe é uma cozinheira maravilhosa, nós temos uma boa empregada, e eu subornei o Pringle com metade do que ganho semanalmente para que se comporte. É claro que ele também não gosta do doutor Carter, pois diz que ele é muito arrogante, mas ele gosta muito da Esme. Só torço para que o papai não esteja de mau humor!

– Ele teria motivos para isso? – perguntou Anne. Todo mundo em Summerside sabia dos ataques de mau humor de Cyrus Taylor.

– Nunca se sabe quando ele vai ter um – disse Trix com tristeza. – Ele ficou terrivelmente irritado hoje à noite, quando não conseguiu encontrar o camisolão de flanela, pois Esme o guardou na gaveta errada. Pode ser que esteja melhor amanhã, ou não. Se não estiver, vai acabar envergonhando a todos, e o doutor Carter concluirá que não deve se juntar à família. É o que Esme alega, e temo que seja verdade. Acho que Lennox Carter tem muita afeição por Esme e crê que ela seria uma "esposa muito apropriada" para ele, mas também acho que ela não quer fazer nada precipitado nem fazer uma escolha errada. Ouvi dizer que ele comentou com o primo que um homem precisa tomar muito cuidado com o tipo de família na qual pretende ingressar. Chegamos a um ponto em que uma besteira pode fazer a balança pender para qualquer lado. E, se for isso mesmo, um acesso de mau humor do papai não seria uma mera tolice.

– Ele não gosta do doutor Carter?
– Ah, sim. Ele acha que seria um ótimo pretendente para Esme. Porém, quando o papai tem um de seus ataques, ele não dá ouvidos a ninguém. Todos os Pringles são assim, Anne. A vovó Taylor era uma Pringle, sabe, e você não imagina o que nossa família já passou. Ele nunca tem acessos de fúria, como o tio George. A família do tio George não dá importância para seus ataques, pois, quando se enfurece, ele explode (dá para ouvir seus gritos a três quarteirões de distância), depois fica manso como um carneirinho e compra novas roupas para todos como oferta de paz. No entanto, o papai simplesmente fica de cara fechada e às vezes não dirige a palavra a ninguém durante o jantar. Esme diz que, apesar de tudo, ainda é melhor do que o primo Richard Taylor, que está sempre dizendo coisas sarcásticas à mesa e fazendo insinuações à esposa, mas me parece que nada é pior do que o horrível silêncio do papai, pois ele nos deixa apreensivos, morrendo de medo de abrir a boca. Não seria tão grave se isso acontecesse apenas quando estamos sozinhos, mas os ataques são igualmente propensos a ocorrer quando temos visitas. Esme e eu estamos simplesmente cansadas de tentar explicar os silêncios insultantes do papai. Ela está apavorada que o papai não supere o caso do camisolão até amanhã de noite. O que o Lennox pensaria? E ela quer que você use o seu vestido azul. O novo vestido dela é azul, pois o Lennox gosta da cor, mas o papai a detesta. Seu vestido pode fazer com que ele goste do dela.
– Não seria melhor se ela usasse outra coisa?
– Ela não tem outro vestido adequado para um jantar com convidados, exceto o verde de popelina que o papai lhe deu no Natal. É um lindo vestido; ele gosta de que tenhamos belos vestidos... Só que não há nada mais horroroso do que a Esme usando verde. O Pringle diz que ela parece estar nos últimos estágios de tuberculose. E o primo do Lennox Carter disse a Esme que ele jamais se casaria com uma pessoa de saúde delicada. Estou mais do que feliz por Johnny não ser tão "fastidioso".
– Você já contou ao seu pai sobre seu noivado com Johnny? – indagou Anne, que sabia tudo sobre a caso amoroso de Trix.

– Não – murmurou Trix, infeliz. – Não consigo criar coragem, Anne. Sei que ele fará um escândalo, pois nunca gostou do Johnny, pelo fato de ser pobre. Ele se esquece de que era ainda mais pobre do que o Johnny quando ingressou no ramo de ferragens. É claro que terei de contar em breve, mas quero esperar até que o assunto da Esme esteja resolvido. Sei que o papai não falará com nenhuma de nós por semanas depois que ficar sabendo e que a mamãe vai ficar muito preocupada; ela não suporta os surtos de mau humor do papai. Somos tão covardes diante dele... A Esme e a mamãe são naturalmente tímidas com todo mundo, mas o Pringle e eu temos muita audácia. O único que nos amedronta é o papai. Às vezes imagino que, se tivéssemos alguém para nos apoiar... mas não temos, e isso nos deixa paralisadas. Você não faz ideia, querida Anne, de como é um jantar em casa quando o papai está amuado. Contudo, se ele se comportar amanhã, eu o perdoarei por tudo. Ele consegue ser muito cortês quando quer... O papai é como a garotinha do poema de Longfellow: quando ele é bom, ele é muito, muito bom, mas, quando é mau, ele é terrível[12]. Já o vi ser a alma da festa.

– Ele foi muito simpático quando jantei com vocês, no mês passado.

– Ah, ele gosta de você, como já disse. É uma das razões para fazermos tanta questão da sua presença, pois talvez ela possa ter uma boa influência nele. Não queremos ignorar nada que possa comprazê-lo. Quando ele tem um acesso muito intenso, é como se detestasse tudo e todos. De qualquer forma, nós planejamos um jantar de primeira, com uma elegante sobremesa de creme de laranja. Mamãe queria fazer uma torta; ela diz que todos os homens do mundo, menos o papai, gostam de torta como sobremesa mais do que tudo no mundo... Até mesmo professores de Letras Modernas. Só que o papai não gosta, então não queremos correr riscos amanhã à noite, quando há tanto em jogo. Creme de laranja é a sobremesa favorita dele. Quanto a Johnny e eu, creio que teremos de fugir algum dia, e o papai jamais me perdoará.

---

12 Referência ao poema *There was a little girl*, de Henry Wadsworth Longfellow (1807-1882), poeta norte-americano. (N. T.)

– Creio que, se você conseguir juntar forças suficientes para contar tudo e aguentar o gênio dele, acabará descobrindo que ele é perfeitamente capaz de se acostumar com a ideia, e isso lhe poupará meses de angústia.

– Você não conhece o papai – disse Trix, sombriamente.

– Talvez eu o conheça melhor do que você. Suponho que tenha perdido a perspectiva da situação.

– Perdi a minha... o quê? Anne, minha cara, não sou formada em Letras. Só estudei até o colegial e adoraria ter ido para a faculdade, mas o papai não acredita em ensino superior para mulheres.

– Só quis dizer que você é próxima demais dele. Uma pessoa de fora pode muito bem ver as coisas de maneira mais clara... e compreendê-lo melhor.

– Só sei que nada é capaz de induzir o papai a falar se ele resolver que não quer dizer... Nada. Ele se orgulha disso.

– Então por que vocês não conversam com ele como se não tivesse nada de errado?

– Não somos capazes... já disse que ele nos intimida. Você descobrirá por conta própria amanhã à noite, se ele não tiver superado o camisolão. Não sei como ele faz isso, só sei que faz. Creio que não nos importaríamos tanto com a irritação se ele não ficasse mudo. É o silêncio que nos destrói, e jamais o perdoarei se fizer uma cena amanhã, quando há tanto em risco.

– Vamos torcer pelo melhor, querida.

– Estou tentando. E sei que a sua presença será de grande ajuda. Mamãe cogitou convidar a Katherine Brooke, também, mas sei que isso não ajudaria em nada. O papai a execra, e não o culpo, tenho que admitir. Também não simpatizo com ela. Não sei como consegue tratá-la com gentileza.

– Tenho dó dela, Trix.

– Dó! A culpa é da própria Katherine por ninguém gostar dela. Ah, enfim, o mundo é cheio de todos os tipos de pessoa, mas Summerside seria muito melhor sem ela... aquela bruxa velha e carrancuda!

– Ela é uma excelente professora, Trix...

– Ah, e eu não sei? Ela já deu aula para mim. Sim, ela conseguiu enfiar conhecimento na minha cabeça... E também arrancou a pele de meus ossos com tanto sarcasmo. E a forma como se veste! Papai não consegue sequer olhar para uma mulher malvestida; ele diz que não tolera desmazelo e que tem certeza de que Deus também não. Mamãe ficaria mortificada se soubesse que lhe contei isso, Anne, e ela releva quando papai fala essas coisas, por ser homem. Se ao menos tivéssemos que relevar só isso! E o Johnny mal se atreve a vir nos visitar agora, porque o papai é muito rude com ele. Em noites claras, eu saio de casa de fininho e nós passeamos pela praça, quase morrendo de frio.

Anne respirou um tanto aliviada quando Trix foi embora e desceu para tentar convencer Rebecca Dew a preparar-lhe um lanche.

– Quer dizer então que vai jantar na casa dos Taylor? Bem, espero que o velho Cyrus se comporte. Se a família não tivesse pavor de suas crises de mau humor, ele não se aproveitaria tanto da situação, não tenho dúvida. Posso jurar, senhorita Shirley, que ele gosta de ficar de mau humor. Mas agora eu preciso esquentar o leite para Aquele Gato. Que bicho mimado!

CAPÍTULO 10

Assim que entrou na casa de Cyrus Taylor na noite seguinte, Anne sentiu o frio no ambiente. Uma criada impecável a levou até o quarto de hóspedes, e, enquanto subiam as escadas, Anne avistou a esposa de Cyrus Taylor passando apressadamente da sala de jantar para a cozinha. Ela secava lágrimas do rosto pálido e preocupado, mas ainda doce. Era evidente que Cyrus ainda não tinha "superado" o camisolão.

A confirmação veio da exasperada Trix, que se esgueirou para dentro do quarto e sussurrou:

– Ah, Anne, ele está de péssimo humor. Parecia bem-disposto nesta manhã, e nossas esperanças aumentaram. Daí Hugh Pringle o venceu em uma partida de damas à tarde, e papai não suporta perder um jogo de damas. Justo hoje, é claro. Ele encontrou a Esme "admirando-se no espelho", como disse, e simplesmente a escoltou para fora do quarto dela e trancou a porta. A coitadinha só estava se perguntando se estava bonita o bastante para agradar Lennox Carter. Não teve nem a chance de colocar o colar de pérolas. E olhe só para mim, não me atrevi a enrolar meu cabelo, pois o papai não gosta de cachos que não sejam naturais, e estou um horror. Não que isso seja um problema para mim... É só para que entenda a gravidade da situação. Ele jogou fora as flores que a mamãe colocou na mesa de jantar, e ela ficou tão... ela se esmerara tanto no arranjo... E também não deixou que ela colocasse os brincos de granada. Ele não ficava assim desde que voltou do Oeste, na primavera passada, e descobriu que mamãe havia colocado cortinas vermelhas na sala de estar, sendo que ele preferia roxo amora. Ah, Anne, fale o máximo que puder no jantar, se ele ficar mudo. Caso contrário, será muito embaraçoso.

– Farei o melhor que puder – prometeu Anne, que não sabia o que era ficar sem assunto para conversar. Não obstante, ela jamais havia se deparado com uma situação como aquela.

Todos estavam reunidos ao redor da mesa, uma mesa muito linda e bem arrumada, apesar da ausência das flores. O rosto da tímida senhora Cyrus parecia mais cinza do que seu vestido de seda. Esme, a beldade nívea da família, alvos cabelos loiros, lábios róseos, olhos azuis como a flor do não-me-esqueças, estava tão mais pálida que o usual que parecia prestes a desmaiar. Pringle, um garoto gordinho e alegre de catorze anos, de olhos redondos, óculos e cabelo tão claro que dava a impressão de ser branco, parecia um cachorro acorrentado, e Trix passava a expressão de uma aluna amedrontada.

O doutor Carter era inegavelmente belo e elegante, com seu cabelo negro, os olhos escuros brilhantes e os óculos de aro prateado. Em seus dias de professora-assistente em Redmond, Anne o considerava um rapaz pomposo e entediante, mas ali ele lhe parecia muito deslocado. Era óbvio que sentia que algo estava errado... uma conclusão lógica quando o anfitrião simplesmente caminha até a cabeceira da mesa e deixa-se cair na cadeira sem trocar uma palavra com você ou qualquer outra pessoa.

Cyrus recusou-se a fazer a oração. A esposa dele, corando como uma beterraba, murmurou quase inaudivelmente: "pelo alimento que estamos prestes a receber, nós Lhe agradecemos, Senhor". O jantar começou mal, com a nervosa Esme derrubando o garfo no chão. Todos, menos Cyrus, se sobressaltaram, uma vez que seus nervos estavam à flor da pele. Cyrus encarou fixamente a filha com seus olhos azuis saltados e encolerizados. Então, fulminou a todos os demais, deixando-os estupefatos. Ele encarou a esposa quando esta serviu-se do molho de rábano, de uma maneira que a fez lembrar-se do estômago frágil. Ela não foi capaz de prová-lo depois disso, apesar de gostar muito e achar que não lhe faria mal. De qualquer forma, ela não conseguiu comer nada, tampouco Esme. As duas apenas fingiram.

A refeição avançou em um silêncio medonho, quebrado por comentários esporádicos de Trix e Anne sobre o tempo. Trix implorava com os olhos para que Anne falasse, mas, pela primeira vez na vida, ela descobriu-se sem nada para dizer. Ela sentia desesperadamente que precisava falar, mas só as coisas mais idiotas vinham à sua mente, coisas impossíveis de serem proferidas em voz alta. Será que estavam todos enfeitiçados? Era curioso o efeito que um homem enfezado e teimoso podia ter, e Anne mal podia acreditar. E não havia dúvida de que estava muito feliz, sabendo que todos à mesa estavam terrivelmente desconfortáveis por sua causa. O que diabos estava se passando na mente dele? Será que daria um salto se fosse espetado por um alfinete? Anne queria estapeá-lo... dar-lhe uma palmatória... colocá-lo de castigo em um canto... tratá-lo como a criança malcriada que de fato era, apesar dos cabelos grisalhos e do grosso bigode.

Acima de tudo, Anne queria fazê-lo falar. Ela sabia instintivamente que não havia no mundo uma punição melhor do que ser ludibriado a falar quando estava tão determinado a não o fazer.

E se ela se levantasse e deliberadamente quebrasse o vaso imenso, antiquado e feio da mesa de canto? Uma peça ornamentada repleta de rosas e folhas de que era impossível tirar o pó, mas que devia ser mantida imaculadamente limpa. Anne sabia que a família inteira o detestava, mas Cyrus não queria nem saber de colocá-lo no sótão, pois tinha sido da mãe dele. Anne o teria quebrado sem medo se realmente acreditasse que isso faria com que Cyrus explodisse em um acesso de raiva vocal.

Por que Lennox Carter não falava nada? Se falasse, Anne também poderia falar, talvez Trix e Pringle conseguissem escapar do feitiço e então algum tipo de conversa seria possível. Entretanto, ele comia em silêncio; talvez achasse que fosse o melhor a fazer e talvez estivesse com medo de dizer algo que encolerizasse ainda mais o já encolerizado pai de sua pretendente.

– Poderia me passar os picles, por favor, senhorita Shirley? – pediu a senhora Taylor, hesitante.

Algo perverso despertou dentro de Anne. Ela passou os picles... e fez algo mais. Sem permitir-se parar para pensar, ela inclinou-se para a frente e, com os grandes olhos verde-acinzentados cintilando limpidamente, disse com gentileza:

– Talvez o senhor fique surpreso em saber, doutor Carter, que o senhor Taylor ficou surdo repentinamente na semana passada.

Anne sentou-se depois de jogar a bomba. Ela não sabia exatamente o que esperar. Se o doutor Carter tivesse a impressão de que seu anfitrião estava surdo, em vez de estar em meio a um acesso silencioso de mau humor, isso talvez pudesse soltar a língua dele. Ela não havia contado uma mentira... Ela não tinha dito que Cyrus Taylor era surdo. Quanto a Cyrus Taylor, ela falhara em incentivá-lo a falar, pois ele meramente a encarou, ainda em silêncio.

Porém, o comentário de Anne teve um efeito em Trix e Pringle que ela jamais teria sonhado. Trix estava em sua própria bolha de silêncio raivoso. Momentos antes da pergunta de Anne, ela flagrara Esme secando furtivamente uma lágrima que havia escapado de um de seus olhos azuis desolados. Tudo estava perdido... Lennox Carter jamais iria pedir Esme em casamento, não importava o que qualquer pessoa dissesse ou fizesse. Trix foi subitamente acometida por um desejo ardente de acertar as contas com o pai insensível. O discurso de Anne serviu como uma estranha inspiração, e Pringle, um vulcão de diabruras suprimidas, seguiu a deixa dela. Nunca, enquanto estivessem vivos, Anne, Esme ou o senhor Cyrus se esqueceriam dos angustiantes quinze minutos que se seguiram.

– Que aflição para o pobre papai – disse Trix para o doutor Carter, do outro lado da mesa. – E ele só tem sessenta e oito anos.

Duas rugas surgiram nos cantos das narinas de Cyrus Taylor ao ouvir sua idade aumentada em seis anos. Todavia, permaneceu em silêncio.

– Que delícia é ter uma refeição decente – disse Pringle, clara e distintamente. – O que o senhor acharia, doutor Carter, de um homem que faz a família viver à base de frutas e ovos... Nada além de frutas e ovos... só por capricho?

– O seu pai...? – começou o doutor Carter, confuso.

– O que o senhor pensaria de um marido que deliberadamente morde a esposa só porque ela colocou cortinas de que ele não gosta? – quis saber Trix.

– Até sair sangue – acrescentou Pringle, solenemente.

– Quer dizer que seu pai...?

– O que você pensaria de um homem que corta o vestido de seda da própria esposa só porque não gostou de como ele ficou? – perguntou Trix.

– O que você pensaria – continuou Pringle – de um homem que não permite que a esposa tenha um cachorro?

– Sendo que ela adoraria ter um – suspirou Trix.

– O que você pensaria de um homem – prosseguiu Pringle, que estava começando a divertir-se com a situação – que presenteia a mulher com galochas no Natal... nada além de um par de galochas?

– Galochas não aquecem o coração, exatamente – admitiu o doutor Carter. Seus olhos se encontraram com os de Anne e ele sorriu. Ela reparou que nunca o vira sorrir antes. Seu rosto transformava-se completamente para melhor. O que Trix estava fazendo? Quem diria que ela poderia ser tão maliciosa?

– Você já imaginou, doutor Carter, como deve ser ruim viver com um homem que não vê nada de errado... nada... em pegar o assado, se não estiver no ponto perfeito, e arremessá-lo na criada?

O doutor Carter olhou apreensivamente para Cyrus Taylor, como se tivesse medo de que ele jogasse os ossos do frango em alguém. Logo pareceu recordar, reconfortado, que seu anfitrião estava surdo.

– O que o senhor pensaria de um homem que acredita que a Terra é plana? – indagou Pringle.

Anne achou que Cyrus iria finalmente se pronunciar. Um tremor pareceu atravessar seu rosto rubicundo, mas nenhuma palavra foi dita. Ainda assim, ela teve a impressão de que seu bigode estava menos imponente.

– O que você pensaria de um homem que deixa a própria tia... a santa tia... ir para um albergue de indigentes? – perguntou Trix.

– E que leva a vaca para pastar no cemitério? – disse Pringle. – Summerside ainda não se recuperou desse espetáculo.

– O que você acharia de um homem que anota em seu diário tudo que come no jantar, todos os dias? – inquiriu Trix.

– O grande Pepys[13] fazia a mesma coisa – disse o doutor Carter com outro sorriso. Seu tom de voz indicava que estava morrendo de vontade de rir. Talvez ele não fosse pomposo, afinal de contas, pensou Anne... Apenas jovem, tímido e sério demais. Contudo, ela sentia-se absolutamente horrorizada. Sua intenção não era que as coisas fossem tão longe. Ela deu-se conta de que é muito mais fácil começar as coisas do que terminá-las, e Trix e Pringle estavam sendo diabolicamente espertos. Eles não afirmaram que o pai havia feito nada do que citaram. Anne podia imaginar Pringle dizer, com os olhos redondos ainda fingindo inocência: "só fiz essas perguntas ao doutor Carter para saber a opinião dele".

– O que acharia de um homem que lê a correspondência da esposa? – continuou Trix.

– O que pensaria de um homem que vai a um funeral... ao funeral do próprio pai... de sobretudo? – indagou Pringle.

O que diriam agora? A senhora Cyrus chorava abertamente, e Esme mostrava-se serena em seu desespero, pois nada mais parecia importar. Ela virou-se e olhou diretamente para o doutor Carter, a quem havia perdido para sempre. Pela primeira vez na vida, um impulso a levou a dizer algo realmente inteligente.

– O que você pensaria de um homem – começou, calmamente – que passa o dia inteiro procurando pelos filhotes de uma gata que foi morta com um tiro, porque não pode suportar a ideia de que morrem de fome?

Um silêncio estranho recaiu sobre a sala. De súbito, Trix e Pringle pareciam envergonhados de si mesmos. Foi então que a senhora Cyrus

---

13 Samuel Pepys (1633-1703) foi um funcionário público inglês do século XVII, famoso por seu diário, que é uma combinação de informações pessoais e revelações, como testemunha ocular, de grandes eventos, como a Grande Praga e o Grande Incêndio de Londres. (N. T.)

interveio, sentindo que era seu dever como esposa apoiar a inesperada defesa de Esme.

– E que faz crochê lindamente... Ele fez um belo centro de mesa para a sala de estar no inverno passado, quando estava de cama com lumbago.

Todo mundo tem um limite de tolerância, e Cyrus Taylor havia alcançado o dele. Ele levantou-se com tanta violência que sua cadeira foi imediatamente lançada para trás sobre o chão polido, atingindo a mesa onde estava o vaso. A mesa tombou, e o vaso estilhaçou-se em milhares de pedaços. Cyrus, com as fartas sobrancelhas eriçadas de fúria, por fim explodiu:

– Eu não faço crochê, mulher! Será que uma mísera toalhinha é suficiente para acabar com a reputação de um homem para sempre? Eu estava com dores tão fortes nas costas que nem sabia o que estava fazendo. E eu sou surdo, senhorita Shirley? Surdo?

– Não foi exatamente o que ela disse! – exclamou Trix, que nunca tinha medo quando o pai vocalizava sua raiva.

– Ah, não, ela não disse isso. Ninguém disse nada! Você não disse que tenho sessenta e oito anos, quando na verdade eu tenho apenas sessenta e dois, não é mesmo? Você não disse que eu não deixaria a sua mãe ter um cachorro! Meu Deus, mulher, você sabe que pode ter quarenta mil cães se quiser! Alguma vez já lhe neguei alguma coisa... alguma vez?

– Nunca, nunca – soluçou a senhora Cyrus, trêmula. – E eu nunca quis um cachorro. Nunca sequer pensei em ter um cachorro.

– Quando abri as suas cartas? Quando tive um diário? Um diário! Alguma vez eu usei um sobretudo para ir a um funeral ou levei uma vaca para pastar no cemitério? Que tia minha foi parar em um albergue? Eu já arremessei um assado em alguém? Já fiz vocês passarem a frutas e ovos?

– Nunca, nunca – chorou a senhora Cyrus. – Você sempre foi um bom provedor... o melhor.

– Por acaso você não me disse que queria galochas, no Natal passado?

– Sim, ah, claro que sim. E meus pés ficaram bem quentinhos durante todo o inverno.

— Muito bem, então! — Cyrus lançou um olhar triunfante pela sala. Seus olhos se encontraram com os de Anne. De repente, o inesperado aconteceu. Cyrus riu. Em suas bochechas surgiram covinhas que fizeram milagres para sua expressão, ele puxou a cadeira e voltou a sentar-se à mesa.

— Tenho o péssimo hábito de ficar de mau humor, doutor Carter. Todo mundo tem algum hábito ruim... e esse é o meu. O único. Vamos lá, querida, pare de chorar. Admito que mereci tudo isso, menos essa gracinha sobre crochê. Esme, minha filha, não vou esquecer que você foi a única que me defendeu. Peça a Maggie para vir limpar essa sujeira... Sei que todos estão felizes por essa coisa ter se espatifado... E diga para trazer o pudim.

Anne jamais teria imaginado que uma noite que começara tão mal poderia terminar de maneira tão prazerosa. Ninguém poderia ter sido tão afável ou uma companhia melhor que Cyrus. E não houve represálias, pois Trix procurou Anne dias depois para contar que havia finalmente juntado coragem suficiente para revelar ao pai sobre Johnny e ela.

— Ele ficou muito irritado, Trix?

— Ele... não ficou nem um pouco irritado — admitiu Trix, timidamente. — Ele só bufou e disse que já era hora de o rapaz tomar alguma atitude, depois de me perseguir por dois anos e não deixar ninguém mais se aproximar. Acho que ele se deu conta de que não poderia ter outro acesso de raiva tão cedo depois do último. E você sabe, Anne, que, nos intervalos entre seus ataques de mau humor, o papai é um encanto.

— Acho que ele é um pai muito melhor do que você merece — disse Anne, bem ao estilo da Rebecca Dew. — Você foi simplesmente mordaz naquela noite, Trix.

— Ora, foi você quem começou, e o Pringle ajudou um pouco. Tudo está bem quando acaba bem... E, graças a Deus, nunca mais terei que tirar o pó daquele vaso de novo.

CAPÍTULO 11

(Trecho de uma carta a Gilbert, duas semanas depois.)

O noivado de Esme Taylor com o doutor Lennox Carter foi anunciado. Pelo que descobri por meio das fofocas locais, creio que ele decidiu, naquela noite fatídica de sexta-feira, que queria protegê-la e salvá-la do pai e da família dela... e até dos amigos! A situação de Esme, evidentemente, despertara seu senso de cavalheirismo. Trix insiste em achar que foi graças a mim que o noivado deu certo, e talvez eu tenha dado uma ajudinha, mas não creio que tentarei um experimento como esse tão cedo. É como tentar segurar um raio pela cauda.

Realmente não sei o que deu em mim, Gilbert. Deve ter sido meu trauma de tudo que remeta aos Pringles, que parece mesmo algo antigo, agora. Quase me esqueci por completo, por mais que ainda haja pessoas que se perguntem o que aconteceu. Ouvi dizer que a senhorita Courtaloe não ficou nem um pouco surpresa por eu ter vencido os Pringles, pois eu tenho "um certo jeito de ser", e a esposa do ministro acha que isso foi a resposta a suas preces. Bom, quem sabe?

Jen Pringle e eu caminhamos juntas por parte do caminho de volta da escola, ontem, e conversamos sobre "sapatos, veleiros e cera encarnada"[14], sobre quase tudo, menos geometria. Nós evitamos esse assunto.

---

14 Trecho do poema *A Morsa e o Carpinteiro*, do escritor inglês Lewis Carroll (1832–1898), presente em seu livro *Alice no País das Maravilhas*. (N. T.)

Jen sabe que não entendo muito de geometria, mas meu segredinho sobre o capitão Myrom compensa isso. Emprestei a ela meu exemplar de *O livro dos Mártires*, de Foxe. Odeio emprestar um livro que amo, pois ele nunca parece o mesmo quando retorna, e eu amo esse livro porque o senhor Allan me deu como prêmio na escola dominical, anos atrás. Não gosto de ler sobre mártires, porque me fazem sentir mesquinha e com vergonha de admitir que odeio sair da cama em manhãs gélidas e que morro de medo de ir ao dentista!

Bem, alegro-me por Esme e Trix estarem felizes. Como meu próprio romance vai de vento em popa, estou mais que interessada no dos outros. Um interesse sadio, você sabe. Nada de curiosidade ou malícia, só estou contente por haver tanta felicidade espalhada por aí.

Ainda estamos em fevereiro e "sobre o telhado do convento, a neve cintila para a lua"[15], só que não é um convento, é apenas o telhado do celeiro do senhor Hamilton, mas estou começando a pensar: "só faltam algumas semanas para a primavera... E mais algumas até o verão, e os feriados... E Green Gables... E o sol dourado nos prados de Avonlea... E uma baía que é prateada ao amanhecer, safira ao meio-dia e rubra ao entardecer... E você".

A pequena Elizabeth e eu temos uma infinidade de planos para a primavera. Somos tão amigas! Eu lhe levo o leite todas as noites, e de tempos em tempos ela tem permissão para dar um passeio comigo. Descobrimos que fazemos aniversário no mesmo dia, e o rosto de Elizabeth ganhou um tom rosa divino de tanta emoção. Ela é encantadora quando fica corada e, de maneira geral, é muito pálida e não fica mais ruborizada do que isso por causa do leite fresco. É só quando voltamos de nosso encontro crepuscular com os ventos do fim de tarde que ela apresenta um rosa vívido nas bochechinhas. Uma vez, ela me perguntou com seriedade: "Eu terei uma pele adorável e delicada como a

---

[15] Trecho do poema *St. Agnes' Eve*, de Alfred Tennyson (1809-1892). (N. T.)

sua quando crescer, senhorita Shirley, se eu passar soro de leite no rosto todas as noites?". Aparentemente, soro de leite coalhado é o cosmético favorito na Rua do Fantasma. Descobri que Rebecca Dew também o usa; ela me fez jurar guardar segredo das viúvas, pois elas considerariam isso demasiadamente frívolo na idade dela. A quantidade de segredos que tenho que guardar em Windy Poplars está me fazendo envelhecer antes do tempo. Imagino se um pouco de soro de leite faria desaparecer as sete pintas que tenho no nariz. Aliás, já lhe ocorreu, senhor, que eu tenho uma "pele adorável e delicada"? Se sim, você nunca me contou. E já parou para pensar que sou "relativamente bonita"? Pois eu descobri que sou. Outro dia, Rebecca Dew indagou-me seriamente "Como é ser bonita, senhorita Shirley?", quando eu estava usando meu novo vestido bege de *voile*. Eu disse que também gostaria de saber, porém ela retrucou dizendo que eu sou bonita. Eu a censurei e disse que nunca achei que ela seria sarcástica. Rebecca respondeu: "Não estou sendo sarcástica, senhorita Shirley. Você é bonita relativamente, olhe-se no espelho do aparador. Comparada a mim, você é".

Bem, eu era mesmo!

Entretanto, ainda não terminei de contar sobre a Elizabeth. Em uma noite tempestuosa, quando o vento uivava na Rua do Fantasma, nós subimos para o meu quarto e desenhamos um mapa da Terra das Fadas, já que não podíamos sair para passear. Elizabeth sentou-se sobre a minha almofada azul em forma de rosquinha, para ficar mais alta, e parecia um gnominho concentrado, debruçado sobre o mapa. (Aliás, não quero saber das regras de ortografia! "Gnominho" é mais misterioso e mágico do que "pequeno gnomo".)

Nosso mapa ainda não está completo, pois todo dia nós pensamos em mais alguma coisa para acrescentar. Na noite passada, nós localizamos a casa da Bruxa da Neve e desenhamos três picos atrás dela, cobertos por cerejeiras em flor. (Por falar nisso, quero algumas cerejeiras silvestres perto de nossa casa dos sonhos, Gilbert.) É claro que o Amanhã também está no mapa, localizado a Leste de Hoje e a Oeste de Ontem, e também temos uma abundância de momentos na Terra das Fadas. Momento da primavera, momento longo, momento breve, o momento da Lua Nova, o momento de dizer boa-noite, o próximo momento, mas não o último momento, pois seria triste demais para o mapa; momento passado, momento futuro, pois, se houve um momento passado, deve haver um momento futuro; momento montanhoso, pois o som do termo é fascinante; momento noturno e momento diurno, mas nada de momentos de ir para a cama ou para a escola... Mas temos o momento perdido, porque é muito bom poder encontrá-lo; algum momento, momento bom, momento rápido, momento vagaroso, momento de dar um beijo, momento de ir para casa, momento imemorial... Que é uma das frases mais lindas do mundo. Sei que Rebecca Dew me acha um tanto infantil. Mas, ah, Gilbert, não sejamos velhos e sábios demais... Não, velhos e tolos demais para a Terra das Fadas.

Entretanto, não tenho certeza se Rebecca Dew me considera uma boa influência na vida de Elizabeth. Ela acha que eu a encorajo a ser "fantasiosa". Certa noite, quando eu estava fora, Rebecca Dew levou o leite e a encontrou já no portão, contemplando o céu tão intensamente que sequer ouviu os passos leves de Rebecca (ou qualquer outra coisa). Elizabeth disse que estava ouvindo, e Rebecca a reprovou dizendo que ela escutava demais.

Elizabeth sorriu com uma expressão distante, austera. (Rebecca não usou essas palavras, mas sei exatamente como Elizabeth sorri.) Rebecca ficaria surpresa com as coisas que ela ouve às vezes de uma forma que faria sua pele se arrepiar. Foi o que ela alegou.

A verdade é que Elizabeth está sempre com a cabeça no mundo da magia, e o que se pode fazer a respeito disso?

A melhor Anne de todas, sua ANNE.

P.S.1: Nunca, jamais permita que eu me esqueça do rosto de Cyrus Taylor quando a esposa o acusou de fazer crochê, mas ele tem meu eterno apreço por ter procurado por aqueles gatinhos. E gosto de Esme por ter enfrentado o pai mesmo sentindo que suas esperanças haviam chegado ao fim.

P.S.2: Tenho uma nova pena. E eu te amo por não ser pomposo como o doutor Carter... E por não ter orelhas de abano como o Johnny. E o melhor motivo de todos... Por ser simplesmente o Gilbert!

CAPÍTULO 12

Windy Poplars
Rua do Fantasma
30 de maio

QUERIDO-E-MAIS-QUERIDO:
É primavera!
Talvez você, enterrado sob uma pilha de provas em Kingsport, não tenha se dado conta, mas eu estou ciente, do topo da minha cabeça até os dedos dos pés. Summerside também notou, pois até as ruas mais odiosas estão transfiguradas por galhos em flor que se estendem sobre as velhas cercas de madeira e por um cordão de dentes-de-leão na grama que bordeia as calçadas. Até mesmo a dama de porcelana na minha estante percebeu; se algum dia eu conseguir acordar subitamente no meio da noite, aposto que a flagrarei realizando um *pas seul* com seus sapatos rosados de saltos dourados.

Tudo diz "primavera" para mim... Os riachos risonhos, a bruma azul ao redor da Rainha das Tormentas, os bordos no bosque onde leio suas cartas, as cerejeiras alvas ao longo da Rua do Fantasma, os pintarroxos ágeis e atrevidos que desafiam Dusty Miller no quintal, a trepadeira verde dependurada sobre a meia-porta que a pequena Elizabeth atravessa para tomar o leite, os pinheiros em volta do velho cemitério, orgulhosos de suas novas pinhas. O próprio cemitério antigo, onde os mais variados tipos de flor semeados ao redor dos túmulos explodem em botões e folhagens novas, como se dissessem: "Aqui, a vida triunfa sobre a morte". No fim da tarde de ontem, eu fiz um passeio muito agradável pelo cemitério. (Tenho certeza de que Rebecca Dew acha meus passeios mórbidos. "Não entendo como pode gostar tanto de caminhar por aquele lugar tenebroso", diz.) Vaguei pelo cemitério na penumbra perfumada, imaginando se a esposa de Nathan Pringle havia de fato tentado envenená-lo. Seu túmulo parecia tão inocente, com a grama nova e os lírios de junho, que concluí que fora caluniada.

Daqui a um mês, estarei em casa de férias! Não paro de pensar no velho pomar de Green Gables, com suas árvores cobertas de neve. A antiga ponte da Lagoa das Águas Brilhantes, o murmúrio do mar em meus ouvidos, uma tarde de verão na Travessa dos Amantes e você!

Estou com o tipo certo de bico de pena nesta noite, Gilbert, então...

(Duas páginas omitidas.)

Fui à casa dos Gibsons nesta noite. Marilla havia pedido que eu os procurasse, há algum tempo, pois ela os conhecia da época em que moraram em White Sands, e foi o que fiz. Tenho feito visitas semanais a elas desde então, pois Pauline parece gostar de minha presença e porque me compadeço. Ela é praticamente uma escrava da mãe, que é uma velha terrível.

A senhora Adoniram Gibson tem oitenta anos e passa o dia na cadeira de rodas. Eles se mudaram para Summerside há quinze anos. Pauline, que tem quarenta e cinco, é a mais jovem da família, todos os seus irmãos e irmãs já são casados e todos decidiram que não querem a senhora Adoniran em suas casas. Pauline cuida da casa e faz tudo para a mãe; ela é uma mulherzinha um pouco pálida, de olhos castanhos e cabelos loiros-escuros que ainda eram brilhantes e bonitos. Desfrutam de uma situação econômica confortável, e, se não fosse pela mãe, Pauline teria uma vida cômoda, pois adora ajudar na igreja e seria perfeitamente feliz frequentando a Sociedade Assistencial das Damas e das Missões Estrangeiras, planejando jantares da igreja e eventos sociais, sendo a orgulhosa dona do mais lindo exemplar da planta lambari da cidade. Porém, mal consegue sair de casa, até mesmo para ir à igreja aos domingos, e não vejo nenhuma escapatória para ela, pois a velha senhora Gibson parece que viverá até os cem anos. E, ainda que não possa mais usar as pernas, não há nada de errado com sua língua, e sempre me enche de indignação e impotência ouvir a pobre Pauline ser alvo do sarcasmo dela. Não obstante, Pauline diz que a mãe "tem grande apreço" por mim e é muito mais amistosa quando estou por perto. Se isso for verdade, tremo só de pensar em como ela deve ser quando não estou por perto.

Pauline não se atreve a fazer qualquer coisa sem antes pedir para a mãe. Não consegue sequer comprar as próprias roupas, nem um par de meias. Tudo precisa ser submetido à aprovação da senhora Gibson, tudo precisa ser usado até estar gasto dos dois lados, e Pauline usa o mesmo chapéu há quatro anos.

A senhora Gibson não tolera nenhum ruído em casa e nenhuma corrente de ar fresco. Dizem que nunca sorriu na vida, nunca a vi sorrir, sinceramente, e, quando olho para ela, imagino o que aconteceria com seu rosto se o fizesse. Pauline não tem nem um quarto só para si; ela tem que dormir no mesmo quarto que a mãe e acorda quase que de hora em hora para massagear as costas dela, dar-lhe remédio, preparar uma bolsa de água quente (quente, não morna!), trocar os travesseiros ou investigar algum barulho misterioso no quintal. A senhora Gibson dorme à tarde e passa a noite delegando tarefas à filha.

No entanto, nada disso torna Pauline amargurada. Ela é carinhosa, altruísta e paciente, e fico feliz que tenha um cachorro para amar. O cão foi o único capricho que conseguiu satisfazer, e só porque houve um assalto em algum lugar da cidade e a senhora Gibson achou que serviria de proteção. Pauline não se atreve a demonstrar o quanto o ama, pois sua mãe odeia o animal e reclama que ele fica trazendo ossos para dentro de casa, mas ela tem os próprios motivos para nunca o ter mandado embora.

Finalmente tenho a chance de dar algo para Pauline: vou lhe dar um dia, por mais que isso signifique abrir mão de meu próximo final de semana em Green Gables.

Nesta noite, quando cheguei, percebi que Pauline estivera chorando. A senhora Gibson não me deixou em suspense por muito tempo e contou: "Pauline quer me deixar, senhorita Shirley, mas que filha bela e grata eu tenho, não é?". Pauline, engolindo um soluço e tentando sorrir, disse que seria só por um dia. A senhora Gibson lamentou: "Só por um dia! Bem, você sabe como são os meus dias, senhorita Shirley, todo mundo sabe como são, mas o que você não sabe ainda, e espero que nunca saiba, é como um dia pode ser longo quando se está sofrendo".

Eu sabia que a senhora Gibson não sofria nem um pouco, então não tentei ser complacente. Pauline disse que conseguiria alguém para ficar com a mãe. Sua prima Louisa irá celebrar as bodas de prata em White Sands no próximo sábado e queria que Pauline fosse, já que foi madrinha dela quando se casou com Maurice Hilton. Pauline gostaria tanto de ir, se a mãe consentisse, mas a senhora Gibson declarou: "Se é meu destino morrer sozinha, então que seja. Deixo a cargo da sua consciência".

Eu soube que a batalha estava perdida para Pauline no instante em que a sua mãe disse isso. A senhora Gibson passou a vida conseguindo o que queria sobrecarregando a consciência das pessoas. Ouvi dizer que, anos atrás, alguém quis se casar com Pauline, mas a mãe impediu isso de acontecer ao deixar a decisão a cargo da consciência da filha.

Pauline secou os olhos, esforçou-se para mostrar um sorriso lastimoso e pegou o vestido que estava costurando... uma peça xadrez verde e preta, horrorosa.

A senhora Gibson completou: "Vamos, não fique de cara fechada, Pauline. Não suporto pessoas de cara fechada, e não se esqueça de colocar uma gola nesse vestido. Você acredita, senhorita Shirley, que ela queria deixar o vestido sem gola? Essa aí usaria um vestido decotado se eu permitisse".

Eu olhei para a pobre Pauline, com seu pescoço esguio, que continua bonito, ainda que esteja mais robusto, enfurnado em uma gola alta e fechada. Aleguei que vestidos sem gola estão na moda, e ela retrucou dizendo que vestidos sem gola são indecentes. (Nota: eu estava com um vestido sem gola.) E a senhora Gibson continuou como se estivesse no mesmo assunto dizendo que nunca gostou do Maurice Hilton, a mãe dele era uma Crockette e ele nunca teve nenhuma noção de decoro por estar sempre beijando a esposa nos lugares mais impróprios.

(Tem certeza de que você não me beija em lugares impróprios, Gilbert? Temo que a senhora Gibson considere um beijo na nuca, por exemplo, indecoroso.) Foi então que travaram um diálogo intenso: "Mãe, você sabe que isso foi no dia em que ela quase foi pisoteada pelo cavalo de Harvey Wither, que saiu em disparada pelo jardim da igreja. Era mais do que natural que ele estivesse um pouco emocionado", "Pauline, por favor, não me contradiga. Ainda acho que os degraus da igreja são um lugar inadequado para um beijo. Mas, é claro, minha opinião não importa mais para ninguém. É óbvio que todos gostariam de que eu morresse. Bem, o meu lugar agora é na cova. Sei o fardo que sou para você e seria melhor que eu estivesse morta. Ninguém me quer". Pauline implorou para ela não falar assim, mas a mãe foi insistente: "Eu vou falar. Aí está você, determinada a ir a uma festa de bodas de prata, mesmo sabendo que não aprovo". Então só restou Pauline dizer: "Mamãe querida, eu não vou... Jamais iria se você não permitisse. Não fique tão agastada".

Eu sentia que, se continuasse ali por mais tempo, acabaria ficando louca ou estapeando a senhora Gibson. Assim, informei que tinha provas para corrigir.

A senhora Gibson suspirou: "Ah, suponho que duas mulheres velhas como nós não sejam uma boa companhia para uma jovem. Pauline não é muito divertida, não é mesmo, Pauline? Nem um pouco. Não me admira que a senhorita Shirley não queira ficar mais tempo".

Pauline foi até a varanda comigo. A lua brilhava sobre seu pequeno jardim, resplandecendo sobre o porto. Um vento sutil e delicioso conversava com uma macieira branca. Era primavera... Primavera... Primavera! Até mesmo a senhora Gibson não podia impedir que as árvores florescessem. E os olhos cinza-claro de Pauline estavam cheios de lágrimas. Com um longo e angustiado suspiro de resignação, Pauline disse que queria tanto ir à festa da Louise e eu anunciei que ela iria. Porém, ela acrescentou, em um tom alto e animado: "Ah, não, querida. Não posso. A mamãe jamais vai deixar, é melhor esquecer isso. A lua não está linda nesta noite?", e a senhora Gibson gritou da sala: "Pare de olhar a lua e faça algo que preste, deixe de conversinha, Pauline, e venha buscar minhas pantufas vermelhas com pele de animal. Esses sapatos apertam demais os meus pés, pois é, ninguém se importa com o meu sofrimento".

Eu já não me importava com o sofrimento dela. Coitadinha da Pauline! Mas ela terá seu dia de folga, sem sombra de dúvida, e irá para as bodas de prata. Eu, Anne Shirley, tenho dito.

Contei todo o ocorrido para Rebecca Dew e as viúvas quando cheguei em casa, e nós nos divertimos muito pensando em todas as coisas adoráveis e insultantes que eu poderia ter dito à senhora Gibson. A tia Kate não acredita que conseguirei convencê-la a deixar Pauline ir, mas Rebecca Dew tem fé em mim. Disse que, se eu não conseguir, ninguém conseguirá.

Eu jantei com a senhora Tom Pringle há pouco tempo, a mulher que não quis me hospedar. (Rebecca diz que sou a melhor pensionista que já conheceu, pois janto fora com muita frequência.) Alegro-me por ela não ter me acolhido. Ela é simpática e cozinha esplendidamente, mas sua casa não é Windy Poplars, ela não mora na Rua do Fantasma e ela não é a tia Kate, a tia Chatty e a Rebecca Dew. Eu amo as três e pretendo me hospedar aqui no ano que vem e no seguinte. Minha poltrona é chamada de "a poltrona da senhorita Shirley", e a tia Chatty me contou que, quando não estou aqui, Rebecca Dew arruma meu lugar à mesa do mesmo jeito, "para que não pareça tão solitário". Às vezes os sentimentos da tia Chatty complicam um pouco as coisas, mas agora ela diz que sabe que eu jamais a magoaria intencionalmente.

Agora, a pequena Elizabeth e eu saímos para passear duas vezes por semana. A senhora Campbell deu seu consentimento, mas com a condição de que não seja com tanta frequência e nunca aos domingos. As coisas melhoraram para Elizabeth na primavera, pois um pouco de luz entra naquela casa velha e umbrosa nessa época do ano e por fora fica até bonita sob as sombras dançantes das copas das árvores. Mesmo assim, a pequena Elizabeth gosta de escapulir de lá sempre que pode. De vez em quando, vamos até o centro da cidade para que Elizabeth veja as vitrines iluminadas das lojas, mas quase sempre vamos pela Estrada que Leva ao Fim do Mundo até onde nos atrevemos, dobrando cada curva de forma aventureira e expectante, como se fôssemos nos deparar com o Amanhã, enquanto as pequenas colinas verdejantes se aninham contra o crepúsculo no horizonte. Uma das coisas que Elizabeth fará no Amanhã é "ir até a Filadélfia e ver o anjo na igreja". Eu não lhe contei (e nunca contarei) que a Filadélfia sobre a qual escreveu São João não é cidade do estado da Pensilvânia, nos Estados Unidos. As crianças já perdem a inocência cedo demais e, de qualquer maneira, se pudéssemos chegar ao Amanhã, quem sabe o que encontraríamos? Anjos por todas as partes, talvez.

Às vezes nós assistimos os barcos entrarem no porto sob o vento favorável e translúcido da primavera, através de um caminho reluzente na água, e Elizabeth se pergunta se o pai dela está a bordo de um deles. Ela se garra à esperança de que ele voltará algum dia, e não imagino por que nunca o fez. Tenho certeza de que viria se soubesse que filha mais preciosa anseia por ele, suponho que nem atine que ela já é uma mocinha e que ainda ache que ela é o bebê que custou a vida de sua esposa.

Logo concluirei meu primeiro ano na Escola Secundária de Summerside. Os primeiros quatro meses foram um pesadelo, mas os outros foram bem agradáveis, e os Pringles são pessoas encantadoras. Como pude compará-los aos Pyes? Sid Pringle me deu um monte de lírios-do-bosque hoje. Jen será a líder da classe, e a senhorita Ellen supostamente disse que sou a única professora que realmente compreendeu a filha! Meu único problema é Katherine Brooke, que continua hostil e distante. Vou desistir de tentar ser amiga dela. Afinal, como Rebecca Dew diz, tudo tem limites.

Ah, quase esqueci de contar... Sally Nelson me convidou para ser uma de suas madrinhas. Ela vai se casar com Gordon Hill no fim de junho em Bonnyview, a casa de veraneio do doutor Nelson na costa. Então, Nora Nelson será a única das seis filhas do doutor ainda solteira. Jim Wilcox e ela se cortejam há anos, em um "vai-não-vai", como diz Rebecca Dew, mas isso nunca parece chegar a lugar algum, e ninguém acha que vai. Gosto muito da Sally, porém nunca cheguei a conhecer melhor Nora; ela é bem mais velha que eu, e um tanto reservada e soberba, mas, ainda assim, adoraria que nos tornássemos amigas. Ela não é muito bonita, inteligente ou charmosa, mas de alguma forma tem um certo encanto. Creio que valeria a pena.

Por falar em casamentos, Esme Taylor casou-se com o doutor no mês passado. Não pude comparecer porque a cerimônia foi na quarta-feira à tarde, mas todos disseram que ela estava deslumbrante e muito feliz e que Lennox parecia ter a certeza de ter tomado a decisão certa, além de ter a aprovação da própria consciência. Cyrus Taylor e eu somos bons amigos. Ele fala com frequência daquele jantar, que agora considera uma grande piada. Contou que nunca mais voltou a ficar de cara fechada, pois tem medo de que a patroa o acuse de fazer colchas de retalhos da próxima vez. E então me pediu que enviasse saudações às "viúvas".

Gilbert, as pessoas são maravilhosas, a vida é maravilhosa e eu sou...
Para todo o sempre...
Sua!

P.S.: Nossa vaca vermelha, que fica na propriedade do senhor Hamilton, deu à luz um bezerro malhado. Faz três meses que compramos leite de Lew Hunt. Rebecca diz que agora teremos creme novamente, sempre ouviu dizer que o poço dos Hunt era inesgotável e que agora acredita nisso. Rebecca não queria de forma alguma que a vaca desse cria. A tia Kate precisou pedir ao senhor Hamilton que explicasse à Rebecca que a vaca era velha o bastante para ter um bezerro e só então ela deu seu consentimento.

CAPÍTULO 13

– Ah, quando você for velha e estiver acamada como eu, terá mais comiseração – choramingou a senhora Gibson.

– Por favor, não pense que não tenho empatia – disse Anne. Depois de meia hora de esforços em vão, ela tinha vontade de torcer o pescoço da senhora Gibson. Os olhos suplicantes da pobre Pauline ao fundo eram a única coisa impedindo-a de ceder à frustração e ir para casa.

– Garanto que a senhora não ficará sozinha. Passarei o dia aqui e me certificarei de que não lhe falte nada.

– Ah, sei que não sirvo para nada – disse a senhora Gibson, ignorando tudo que fora dito. – Não precisa esfregar isso na minha cara, senhorita Shirley. Estou pronta para partir desta para melhor, a qualquer momento. Pauline pode vagabundear por aí o quanto quiser, depois disso, e não estarei aqui para ser negligenciada. Os jovens de hoje não têm juízo. São todos uns egoístas!

Anne não tinha certeza se Pauline ou ela mesma era a jovem egoísta sem nenhum juízo, mas ela fez uma última tentativa.

– Sabe, senhora Gibson, as pessoas falarão horrores se Pauline não for às bordas de prata da prima.

– Horrores? – disparou no ato. – O que elas dirão?

– Querida senhora Gibson ("que eu seja perdoada pelo adjetivo!" pensou Anne), sei que testemunhou, em sua longa vida, do que são capazes as línguas afiadas.

– Não precisa tocar no assunto da idade – retrucou a senhora Gibson. – E não precisa me dizer como este mundo é crítico. Muito bem... Sei disso muito bem, e também não preciso que me diga como essa cidade é cheia de fofoqueiros. Só não gosto de que falem de mim... dizendo, como eu suponho, que sou uma velha tirana. Não estou impedindo Pauline de ir. Eu não deixei isso a cargo da consciência dela?

– Poucas pessoas acreditarão nisso – alegou Anne, com uma tristeza calculada.

A senhora Gibson chupou uma bala de menta intensamente por alguns instantes e então disse:

– Ouvi dizer que há casos de caxumba em White Sands.

– Mamãe, você sabe que já tive caxumba.

– Existem pessoas que pegam duas vezes. Creio que é uma delas, Pauline. Você sempre pegou todo tipo de doença que aparece por aí. As noites que passei ao seu lado, crente de que você não veria o amanhecer! Ah, ninguém se recorda dos sacrifícios de uma mãe. Além do mais, como iria para White Sands? Faz anos que você não sobe em um trem, e não há nenhum que volte sábado à noite.

– Ela poderia ir no trem no sábado de manhã – explicou Anne. – E tenho certeza de que o senhor James Gregor a trará de volta.

– Nunca gostei do Jim Gregor. A mãe dele era uma Tarbush.

– Ele vai com sua charrete na sexta-feira, senão também a levaria, mas ela estará segura no trem, senhora. Ela vai embarcar em Summerside e descer em White Sands; não é necessário fazer baldeação.

– Há algo por trás de tudo isso – suspeitou a senhora Gibson. – Por que está tão empenhada em fazer com que Pauline vá? Diga-me.

Anne sorriu para os olhos atentos da amiga.

– Porque acho que a Pauline é uma filha boa e atenciosa com a senhora e que precisa de um dia de folga de vez em quando, assim como todo mundo.

A maior parte das pessoas não resiste ao sorriso de Anne. Ou foi isso, ou o medo das fofocas havia vencido a senhora Gibson.

– Imagino que nunca ocorra a ninguém que eu também queira um dia de folga dessa cadeira de rodas, se fosse possível. Mas não é... sou obrigada a suportar minha aflição permanentemente. Bem, se ela deve ir, pois que vá, sempre consegue que as coisas saiam do jeito que quer. Se pegar caxumba ou for infectada por algum mosquito estranho, a culpa não será minha. Terei que me arranjar como posso. Ah, sei que estará aqui, mas você não está acostumada com meus hábitos como Pauline. Acho que posso aguentar por um dia. Se não puder... Bem, há anos estou fazendo hora extra nesta vida, então que diferença faz?

Não havia generosidade em sua permissão, mas ainda assim era uma permissão. Anne, aliviada e grata, descobriu-se fazendo algo que jamais teria imaginado fazer: ela inclinou-se e beijou a bochecha enrugada da senhora Gibson.

– Obrigada.

– Não me venha com suas artimanhas – disse a senhora. – Pegue uma bala de menta.

– Como posso agradecer-lhe, senhorita Shirley? – disse Pauline enquanto acompanhava Anne pela rua.

– Indo para White Sands com o coração leve e desfrutando de cada minuto.

– Ah, assim o farei. Você sabe o quanto isso significa para mim, pois não é apenas a Louisa que eu quero visitar. A velha casa dos Luckley, ao lado da casa da minha prima, vai ser vendida e quero vê-la mais uma vez antes que passe para as mãos de estranhos. Mary Luckley, que agora é a senhora Howard Flemming e vive no Oeste, era a minha melhor amiga na infância. Éramos como irmãs. Mamãe disse que estou ficando velha demais para sonhar. Acha que é verdade, senhorita Shirley?

– Ninguém é velho demais para sonhar, e sonhos nunca envelhecem.

– Fico tão feliz em ouvir você dizer isso. Ah, senhorita Shirley, e pensar que verei novamente o golfo. Faz quinze anos que não o vejo. O porto daqui é lindo, mas não como o golfo. Lá, é como se estivéssemos caminhando sobre o ar, e devo isso a você. A mamãe gosta de você e foi só por isso que me deixou viajar. Você fez com que eu ficasse feliz... E está sempre fazendo as pessoas felizes. Só de chegar a algum lugar, senhorita Shirley, você deixa as pessoas mais felizes.

– É o melhor elogio que já recebi, Pauline.

– Só tem um problema... não tenho nada para usar além do vestido preto de tafetá. Ele é muito austero para um casamento, não é mesmo? E ficou muito largo, desde que emagreci, pois faz seis anos desde a última vez que o vesti.

– Temos que tentar convencer a sua mãe a comprar um vestido novo – disse Anne, esperançosa.

Porém, isso mostrou-se além de seus poderes. A senhora Gibson foi inflexível; o vestido preto de tafetá da filha era bom o bastante para a festa de Louisa Hilton.

– Paguei dois dólares por metro de tecido, seis anos atrás, e três para que Jane Sharp o costurasse. Jane era uma boa costureira, e a mãe dela era uma Smiley. Que ideia a sua querer um vestido "claro", Pauline Gibson! Se não fosse por mim, essa aí iria vestida de escarlate da cabeça aos pés, senhorita Shirley. Só está esperando que eu morra para fazer isso. Ah, bem, logo você estará livre de todos os problemas que eu lhe causo, Pauline. Então, poderá usar todas as cores malucas que quiser. Enquanto eu estiver viva, porém, você se vestirá decentemente. E qual o problema com o seu chapéu? Já está na hora de você usar uma touca, de qualquer forma.

A pobre Pauline tinha um pavor lívido de usar gorro. Ela preferia usar o velho chapéu pelo resto da vida.

– Vou me contentar e esquecer esse assunto das roupas – disse ela a Anne quando foram até o jardim colher um buquê de lírios e corações-
-sangrentos para as viúvas.

– Tenho um plano – anunciou Anne, com cuidado para que a senhora Gibson não as ouvisse, embora estivesse observando-as da janela da sala. – Sabe aquele meu vestido cinza-prateado de popelina? Vou emprestá-lo para que use na festa.

Pauline deixou cair a cesta de flores em sua agitação, criando uma doce confusão de rosa e branco ao redor dos pés de Anne.

– Ah, minha querida... Mamãe não deixaria.

– Ela não precisa saber. Escute, sábado de manhã você vai colocar seu vestido preto de tafetá por cima do prateado. Sei que vai servir em você. É um pouco longo, mas vou fazer algumas pregas nele amanhã... Pregas estão na moda. Como as mangas chegam até o cotovelo e o vestido não tem gola, ninguém suspeitará. Assim que chegar a Gull Cove, tire o vestido de tafetá. Ao fim do dia, você pode deixar a peça de popelina em Gull Cove, que eu o buscarei no próximo fim de semana, quando voltar para a cidade.

– Mas ele não é jovial demais para mim?

– Nem um pouco. Cinza fica bem em pessoas de todas as idades.

– Você acha que é... certo... enganar a mamãe? – hesitou Pauline.

– Neste caso, é absolutamente certo – respondeu Anne, sem remorso. – Sabe, Pauline, não seria correto ir vestida de preto a uma boda de casamento. Pode trazer má sorte para a noiva.

– Ah, eu jamais faria isso. E é claro que mamãe não vai saber de nada, mas espero que ela passe bem o sábado. Temo que ela não coma nada enquanto estiver fora, foi isso que aconteceu quando fui ao funeral da prima Matilda. A senhorita Prouty, que ficou cuidando dela, disse que ela nem tocou na comida. Ela ficou tão indignada com a prima Matilda por ter morrido... a mamãe, digo.

– Ela vai comer... Vou me certificar disso.

– Sei que tem muito jeito para lidar com ela – admitiu Pauline. – E não se esqueça de lhe dar o remédio nas horas certas, tudo bem, querida? Ah, talvez eu não deva ir.

– Você está aí há tempo suficiente para colher quarenta buquês – gritou a senhora Gibson, irritada. – Não sei por que as viúvas querem essas flores, sendo que flores não lhes faltam. Eu ficaria um bom tempo sem flores se tivesse que esperar que a Rebecca Dew me mandasse algumas. Estou morrendo de sede, mas é claro, não sou importante para ninguém.

Pauline telefonou para Anne na sexta-feira à noite, terrivelmente consternada. Ela estava com dor de garganta e queria saber se a senhorita Shirley achava que podia ser caxumba. Anne correu até lá para acalmá-la e levou o vestido cinza em um embrulho de papel pardo. Ela o escondeu em um arbusto de lírios e, no meio daquela noite, Pauline, banhada em suor frio, buscou-o e o levou clandestinamente até o quartinho onde guardava suas roupas e se vestia, onde não tinha permissão para dormir. Talvez a dor de garganta fosse um castigo pela traição, só que ela não podia comparecer às bodas de prata de Louisa com aquele vestido preto horroroso... Ela simplesmente não podia.

No sábado de manhã, Anne chegou à casa dos Gibson bem cedinho. Em manhãs de verão cintilantes como aquela, Anne sentia-se no primor de sua beleza. Parecia cintilar igualmente e movia-se pelo ar dourado como uma figura esguia gravada em uma urna grega. A mais enfadonha das salas também cintilaria... ganhando vida... graças à sua presença.

– Você caminha como se fosse a dona do mundo – comentou sarcasticamente a senhora Gibson.

– E sou mesmo – respondeu Anne alegremente.

– Ah, você é jovem demais – criticou a senhora Gibson.

– "Não privei meu coração de alegria alguma"[16] – citou Anne. – É o que diz a Bíblia, senhora Gibson.

– "O homem nasce para a tribulação, como as faíscas se levantam para voar"[17]. Também está na Bíblia – retrucou a senhora. O fato de ter retorquido com tamanha prontidão à senhorita Shirley, bacharela em Letras, deixou-a relativamente de bom humor. – Nunca fui de adular, senhorita Shirley, mas este seu chapéu de palha, com a flor azul, fica muito bem em você. Seu cabelo não me parece tão vermelho sob ele. Você não acha admirável uma jovem como ela, Pauline? Não gostaria de ser uma jovem assim, Pauline?

---

16 Referência ao Antigo Testamento – Eclesiastes 2:10. (N. T.)
17 Referência ao Antigo Testamento – Jó 5:7. (N. T.)

Pauline estava feliz e animada demais para querer ser outra pessoa além de si mesma. Anne a acompanhou até o andar de cima para ajudá-la a aprontar-se.

– Não me canso de pensar em todas as coisas esplêndidas que acontecerão hoje, senhorita Shirley. Minha garganta melhorou bastante, e a mamãe está de muito bom humor. Pode não parecer, mas estou certa disso porque está falante, mesmo com todo o sarcasmo. Se estivesse brava ou irritada, estaria de cara fechada. Já descasquei as batatas, o bife está na geladeira, e o manjar da mamãe está lá no porão. Há frango enlatado para o jantar e um pão de ló na despensa. Tenho tanto medo de que ela mude de ideia... Eu não suportaria se isso acontecesse. Ah, senhorita Shirley, acha mesmo que devo usar o vestido cinza?

– Vista-o – disse Anne em seu melhor tom de professora.

Pauline a obedeceu e transformou-se em uma pessoa nova. O vestido cinza ficara perfeito, não tinha gola, e as mangas até o ombro eram adornadas por babados delicados de renda. Quando Anne terminou de arrumar seus cabelos, Pauline mal se reconheceu.

– Detesto ter que escondê-lo com aquele vestido preto horrível, senhorita Shirley.

Porém, era necessário. O tafetá ocultou-o em segurança. Em seguida, colocou o chapéu surrado... que também sairia de cena quando chegasse à casa de Louisa, e um par de sapatos novos. A senhora Gibson permitira que ela os comprasse, ainda que achasse os saltos "escandalosamente altos".

– Chamarei a atenção de todos no trem por estar sozinha. Espero que as pessoas não pensem que estou indo a um funeral. Não quero associar as bodas de prata de Louisa à morte, de forma alguma. Ah, perfume, senhorita Shirley! Flor de maçã! Não é adorável? Só um pouquinho... Sempre achei tão feminino, e mamãe não me deixa ter um. Ah, senhorita Shirley, não se esqueça de dar comida para meu cachorro! Deixei alguns ossos para ele na despensa, em um prato coberto. Tomara que... – Sua voz transformou-se em um sussurro acanhado. – ... ele não se comporte mal dentro de casa enquanto eu estiver fora.

Pauline teve que passar pela inspeção da mãe antes de sair. A empolgação pelo passeio e a culpa por causa do vestido escondido se misturaram, dando-lhe um rubor muito incomum. A senhora Gibson a encarou, insatisfeita.

– Minha nossa! Está indo para Londres, conhecer a Rainha? Você está muito corada. As pessoas vão pensar que está usando maquiagem. Tem certeza de que não está?

– Ah, não, mamãe... Não! – reagiu Pauline, em um tom chocado.

– Tenha bons modos e, quando se sentar, cruze as pernas na altura dos tornozelos decentemente. Tome cuidado para não pegar friagem e não fale demais.

– Não falarei, mamãe – prometeu Pauline com veemência, olhando com nervosismo para o relógio.

– Estou mandando para Louisa uma garrafa de vinho de salsaparrilha para a hora do brinde. Nunca me importei com a Louisa, mas a mãe dela era uma Tackaberry. Lembre-se de trazer de volta a garrafa e não aceite nenhum filhote de gato, pois a Louisa sempre dá filhotes de gato de presente para as pessoas.

– Não aceitarei, mamãe.

– Tem certeza de que não esqueceu o sabão na água?

– Absoluta, mamãe – disse ela, com outro relance aflito para o relógio.

– Seus cadarços estão amarrados?

– Sim, mamãe.

– Você está encharcada de perfume... isso não é respeitável.

– Ah, não, mamãe... Só passei um pouco, algumas gotas.

– Eu disse que está encharcada e ponto final. O vestido não está descosturado embaixo da manga?

– Ah, não, mamãe.

– Deixe-me ver – ordenou.

Pauline estremeceu. E se a saia do vestido prateado aparecesse quando ela erguesse os braços?

– Bem, vá, então. – Deu um longo suspiro. – Se eu já tiver partido quando voltar, lembre-se de que quero ser enterrada em meu xale de renda e com meus chinelos pretos de cetim. E que meus cabelos sejam frisados.

– Não está se sentindo bem, mamãe? – O vestido de popelina havia deixado a consciência de Pauline sensível. – Se não estiver, posso ficar...

– O quê? E desperdiçar o dinheiro dos sapatos? Claro que vai! E lembre-se de não escorregar pelo corrimão da escada.

Isso conseguiu tirar Pauline do sério.

– Mãe! Acha que eu faria isso?

– Você fez no casamento da Nancy Parker.

– Trinta e cinco anos atrás! Acha mesmo que eu faria isso agora?

– Já está na hora. Por que ainda está aqui, conversando? Quer perder o trem?

Pauline então partiu, apressada, e Anne suspirou de alívio. Ela estava com medo de que a senhora Gibson, de última hora, tivesse cedido a um impulso mesquinho de deter a filha até que o trem partisse.

– Agora haverá um pouco de paz – disse a senhora. – A desordem desta casa é vergonhosa, senhorita Shirley. Espero que saiba que não é sempre assim. Pauline estava com a cabeça nas nuvens, nos últimos dias. Poderia, por obséquio, colocar aquele vaso um centímetro para a esquerda? Não, volte no lugar onde estava. Aquele abajur está torto. Bem, agora está um pouco mais alinhado. E aquela cortina está um centímetro mais baixa do que a outra. Gostaria que você as endireitasse.

Infelizmente, Anne puxou a cortina com força demais, ela escapou de seus dedos e zuniu rapidamente para cima.

– Ah, veja o que você fez.

Anne não viu, mas ajustou meticulosamente a cortina.

– E agora, gostaria de uma boa xícara de chá, senhora Gibson?

– Eu preciso de uma coisa... Toda essa preocupação e agitação me deixaram esgotada, sinto como se estivesse com um buraco no estômago – disse, pateticamente. – Você é capaz de preparar um chá decente? Prefiro beber lama a tomar o chá que certas pessoas fazem.

– Marilla Cuthbert me ensinou a preparar o chá. Não se preocupe, mas antes vamos até a varanda, para tomar um pouco de sol.

– Não saio na varanda há anos – opôs-se a senhora Gibson.

– Ah, o dia está ameno e não lhe fará mal. Quero que veja a macieira em flor, e só conseguirá se sair. Como o vento está para o sul hoje, vai conseguir sentir o aroma dos campos do Norman Johnson. Tomaremos chá juntas, depois eu buscarei meu bordado e nós ficaremos aqui, criticando todo mundo que passa.

– Não tenho o hábito de criticar as pessoas – disse a virtuosa senhora Gibson. – Não é cristão. Você se importaria de me dizer se esse é o seu cabelo natural?

– Cada fio dele – riu Anne.

– Uma pena que seja vermelho. Se bem que essa cor parece que está ficando popular. Eu gosto da sua risada. O riso nervoso da coitada da Pauline sempre me dá nos nervos. Bem, se tenho que sair, que assim seja. Provavelmente pegarei um resfriado e morrerei, mas a responsabilidade é sua, senhorita Shirley. Lembre-se de que tenho oitenta anos... E nem um dia a menos, embora eu tenha ouvido falar que o velho Davy Ackham anda dizendo por toda Summerside que só tenho setenta e nove. A mãe dele era uma Watt. A família sempre foi muito invejosa.

Anne guiou a cadeira de rodas habilmente e provou que tinha destreza para arrumar os travesseiros. Logo ela trouxe o chá, e a senhora Gibson dignou-se a aprová-lo.

– Sim, é bebível. Ai de mim, tive que viver durante um ano à base apenas de uma dieta líquida. Achavam que eu não conseguiria sobreviver e às vezes acho que teria sido melhor se não tivesse conseguido. É aquela a macieira de que me falou?

– Sim. Não é adorável? Tão branca contra o céu azul escuro.

– Não acho poético – foi o único comentário da senhora Gibson. Mas ela ficou mais amigável depois de duas xícaras de chá, e a manhã foi passando, até que chegou a hora de pensar no almoço.

– Vou prepará-lo e o trarei aqui fora em uma mesinha.

– Não, senhorita. Não quero nem saber dessas maluquices! As pessoas achariam muito estranho nos ver aqui, comendo em público. Não nego que aqui está agradável... Ainda que o cheiro dos trevos me cause mal-estar... E a manhã passou muito mais rápido do que de costume, mas não vou almoçar aqui fora de forma alguma. Não sou uma cigana. Lembre-se de lavar as mãos antes de preparar o almoço. Veja, a senhora Storey deve estar esperando visitas, pois ela pendurou a roupa de cama do quarto de hóspedes para arejar. Não é hospitalidade verdadeira... Apenas desejo por atenção. A mãe dela era uma Carey.

O almoço feito por Anne conseguiu agradar a senhora Gibson.

– Achava que as pessoas que escrevem para os periódicos não sabem cozinhar. Mas, é claro, você foi criada pela Marilla Cuthbert, a mãe dela era dos Johnson. Suponho que a Pauline vai comer até passar mal na festa. Ela não sabe quando parar... igual ao pai dela. Eu a vi empanturrar-se de morangos, quando sabia muito bem que iria sentir dores terríveis de estômago uma hora depois. Eu já lhe mostrei a foto dele, senhorita Shirley? Bem, vá até o quarto de visitas e traga-a até aqui. Está debaixo da cama. Não vasculhe as gavetas enquanto estiver lá, mas veja se não há poeira embaixo da cômoda. Não confio em Pauline... Ah, sim, este é ele. A mãe dele era uma Walker. Não existem mais homens assim. Vivemos tempos degenerados, senhorita Shirley.

– Homero disse a mesma coisa oitocentos anos antes de Cristo – sorriu Anne.

– Alguns dos escritores do Antigo Testamento só sabiam reclamar – disse a senhora Gibson. – Creio que esteja chocada por ouvir-me falar assim, senhorita Shirley, mas meu marido tinha uma mentalidade muito aberta. Ouvi dizer que está noiva... de um estudante de medicina. A maioria deles bebe, creio eu... Eles precisam, para encarar uma aula de dissecação. Nunca se case com um homem que bebe, senhorita Shirley, nem com um que não seja um bom provedor. Não se pode viver só de álcool, ouça o que estou lhe dizendo. Não se esqueça de limpar a pia e lavar os panos de prato, pois não suporto panos de prato engordurados.

Acho que você terá de dar comida para o cachorro. Ele está muito gordo, mas a Pauline não para de mimá-lo. Acho que terei de me livrar dele.

— Ah, eu não faria isso, senhora Gibson. Pense nos ladrões... E sua casa é tão isolada, aqui, longe de tudo. Vocês realmente precisam de proteção.

— Ah, bem, como queira. Evito ao máximo discutir com as pessoas, especialmente quando estou com uma palpitação estranha no pescoço. Acho que significa que vou ter um infarto.

— Você precisa de um cochilo. Vai se sentir muito melhor depois. Vou arrumar os travesseiros e reclinar a sua cadeira. Gostaria de ir para a varanda?

— Seria pior do que comer em público! Você tem umas ideias muito peculiares. Pode me ajeitar aqui mesmo, na sala de estar; só abaixe as cortinas e feche a porta por causa dos mosquitos. Suspeito que você também gostaria de um pouco de sossego; sua língua deve estar bem cansada.

A senhora Gibson tirou um longo cochilo, mas acordou de mau humor e não deixou que Anne a levasse para a varanda da frente de novo.

— Pelo visto, você quer que eu pegue a friagem noturna e morra — resmungou, embora ainda fossem cinco da tarde.

Nada lhe agradava. A bebida que Anne lhe trouxe estava gelada demais... E a seguinte não estava gelada o suficiente... É claro, para ela serviam qualquer coisa. Onde estava o cachorro? Comportando-se mal, sem dúvida. As costas doíam, os joelhos doíam, ninguém sabia o que ela estava passando, a cadeira estava alta demais ou então baixa demais, ela queria um xale para os ombros, uma coberta para os joelhos e uma almofada para os pés. E será que a senhorita Shirley poderia ver de onde vinha aquela terrível corrente de ar? Uma xícara de chá cairia bem, mas ela não queria incomodar ninguém e em breve estaria descansando no túmulo. Talvez lhe dessem mais valor depois de morta.

"Seja curto ou longo o dia, por fim chegará o anoitecer." Houve momento em que Anne achou que isso nunca fosse acontecer, mas aconteceu. Ao cair da noite, a senhora Gibson começou a se perguntar por que Pauline não chegava. O crepúsculo veio... E Pauline não tinha aparecido. A lua já iluminava a noite, e nada da Pauline.

– Eu sabia – disse a senhora Gibson, enigmaticamente.

– Ela só voltará quando o senhor Gregor vier, e ele geralmente é o último a ir embora – tranquilizou-a Anne. – Posso colocá-la na cama, senhora Gibson? Deve estar cansada... Sei que é um pouco estressante ter uma estranha por perto em vez de alguém com quem esteja acostumada.

As rugas ao redor da boca da senhora Gibson se aprofundaram obstinadamente.

– Não irei para a cama até que aquela garota volte. No entanto, se está ansiosa para ir para casa, pode ir, eu posso ficar sozinha ou morrer sozinha.

Às nove e meia da noite, a senhora Gibson decidiu que Jim Gregor só voltaria na segunda-feira.

– Não se pode confiar em Jim Gregor para não mudar de ideia em menos de vinte e quatro horas. E ele acha errado viajar aos domingos, mesmo que para voltar para casa. Ele é do conselho da sua escola, não é? O que realmente pensa sobre ele e da opinião dele sobre a educação?

Anne não aguentava mais. Afinal, já havia suportado muita coisa naquele dia, nas mãos da senhora Gibson.

– Acho que ele é um anacronismo psicológico – respondeu, de maneira séria.

A senhora Gibson sequer piscou.

– Concordo com você – disse. Porém, depois isso, ela fingiu estar dormindo.

CAPÍTULO 14

Eram dez horas da noite quando Pauline finalmente chegou. Uma Pauline corada, de olhos vivazes, dez anos mais jovem, apesar do vestido de tafetá preto e do chapéu velho que tivera de colocar novamente. Trazia consigo um lindo buquê, que prontamente entregou à senhora macambúzia na cadeira de rodas.

– A Louisa enviou o buquê dela para você, mamãe. Não é adorável? Vinte e cinco rosas brancas.

– Que disparate! Pelo visto, ninguém pensou em mandar para mim um pedacinho de bolo de casamento. Hoje em dia, as pessoas parecem não ter consideração pelos parentes. Ah, no meu tempo...

– Mas eles mandaram. Trouxe um pedaço grande de bolo na bolsa, todo mundo perguntou de você e mandou lembranças, mamãe.

– Divertiu-se? – indagou Anne.

Pauline sentou-se em uma cadeira dura, pois sabia que a mãe se ressentiria se ela se sentasse em uma macia.

– Bastante – disse, com cautela. – Tivemos um maravilhoso almoço em comemoração às bodas, e o senhor Freeman, o ministro de Gull Cove, renovou os votos matrimoniais de Louisa e Maurice...

– Acho isso um sacrilégio...

– E depois o fotógrafo tirou fotos de todos. As flores eram simplesmente magníficas. O salão parecia um caramanchão...

– Como um funeral, imagino...

– E, ah, mamãe, Mary Luckley veio do Oeste... A senhora Flemming, sabe. Você se lembra de como éramos amigas. Costumávamos chamar uma à outra de Polly e Molly...

– Que apelidos mais bobos...

– E foi tão bom revê-la e conversar sem pressa sobre antigamente. Emma, a irmã dela, também estava presente, com um bebê delicioso.

– Você fala como se ele fosse algo de comer – grunhiu a senhora Gibson. – Bebês são tão triviais!

– Ah, não, bebês nunca são triviais – disse Anne, trazendo um vaso com água para as flores. – Todos são um milagre.

– Bem, eu tive dez e nunca vi algo de milagroso em nenhum deles. Pauline, faça o favor de sentar-se quieta, pois você está me deixando nervosa. Notei que ainda não perguntou como eu estou, mas suponho que não deveria esperar isso de você.

– Não preciso nem perguntar, mamãe... Você parece muito cheia de vida e contente. – Pauline ainda estava tão entusiasmada com o dia que tivera que se permitiu falar com uma leve ironia com a mãe. – Tenho certeza de que a senhorita Shirley e você se divertiram juntas.

– Nós nos demos bem. Deixei que ela fizesse o que queria e tenho que admitir que foi a primeira vez em anos que tive uma companhia interessante. Ainda não estou com um pé na cova, como dizem algumas pessoas. Por sorte não fiquei surda nem infantil. Bem, acredito que agora você irá até para a Lua. E desconfio de que eles nem tenham dado atenção para meu vinho de salsaparrilha.

– Ah, eles acharam o vinho delicioso.

– Você demorou para me contar isso. Por acaso trouxe a garrafa de volta... ou lembrar-se disso seria esperar demais de você?

– A garrafa... quebrou-se – hesitou Pauline. – Alguém a derrubou na despensa, mas a Louisa me deu outra exatamente igual, mamãe, não precisa se preocupar.

– Eu tinha aquela garrafa desde que comecei a cuidar da casa. A da Louisa não deve ser exatamente igual. Não se fazem mais garrafas como aquela. Gostaria que pegasse outro xale para mim. Estou espirrando... Acho que peguei um resfriado daqueles. Nenhuma das duas parece lembrar que não posso tomar o ar da noite. Desse jeito, não tenho dúvida de que minha neurite voltará.

Uma velha vizinha da rua apareceu nesse mesmo instante, e Pauline aproveitou a chance para escapulir com Anne.

– Boa noite, senhorita Shirley – disse a senhora Gibson graciosamente. – Só tenho a agradecer. Esta cidade seria um lugar muito melhor se houvesse mais pessoas como você. – Ela esboçou um sorriso sem dentes e puxou Anne para mais perto. – Não me importa o que dizem por aí... acho você muito bonita – sussurrou.

As duas saíram juntas para a noite fresca e perfumada, e Pauline relaxou como jamais ousava fazer na presença da mãe.

– Ah, senhorita Shirley, foi divino. Como poderei retribuir? Nunca tive um dia tão incrível... Viverei desta recordação por anos. Foi tão divertido ser uma madrinha novamente. E o capitão Isaac Kent foi o padrinho. Ele... é um antigo pretendente meu... bem, não oficialmente... Acho que ele nunca teve intenções sérias, mas passeávamos juntos... E ele me elogiou duas vezes. Disse: "Lembro-me de como você estava linda no casamento da Louisa, com aquele vestido vinho". Não é esplêndido que tenha se lembrado do meu vestido? E também: "Seu cabelo continua tão lustroso como sempre foi". Não há nada de impróprio nisso, não é mesmo?

– Nada, em absoluto.

– Lou, Molly e eu tivemos um jantar maravilhoso depois que todos foram embora. Eu estava tão faminta... acho que fazia anos que não tinha tanta fome. Foi tão bom poder comer o que eu quisesse, sem ninguém para me advertir sobre o que faria mal ao meu estômago. Depois do jantar, Mary e eu fomos até a antiga casa dela e passeamos pelo jardim, relembrando os velhos tempos. Vimos os arbustos de lilases que plantamos há muitos anos. Passamos verões muito agradáveis juntas quando éramos jovens. Então, ao anoitecer, fomos até a praia e nos sentamos em silêncio em uma pedra. Lá embaixo, no porto, havia um sino tocando, e foi ótimo sentir novamente o vento soprar do mar e ver as estrelas tremular sobre a água. Tinha me esquecido de como a noite podia ser tão linda na costa. Nós retornamos quando começou a escurecer, e o senhor Gregor já estava pronto para partir. E, então, "a velha retornou para casa naquela noite"[18] – concluiu Pauline, com uma risada.

– Eu gostaria... que você não enfrentasse tantas dificuldades em casa, Pauline...

– Ah, minha querida, isso não terá mais importância agora – apressou-se a dizer Pauline. – Afinal, a coitadinha da mamãe precisa de mim, e é bom saber que alguém precisa da gente.

Sim, era bom sentir-se útil. Anne refletiu sobre isso em seu quarto na torre, onde Dusty Miller, depois de evitar Rebecca Dew e as viúvas, estava enrolado sobre a cama. Ela pensou em Pauline, voltando para suas amarras acompanhada da "lembrança imortal de um dia feliz"[19].

– Espero que alguém sempre precise de mim – disse Anne para o gato. – É maravilhoso poder dar alegria a alguém, Dusty Miller. Encheu-me de felicidade proporcionar este dia para Pauline. Mas, ah, você não acha que eu ficarei igual à senhora Adoniran Gibson, mesmo se chegar aos oitenta anos, acha?

Dusty Miller, com um ronronar grave e profundo, assegurou-lhe que não.

---

[18] Referência ao conto do folclore inglês *A Velhinha e o Porco*, popularizado pelo historiador Joseph Jacobs (1854-1916). (N. T.)
[19] Referência ao poema *There is a Little Unpretending Rill*, do poeta inglês William Wordsworth (1770-1850). (N. T.)

CAPÍTULO 15

Anne foi até Bonnyview na sexta-feira à noite, antes do casamento. Os Nelson estavam dando um jantar para alguns amigos da família e os convidados que chegavam de barco. A grande e ampla casa "de veraneio" do doutor Nelson fora construída em meio a abetos em um pontal, com a baía de ambos os lados e uma extensão de dunas douradas por trás que sabia tudo que havia para se saber sobre ventos.

Anne encantou-se no instante em que a viu. Uma casa de pedra antiga sempre parece serena e digna, imperturbável pela chuva, o vento ou as mudanças de estilo. E naquela noite de junho ela estava fervilhando de vida jovem e animação, com risadas das garotas, recepção de velhos amigos, charretes indo e vindo, crianças correndo por todo o lugar e presentes que não paravam de chegar, todos em uma alegria vertiginosa de bodas, enquanto os dois gatos pretos do doutor Nelson, que ostentavam os nomes de Barnabás e Saul, estavam sentados no gradil da varanda e assistiam a tudo como duas imperturbáveis esfinges peludas.

Sally fugiu da multidão e arrastou Anne para o andar de cima.

– Reservamos o quarto Norte do sótão para você. Terá de compartilhá-lo com outras três garotas, aliás a casa está um caos. Meu pai vai armar uma barraca para os garotos em meio aos abetos, e mais tarde armaremos camas dobráveis na galeria de vidro da varanda de trás. E é claro que podemos colocar a maioria das crianças no palheiro. Ah, Anne, estou tão animada! Casar-se é uma diversão sem-fim! Meu vestido de noiva acabou de chegar de Montreal. É um sonho... De seda, tom de creme, com uma gola fechada de renda e pérolas bordadas. Recebemos presentes adoráveis. Esta é a sua cama, e Mamie Gray, Dot Fraser e Sis Palmer ficarão nas outras. A mamãe queria colocar a Amy Stewart aqui, mas não permiti, pois ela odeia você, porque queria ser minha madrinha. E como eu poderia ter uma madrinha tão baixinha e gorda? Além disso, aquele verde-oliva a faz parecer enjoada. Ah, Anne, a tia Abelhuda está aqui. Chegou alguns minutos atrás, e estamos aterrorizados. Claro que tínhamos de convidá-la, mas não imaginamos que chegaria hoje.

– Quem é essa tal de tia Abelhuda?

– A tia do papai, a senhora James Kennedy. Ah, nós a chamamos de tia Grace, mas o Tommy a apelidou de tia Abelhuda porque ela sempre está xeretando e se metendo em coisas que não queremos que descubra. Não há como escapar. Ela até acorda cedo por medo de perder alguma coisa e é a última a ir para a cama, mas isso não é o pior. Se há algo inadequado de ser dito no momento, tenha toda certeza de que ela vai dizer, e nunca aprendeu que existem perguntas que não devem ser feitas. Papai chama os discursos dela de "dádivas da tia Abelhuda". Sei que ela arruinará o jantar. Aí vem ela.

A porta abriu-se, e a tia Abelhuda entrou... Uma mulher gorda, morena, de olhos arregalados, movendo-se em meio a uma nuvem de naftalina com uma expressão cronicamente preocupada. Exceto pelo semblante, ela realmente tinha um ar bisbilhoteiro.

– Então você é a senhorita Shirley de quem ouço falar sempre. Não se parece nem um pouco com uma senhorita Shirley que conheci certa vez. Ela tem olhos lindos. Bem, Sally, finalmente você vai se casar, e a coitada da Nora é a única que falta. Enfim, sua mãe tem sorte de ter conseguido se livrar de cinco de vocês. Oito anos atrás eu disse para ela: "Jane, acha mesmo que vai conseguir casar todas as suas meninas?". Ora, um homem só traz problemas, a meu ver, e o casamento é a mais incerta de todas as incertezas, mas o que mais uma mulher pode fazer? É o que acabei de dizer para a coitada da Nora. "Escreva o que estou lhe dizendo, Nora, não é divertido ser uma velha solteirona. O que Jim Wilcox está esperando?"

– Ah, tia Grace, quem dera não tivesse dito isso! Jim e Nora tiveram uma espécie de discussão em janeiro, e desde então ele nunca mais voltou.

– Pois eu digo o que penso porque as coisas têm de ser ditas, e eu tinha ouvido falar dessa briga, foi por isso que perguntei dele. Eu disse a ela: "ouvi dizer que ele saiu para passear com a Eleanor Pringle", Nora corou, ficou furiosa e saiu correndo. O que a Vera Johnson está fazendo aqui? Ela não é da família.

– Vera sempre foi uma grande amiga minha, tia Grace. Ela vai tocar a marcha nupcial.

– Ah, vai mesmo? Bem, só espero que ela não se confunda e toque no lugar a marcha fúnebre, como fez o senhor Tom Scott no casamento da Dora Best. Que mal presságio. Não sei onde você vai colocar toda essa multidão nesta noite. Alguns de nós terão que dormir pendurados no varal, suponho.

– Ah, encontraremos lugar para todo mundo, tia Grace.

– Bom, Sally, só espero que você não mude de ideia no último instante, como a Helen Summers, pois seria um alvoroço. Seu pai está tão entusiasmado! Nunca fui de caçar problemas, mas só espero que ele não tenha um derrame. Já vi isso acontecer.

– Ah, o papai está bem, tia Grace. Ele só está animado.

– Ah, você é jovem demais, Sally, para saber de tudo. Sua mãe me falou que a cerimônia será amanhã, ao meio-dia. Os casamentos estão mudando, assim como tudo mais, e não para melhor. Eu me casei ao entardecer, e meu pai comprou oitenta litros de bebida para a festa. Ah, as coisas já não são como antes. Qual é o problema com Mercy Daniels? Eu a encontrei nas escadas e não aparentava estar nada bem.

– "A qualidade da misericórdia[20] é que não se impõe" – riu Sally, enquanto colocava o vestido para o jantar.

---

20 *Mercy*, em inglês, significa misericórdia, piedade. (N. T.)

– Não cite a Bíblia[21] com tanta frivolidade – censurou a tia Abelhuda.
– Perdoe-a, senhorita Shirley. Ela não está acostumada a se casar. Bem, só espero que o noivo não apareça com uma expressão de espanto, como muitos por aí. Creio que realmente se sintam assim, mas não precisam deixar tão evidente. Espero que não esqueça a aliança, pois Upton Hardy fez isso; Flora e ele tiveram de se casar com uma argola das cortinas. Bem, vou dar mais uma olhada nos presentes. Você ganhou um monte de coisas boas, Sally. Só espero que não seja difícil manter aquelas colheres polidas como parece que é.

Naquela noite, o jantar na grande varanda coberta de vidro foi muito alegre. Lanternas chinesas penduradas por todas as partes iluminavam brandamente os lindos vestidos, os cabelos lustrosos e os laçarotes brancos das garotas. Barnabás e Saul pareciam duas estátuas de ébano nos braços largos da cadeira do doutor, que os alimentava alternadamente com migalhas.

– Quase tão ruim quanto Parker Pringle – disse a tia Abelhuda. – Ele coloca o cachorro para comer à mesa, com cadeira e guardanapo próprios. Bem, cedo ou tarde, alguém vai comentar.

Foi uma festa grande, pois todas as filhas casadas do doutor estavam lá com os maridos, além dos padrinhos e das madrinhas, e uma festa alegre, apesar das "dádivas" da tia Abelhuda... ou, ainda, por causa delas. Ninguém a levava muito a sério; claramente era uma piada entre os mais jovens. Ao ser apresentada a Gordon Hill, disse: "Ora, ora, você não é nem um pouco como eu imaginava e sempre achei que a Sally escolheria um homem alto e bonito", e risadas ecoavam por toda a varanda. Gordon Hill, que era do time dos baixinhos e "até que bem-apessoado", segundo os melhores amigos, sabia que seria alvo de piadas para sempre. Quando disse para Dot Fraser "ora, ora, sempre que o vejo, você está com um vestido novo! Só espero que os bolsos do seu pai aguentem por mais alguns anos", Dot teria sido capaz de ferver a tia Abelhuda no óleo quente, mas algumas garotas acharam suas palavras divertidas. E, depois que a tia comentou "só espero que não

---

21 A citação de Sally não é da Bíblia, mas da peça *O Mercador de Veneza* (ato 4, cena 1), de William Shakespeare (1564-1616). (N. T.)

suma nenhuma colher depois do chá, pois cinco colheres desapareceram depois do casamento de Gertie Paul", a senhora Nelson adotou uma expressão angustiada, assim como as cunhadas dela, que haviam lhe emprestado três dezenas de colheres.

O doutor Nelson, entretanto, riu com gosto:

– Faremos com que todos esvaziem os bolsos antes de ir embora, tia Grace.

– Ah, pode rir, Samuel. Uma coisa dessas não é nenhuma piada na família. Alguém pegou aquelas colheres. Quase não vou a nenhum local, mas sempre fico de olhos atentos. Eu as reconheceria em qualquer lugar, apesar de ter sido há vinte e oito anos. A coitada da Nora era só um neném. Você se lembra, Jane, do vestidinho branco bordado que ela usava? Vinte e oito anos! Ah, Nora, como o tempo passa. Ainda que, sob esta luz, você não demonstre sua idade.

Nora não fez coro às risadas que se seguiram e parecia a ponto de lançar raios pelos olhos. Apesar do vestido amarelo como o narciso e das pérolas nos cabelos negros, ela fazia Anne pensar em uma mariposa negra. Em contraste com a Sally, cujos cabelos eram de um loiro alvo, Nora Nelson tinha um cabelo negro magnífico, olhos escuros, grossas sobrancelhas pretas, bochechas vermelhas e macias e um nariz levemente aquilino. Nunca havia sido considerada bonita, mas Anne achava que ela exercia um estranho fascínio, apesar do semblante fechado e bravo, e que ela seria uma amiga melhor do que a popular Sally.

Depois do jantar houve um baile, e a música e as risadas brotaram das janelas grandes e baixas da velha casa de pedra. Às dez, Nora desapareceu. Anne estava um pouco cansada do barulho e da agitação, então saiu furtivamente pela porta dos fundos que se abria praticamente para a baía e desceu um lance de degraus de pedra até a praia, passando por um pequeno bosque de pinheiros pontudos. Que divino era o ar salgado depois daquele frenesi! Que mágico era o navio que havia zarpado ao anoitecer e que agora se aproximava do porto! Era uma noite em que seria possível topar com um baile de sereias.

Nora estava sentada à sombra de uma rocha próxima à água, com a expressão mais tempestuosa do que nunca.

– Posso me sentar com você por um instante? – perguntou Anne. – Estou um pouco cansada de dançar, e seria uma vergonha perder uma noite maravilhosa como essa. Invejo você por ter o porto em seu quintal.

– Como você se sentiria em um momento como esse sem um namorado? – perguntou Nora de repente, com pesar. – Ou alguém do tipo – acrescentou, ainda mais pesarosamente.

– Acho que é uma escolha sua não estar com ninguém – disse Anne, sentando-se ao seu lado. Nora descobriu-se contando seus problemas a ela. Havia algo em Anne que fazia com que as pessoas desabafassem seus problemas com ela.

– Está dizendo isso só para ser educada, mas não precisa. Você sabe tão bem quanto eu que não sou do tipo de garota pela qual os homens se enamoram... Sou apenas a "senhorita Nelson", e não é culpa minha o fato de estar sozinha. Não aguentava mais ficar lá; eu precisava vir para cá e me permitir ser infeliz e estou cansada de sorrir e ser afável com todo mundo, fingindo não me importar com os comentários sobre ainda estar solteira. Não vou mais fingir, pois eu me importo, sim, e muito. Sou a última da família. Cinco de nós são casadas, ou serão amanhã. Você ouviu os comentários da tia Abelhuda sobre a minha idade durante o jantar. E eu a ouvi dizer para a mamãe que eu "envelheci bastante" desde o último verão. Claro que envelheci, eu tenho vinte e oito e, daqui doze anos, estarei com quarenta. Como suportarei a vida aos quarenta, Anne, se não tiver raízes próprias até lá?

– Eu não daria ouvidos a uma velha tola.

– Ah, não? Você não tem um nariz como o meu. Ele estará tão curvado quanto o do papai daqui a dez anos. E suponho que também não se importaria de passar anos esperando um homem pedi-la em compromisso... só para ele simplesmente não fazê-lo?

– Ah, sim, acho que me importaria com isso.

– Bem, este é precisamente o meu dilema. Ah, sei que já lhe contaram sobre mim e Jim Wilcox. É uma história velha. Ele me corteja há anos, mas nunca disse nada sobre nos casarmos.

– Você gosta dele?

– Claro que gosto. Sempre fingi que não, mas, como disse, estou cansada de fingir. E ele não me procura desde janeiro. Nós brigamos...

Assim como já fizemos centenas de vezes e ele sempre volta atrás. Só que não voltou desta vez e nunca voltará, isso porque não quer. Veja a casa dele do outro lado da baía, brilhando ao luar. Acredito que esteja lá e eu estou aqui, com o porto entre nós, e assim sempre será. É terrível! E não posso fazer nada.

– Se o procurasse, será que voltaria?

– Procurá-lo! Acha que eu faria isso? Preferiria morrer. Se quiser voltar, não há nada que o impeça. Se não quiser, não o aceitarei de volta. Sim, eu quero... Eu quero! Eu amo Jim... e quero me casar. Quero ter a minha família e ser uma "senhora" e calar a boca da tia Abelhuda. Ah, gostaria de ser Barnabás ou Saul por alguns instantes só para poder xingá-la! Se voltar a me chamar de "a coitada da Nora" mais uma vez, vou arremessar um balde nela. Contudo, ela só está falando o que todos pensam, afinal. Mamãe perdeu as esperanças há muito tempo, então ela me deixa em paz, mas o resto não. Odeio a Sally, sei que sou feia, mas eu a odeio, e ela vai ter um bom marido e uma casa adorável. Não é justo que ela tenha tudo, e eu nada. Ela não é melhor, mais esperta ou muito mais bonita do que eu... apenas mais sortuda. Você deve me achar uma pessoa horrível... não que eu me importe com a sua opinião.

– Acho que você está muito, muito cansada, depois de todas essas semanas de preparação e correria, e que coisas que sempre foram difíceis tenham se tornado difíceis demais de uma só vez.

– Você me entende... Ah, sim, sempre soube que me entenderia. Gostaria de ser sua amiga, Anne Shirley. Gosto da sua risada e sempre quis ter uma risada como a sua. Não sou tão carrancuda quanto pareço... São essas sobrancelhas. Realmente acho que são elas que afugentam os homens. Nunca tive uma amiga de verdade, mas, é claro, sempre tive o Jim, e somos amigos desde que éramos crianças. Ora, eu costumava acender uma vela naquela janelinha do sótão sempre que queria que ele viesse aqui, e Jim vinha imediatamente de barco. Agora, tudo terminou. Ele se cansou e usou a desculpa da briga para livrar-se de mim. Ah, como vou odiar você amanhã por ter lhe contado todas essas coisas.

– Por quê?

– Sempre odiamos as pessoas que descobrem nossos segredos, eu acho – disse Nora tristemente. – Há algo nos casamentos que mexe com a gente... eu simplesmente não me importo com mais nada. Ah, Anne Shirley, sou tão infeliz! Deixe-me chorar um pouquinho em seu ombro. Eu terei que sorrir e parecer feliz amanhã. Sally acredita que não aceitei ser a madrinha dela por superstição... "Seja três vezes madrinha de casamento e nunca será a noiva", você sabe, mas não foi por isso! Eu só não conseguiria suportar ouvi-la dizer "aceito" sabendo que jamais terei a chance de dizer isso para o Jim. Acho que eu jogaria a cabeça para trás e daria um berro. Eu quero ser noiva, ter um enxoval com minhas iniciais bordadas, lindos presentes e até mesmo a manteigueira de prata da tia Abelhuda. Ela sempre dá uma manteigueira de prata às noivas... São horrorosas, com uma tampa que parece a cúpula da basílica de São Pedro. Poderíamos colocá-la na mesa de café da manhã só para que Jim tirasse sarro dela. Anne, acho que estou ficando louca.

A dança já tinha terminado quando as garotas voltaram, de mãos dadas. As pessoas já estavam se acomodando para dormir. Tommy Nelson levou Barnabás e Saul para o celeiro. A tia Abelhuda ainda estava no sofá, pensando em todas as desgraças que esperava que não acontecessem amanhã.

– Espero que ninguém se levante e dê um motivo para que os noivos não fiquem juntos para sempre. Isso aconteceu no casamento de Tillie Hatfield.

– O Gordon não terá tanta sorte – disse o padrinho.

A tia Abelhuda o encarou fixamente com seus olhos castanhos pétreos.

– Meu jovem, o casamento não é uma piada.

– Pode apostar que não – retrucou o impenitente. – Olá, Nora, quando teremos a chance de dançar em seu casamento?

Nora não respondeu com palavras. Ela aproximou-se e deliberadamente o estapeou, primeiro em um lado de seu rosto e depois do outro, e não foram tapas simbólicos. Então, subiu as escadas sem olhar para trás.

– Aquela garota – disse a tia Abelhuda – está transtornada.

CAPÍTULO 16

A manhã de sábado passou em um turbilhão de preparativos de última hora. Anne, enfiada em um dos aventais da senhora Nelson, ajudava Nora na cozinha com as saladas. Nora estava irritadiça, e era evidente que, como previra, havia se arrependido das confidências da noite anterior.

– Ficaremos cansadas por um mês – queixou-se. – Além disso, o papai não tem condições de bancar toda essa extravagância. Só que Sally estava determinada a ter o que chamou de "belo casamento", e papai cedeu. Ele sempre a mimou.

– Despeito e inveja – disse a tia Abelhuda, surgindo de repente da despensa, onde estava enlouquecendo a senhora Nelson com seus maus presságios.

– Ela está certa – disse Nora com amargura, para Anne. – Absolutamente, eu estou com inveja, detestando ver as pessoas felizes, e não estou arrependida de ter dado um tapa em Jud Taylor na noite passada, apenas de não ter quebrado o nariz dele. Bom, as saladas estão prontas e parecem muito apetitosas. Adoro preparar as coisas quanto estou me sentindo bem. Ah, na verdade, espero que tudo saia dentro dos conformes, pois a Sally merece. Eu a amo, apesar de tudo, mas neste momento estou sentindo ódio de todo mundo, especialmente de Jim Wilcox.

– Bom, espero que o noivo não suma antes da cerimônia – ouviu-se da despensa a lamúria da tia Abelhuda. – Foi o que Austin Creed fez.

Ele simplesmente esqueceu que iria se casar naquele dia. Os Creed sempre foram esquecidos, mas acho que isso já é um exagero.

As duas garotas se entreolharam e riram. O semblante de Nora transformou-se com o riso, iluminando-se. E, então, alguém veio lhe contar que Barnabás havia passado mal nas escadas... muitos fígados de frango, provavelmente. Nora correu para reparar os danos, e a tia Abelhuda saiu da despensa para dizer que esperava que o bolo de casamento não desaparecesse, como aconteceu com Alma Clark, dez anos atrás.

Ao meio-dia, entretanto, tudo estava imaculadamente pronto: a mesa estava posta, as camas estavam lindamente enfeitadas, e havia cestos de flores por todas as partes. No amplo quarto voltado para o Norte, no andar de cima, Sally e suas três madrinhas se arrumavam esplendorosamente. Anne, com um vestido verde-oliva, olhou para seu reflexo no espelho e desejou que Gilbert pudesse vê-la.

– Você está maravilhosa – disse Nora, com uma pitada de inveja.

– Você também, Nora. Este chiffon azul-esfumaçado e este chapéu destacam o brilho de seus cabelos e o azul de seus olhos.

– Ninguém se importa com a minha aparência – lamentou Nora.

– Bem, é hora de colocar um sorriso no rosto, Anne. Não quero ser uma estraga-prazeres. Até porque eu terei de tocar a marcha nupcial, pois Vera está com uma dor de cabeça horrível. Estou mesmo é com vontade de tocar a marcha fúnebre, como disse a tia Abelhuda.

A idosa, que passara a manhã zanzando em um velho quimono não muito limpo e uma touca de dormir, metendo-se na vida de todo mundo, agora estava resplandecente em seu vestido marrom de gorgorão e dizia à Sally que havia algo de errado com uma de suas mangas e que esperava que as anáguas de nenhuma convidada ficassem à mostra, como aconteceu no casamento de Annie Crewson. A senhora Nelson entrou nesse instante e chorou de tão linda que Sally estava com o vestido de noiva.

– Não seja sentimental, Jane – disse a tia. – Você ainda tem uma filha... E, pelo visto, a terá por muito tempo. Lágrimas trazem má sorte em casamentos. Bem, só espero que ninguém caia morto, como aconteceu com o velho tio Cromwell no casamento de Roberta Pringle, bem no meio da cerimônia. A noiva passou duas semanas de cama por causa do choque.

Depois das palavras inspiradoras, a comitiva da noiva desceu as escadas ao som da marcha nupcial tocada energicamente por Nora, e Sally e Gordon se casaram sem que ninguém caísse morto ou se esquecesse das alianças. Foi uma cerimônia linda de verdade, e até a tia Abelhuda deixou de se preocupar com o universo por alguns momentos.

– Bem – disse ela à Sally mais tarde –, se você não for muito feliz no casamento, pense em como seria pior se estivesse solteira.

Nora continuava com um olhar zangado, sozinha no banco do piano. Ela deu um forte abraço em Sally, com véu e tudo.

– Então, acabou – disse Nora com tristeza, quando quase todos os convidados já tinham ido embora. Ela olhou em volta da sala, que parecia tão abandonada e desarrumada como qualquer lugar após uma festa: um corsage amassado jogado no chão, um pedaço de renda rasgada, dois lenços esquecidos, migalhas que crianças haviam espalhado e uma mancha escura no teto, por causa de um jarro de água que a tia Abelhuda derrubara no andar de cima.

– Tenho que limpar esta bagunça – continuou Nora, frenética. – Muitos dos jovens estão esperando pelo barco, e outros ficarão hospedados até domingo. Eles vão acabar fazendo uma fogueira na praia e uma festa ao luar. Imagine a minha vontade de dançar ao luar; só quero ir para a cama e chorar.

– Uma casa após um casamento parece mesmo um lugar desolado – disse Anne. – Mas eu vou ajudar você, depois que tomarmos uma xícara de chá.

– Anne Shirley, você acha que uma xícara de chá é uma panaceia para tudo? Era você quem deveria ser a solteirona, não eu. Porém, não importa e não quero ser desagradável, mas suponho que esta seja minha natureza. Detesto essa ideia da festa na praia mais do que o casamento, e Jim sempre ia às nossas festas na praia. Anne, eu decidi que vou estudar para ser enfermeira. Sei que vou odiar, e Deus ajude meus futuros pacientes, mas não vou ficar em Summerside e ser alvo de piadas por ser solteira. Bem, vamos enfrentar essa pilha de pratos engordurados e fingir que estamos gostando.

– Mas eu gosto... Sempre gostei de lavar pratos. É divertido deixar coisas sujas brilhando novamente.

– Ah, você deveria estar em um museu – disparou Nora.

Quando a lua saiu, tudo estava pronto para a festa na praia. Os garotos acenderam uma fogueira, e as ondas que quebravam no porto cintilavam ao luar. Anne esperava se divertir bastante, mas uma olhada de relance na expressão de Nora, que desceu os degraus com uma bacia de sanduíches, a fez hesitar.

– Ela está tão infeliz! Se ao menos houvesse algo que eu pudesse fazer!

Anne teve uma ideia. Ela sempre fora vítima dos próprios impulsos, então correu até a cozinha, pegou uma lamparina e subiu os dois lances de escada até o sótão. Lá, colocou a lamparina acesa na janela com vista para o porto. As árvores a ocultavam dos jovens na praia.

– Talvez ele a veja e venha. Acho que Nora ficará furiosa comigo, mas isso não importará se ele vier. Agora, é melhor eu embrulhar um pedaço de bolo para Rebecca Dew.

Jim Wilcox não veio. Anne desistiu de procurá-lo depois de um tempo e esqueceu-se dele em meio à diversão da noite. Eram onze horas quando a farra cessou, e os festeiros bocejavam conforme subiam para o andar de cima. Anne estava tão sonolenta que nem se lembrou da lamparina no sótão. Às duas da madrugada, porém, a tia Abelhuda esgueirou-se para dentro do quarto das meninas com uma vela.

– Céus, o que foi? – quis saber Dot Fraser, sentando-se na cama.

– Silêncio – ordenou a tia Abelhuda, com os olhos a ponto de saltar para fora das órbitas. – Acho que tem alguém na casa... Eu sei que tem. Que barulho é esse?

– Parece um gato miando ou um cachorro latindo – riu Dot.

– Não é disso que estou falando – repreendeu a idosa. – Sei que tem um cachorro latindo no celeiro, mas não foi isso que me acordou. Foi uma batida forte, distante.

– "De fantasmas e espíritos, feras de longas pernas e ruídos durante a noite, livrai-nos, meu bom Deus"[22] – murmurou Anne.

– Senhorita Shirley, isso não é motivo para brincadeiras. Ladrões estão invadindo a casa. Vou chamar o Samuel.

A tia Abelhuda desapareceu, e as garotas se entreolharam.

– Você não acha que todos os presentes estão na biblioteca... – disse Anne.

– É melhor nos levantarmos – disse Mamie. – Anne, você já viu algo parecido com o rosto da tia Abelhuda encoberto pelas sombras, quando ela ergueu a vela... E todos aqueles chumaços de cabelo espetados? Parecia a Bruxa de Endor!

Quatro garotas de quimono desceram até a sala. A tia Abelhuda veio em seguida, acompanhada do doutor Nelson de roupão e pantufas. A senhora Nelson, que não conseguiu encontrar o quimono, espiava pela fresta da porta com uma expressão aterrorizada.

– Ah, Samuel, tome cuidado. Se forem ladrões, eles podem atirar...

– Besteira! Acho que não é nada – disse o doutor.

– Já disse que ouvi um barulho – alegou tremulamente a tia.

Alguns garotos se juntaram ao grupo. Eles desceram cautelosamente as escadas com o doutor à frente, enquanto a tia Abelhuda vinha atrás com uma vela em uma das mãos e um atiçador de lareira na outra.

Sem dúvida, havia barulhos vindo da biblioteca. O doutor abriu a porta e entrou.

Barnabás, que havia conseguido abrigar-se ali quando levaram Saul para o celeiro, estava sentado no sofá *chesterfield*, piscando os olhos despreocupadamente. Nora e um jovem estavam parados no meio do cômodo, iluminados por uma vela bruxuleante. O jovem estava com

---

[22] O trecho faz parte de uma antiga oração escocesa. (N. T.)

um braço ao redor do corpo de Nora, enquanto levava um lenço ao rosto dela com o outro.

– É clorofórmio! – gritou a tia abelhuda, deixando o atiçador cair com um tremendo estrondo.

O jovem virou-se, com uma expressão aturdida, deixando o lenço cair. Era um homem bem-apessoado, de olhos e cabelos castanho-avermelhados, sem mencionar o queixo proeminente.

Nora pegou o lenço e o levou até o rosto.

– Jim Wilcox, o que isso significa? – perguntou o doutor, em um tom excessivamente severo.

– Eu não sei – disse Jim Wilcox, consternado. – Tudo que sei é que Nora me chamou. Só vi a luz na janela à uma da manhã, quando cheguei em casa do banquete da maçonaria, que foi em Summerside. Daí, vim de barco para cá.

– Eu não chamei você – disparou Nora. – Pelo amor de Deus, não me olhe assim, papai. Eu não estava dormindo... Estava de frente para a janela. Não tinha me despido e então vi um homem vindo da praia. Só percebi que era o Jim quando ele se aproximou da casa, e foi então que eu desci correndo. Só que eu dei de cara com a porta da biblioteca, e meu nariz começou a sangrar. Ele só estava tentando fazer o sangramento parar.

– Eu entrei pela janela e derrubei aquele banco...

– Eu disse que ouvi um barulho – disse a tia Abelhuda.

– ... E, já que a Nora disse que não me chamou, acho melhor livrá-los da minha presença indesejada, com minhas sinceras desculpas.

– Sinto muito ter perturbado o seu descanso e ter feito você vir até aqui por nada – disse Nora da forma mais gélida possível, enquanto procurava por um espaço sem sangue no lenço de Jim.

– Sim, é uma *pena* – disse o doutor.

– É melhor utilizar uma porta na hora de sair – disse a tia Abelhuda.

– Fui eu quem colocou a lamparina na janela – disse Anne, envergonhada – e acabei me esquecendo dela...

– Não acredito! – exclamou Nora. – Nunca vou perdoar você...

– Vocês ficaram todos loucos? – disse o doutor, irritado. – Do que estão falando, afinal? Pelo amor de Deus, feche essa janela, Jim, está entrando um vento frio de gelar os ossos. Nora, coloque a cabeça para trás, e o sangramento parará.

Nora derramava lágrimas de raiva e vergonha. Misturadas com o sangue em seu rosto, elas a transformavam em uma visão assustadora. Jim Wilcox parecia desejar que o chão se abrisse e fizesse a gentileza de engoli-lo.

– Bem – começou a tia Abelhuda, beligerante –, tudo que lhe resta a fazer é casar-se com ela. Nora jamais arranjará um marido se todo mundo ficar sabendo que ela foi flagrada aqui com você, às duas da manhã.

– Casar-se com ela! – exclamou Jim, exasperado. – É tudo que sempre quis em minha vida e nada mais!

– Então por que não disse antes? – exigiu Nora, voltando-se para ele.

– Dizer? Você me ignorou e me rejeitou por anos. Sempre fez questão de demonstrar o quanto me menosprezava. Achei que seria perda de tempo me declarar. E em janeiro você disse...

– Você me obrigou a dizer...

– Eu a obriguei? Você inventou uma briga comigo só para se livrar de mim!

– Eu não... eu...

– E, não obstante, fui tolo ao ponto de vir até aqui às pressas no meio da noite, pois achei que você tinha feito nosso velho sinal e me quisesses de volta! Pedir você em casamento... Bem, vou pedir a sua mão de uma vez por todas e você pode ter o prazer de me recusar diante de toda essa gente. Nora Edith Nelson, aceita se casar comigo?

– Ah, é claro... É claro que sim! – exclamou Nora, tão desavergonhadamente que até Barnabás corou por ela.

Jim lhe lançou um olhar incrédulo e então correu até ela. Talvez o nariz de Nora tivesse parado de sangrar, talvez não. Isso não importava.

– Acho que todos esqueceram que já é manhã de domingo – disse a tia Abelhuda, que tia acabado de se lembrar. – Uma xícara de chá cairia bem, se alguém se prontificasse a prepará-lo. Não estou acostumada com demonstrações assim, só espero que a coitada da Nora o tenha fisgado de verdade, desta vez, e pelo menos há testemunhas.

Eles foram para a cozinha, e a senhora Nelson desceu e preparou chá... todos exceto Jim e Nora, que permaneceram fechados na biblioteca, com Barnabás de acompanhante. Nora só foi vista pela manhã; era uma Nora muito diferente, dez anos mais jovem, corada de felicidade.

– Devo tudo a você, Anne. Se não tivesse acendido uma luz... ainda que, por dois minutos e meio, eu teria sido capaz de cortar as suas orelhas fora, ontem à noite!

– E pensar que eu dormi durante tudo isso! – lamentou Tommy Nelson.

Mas a última palavra foi da tia Abelhuda.

– Bem, só espero que não seja um caso de casamento às pressas e arrependimento a perder de vista.

CAPÍTULO 17

(Trecho de uma carta a Gilbert.)

Hoje foi o último dia de aula. Dois meses em Green Gables com samambaias perfumadas e úmidas de orvalho ao longo do riacho, a Travessa dos Amantes salpicada de sombras preguiçosas, morangos silvestres no pasto do senhor Bell e a charmosa penumbra dos pinheiros na Floresta Assombrada! Sinto como se minha alma tivesse asas!

Jen Pringle me trouxe um buquê de lírios-do-vale e me desejou boas férias. Ela virá passar um fim de semana comigo algum dia desses. Isso sim é um milagre!

Porém, a pequena Elizabeth está de coração partido. Também queria que ela viesse me visitar, mas a senhora Campbell afirmou que isso não "seria recomendável". Eu não contei à Elizabeth, de forma que ela foi poupada dessa decepção. Ela disse que será a Lizzie durante todo o tempo em que estiver fora e que se sentirá como a Lizzie, pelo menos. Disse para ela pensar em como nos divertiremos quando eu voltar. É claro que não será com a Lizzie, e vou escrever a Elizabeth todos os dias. Então, ela exultou: "Ah, senhorita Shirley, vai mesmo? Nunca recebi uma carta. Será tão divertido! E eu escreverei de volta, se me derem um selo. Se não, saiba que estarei pensando em você da mesma forma. Eu batizei o esquilo que mora no quintal em sua homenagem... Shirley. Você não se importa, não é? Pensei em chamá-lo de Anne Shirley, então me ocorreu que seria desrespeitoso e, de qualquer forma,

"Anne" não me parece um nome de esquilo. São uns animaizinhos tão adoráveis, não são? Mas a Ajudante diz que eles comem as raízes das roseiras, e eu disse que é a cara dela dizer isso.

Perguntei a Katherine Brooke onde ela iria passar o verão, e ela respondeu sucintamente: "Aqui, onde mais?". Senti que deveria convidá-la para vir a Green Gables, mas simplesmente não consegui, até porque não creio que ela viria; porém, quando a imagino sozinha naquela pensão barata durante todo o verão, minha consciência não me deixa em paz.

Outro dia, Dusty Miller trouxe uma cobra viva para a cozinha. Se Rebecca Dew conseguisse ficar ainda mais pálida, teria ficado. "É o fim da picada", disse. Ela anda meio enfastiada nos últimos dias porque tem passado todo o tempo livre catando besouros cinza e verdes das roseiras e colocando-os em uma lata de querosene. Ela acha que existem insetos demais no mundo e prevê com pesar que, algum dia, seremos devorados por eles.

Nora Nelson se casará com Jim Wilcox em setembro. Será um casamento muito simples, sem estardalhaço, sem convidados e sem madrinhas. Nora alegou que era a única forma de escapar da tia Abelhuda, e ela não iria permitir que a tia a visse se casando. Ela quer a minha presença, todavia, meio que não oficialmente. Nora diz que Jim jamais teria voltado se eu não tivesse posto a lamparina na janela. Ele vai vender a loja e mudar-se para o Oeste. Bem, quando penso em todos os casamentos que ajudei a acontecer...

Sally diz que eles brigarão a maior parte do tempo, mas que serão mais felizes brigando um com o outro do que concordando com outras pessoas. Não acho que eles brigarão muito; acho que os mal-entendidos são a fonte da maioria dos problemas no mundo. Você e eu, depois de tanto tempo...

Boa noite, meu amado. Seus sonhos serão doces se tiverem a influência dos desenhos da
SUA ANNE.

P.S. A frase acima é uma citação direta de uma das cartas da avó da tia Chatty.

O SEGUNDO ANO

O SEGUNDO ANO

CAPÍTULO 1

Windy Poplars
Rua do Fantasma
14 de setembro

Mal posso aceitar que nossos lindos meses juntos terminaram. Eles foram lindos, não foram, meu amado? E agora só faltam dois anos para que...

(Vários parágrafos omitidos.)

Mas também foi muito bom voltar para Windy Poplars. Para a minha torre particular, minha poltrona especial e minha própria cama macia... e até mesmo para Dusty Miller, tomando sol no parapeito da janela da cozinha.

As viúvas ficaram contentes em me ver, e Rebecca Dew disse com toda a franqueza: "Que bom que voltou". Não foi diferente com a pequena Elizabeth. Tivemos um reencontro arrebatador no portão verde. Ela disse que ficou um pouco com medo de que eu tivesse chegado ao Amanhã antes dela. Então eu perguntei se não estava uma noite encantadora. E ela respondeu que a noite é sempre encantadora na minha presença. Que elogio!

Perguntei como ela passou o verão, e ela respondeu com doçura que pensou em tudo de bom que acontecerá no Amanhã. Então nós fomos para a minha torre e lemos uma história sobre elefantes. A pequena Elizabeth está muito interessada nesses animais, atualmente. Perguntou com seriedade, segurando o queixo nas mãozinhas, em um gesto característico seu: "Há algo de fascinante até no próprio nome do elefante, não acha? Espero ver muitos elefantes no Amanhã".

Nós colocamos um parque para elefantes em nosso mapa da Terra das Fadas. Não faça uma cara de superioridade e desdém, meu Gilbert, como sei que fará ao ler isto, pois de nada servirá. O mundo sempre terá fadas, não conseguiria seguir em frente sem elas, e alguém precisa provê-las.

Também foi ótimo voltar para a escola. Katherine Brooke continua não sendo uma boa companhia, mas meus pupilos parecem alegres em me ver, e Jen Pringle quer a minha ajuda para fazer auréolas de latão para os anjos da apresentação da escola dominical.

Acho que as aulas serão muito mais interessantes que as do ano passado. História do Canadá vai entrar no currículo, e tenho que fazer uma pequena apresentação sobre a Guerra de 1812. É tão estranho ler sobre essas guerras antigas... coisas que jamais podem voltar a acontecer. Não acho que algum de nós terá mais do que um interesse acadêmico nas "batalhas de outrora". É impossível imaginar o Canadá em guerra novamente, e fico grata por esse período histórico ter terminado.

Vamos reorganizar o Clube de Artes Dramáticas o quanto antes e pedir doações para todas as famílias ligadas à escola. Lewis Allen e eu vamos ficar com a estrada Dawlish e a percorreremos para angariar fundos na tarde de sábado. Lewis tentará matar dois coelhos com uma cajadada só, pois ele está competindo por um prêmio oferecido pela Country Homes pela melhor fotografia de uma casa de fazenda. O prêmio é de vinte e cinco dólares, que ele usará para comprar um terno e um casaco novo, dos quais precisa muito. Ele trabalhou em uma fazenda durante todo o verão e está fazendo serviços domésticos e servindo mesas na pensão onde mora novamente, neste ano. Ele deve detestar, mas nunca reclama. Eu gosto do Lewis, é tão determinado e ambicioso, dono de um sorrisinho charmoso, não é muito encorpado e achei que ele não iria aguentar o ritmo de trabalho no ano passado, porém o verão na fazenda parece tê-lo deixado mais atlético. Este é seu último ano na Escola Secundária, e ele pretende cursar um ano na Queen's. As viúvas vão convidá-lo para o jantar de domingo sempre que possível, neste inverno. A tia Kate e eu tivemos uma conversa sobre as economias da casa, e eu a persuadi a me deixar colaborar com os gastos extras, e claro que não tentamos persuadir a Rebecca Dew. Eu meramente pedi para a tia Kate se poderia convidar o Lewis Allen para jantar aos domingos, pelo menos duas vezes por mês. A tia Kate disse friamente que temia que elas não tivessem condições. Rebecca soltou uma exclamação angustiada: "É o fim da picada. Estamos tão pobres que sequer podemos oferecer de vez em quando uma refeição a um jovem humilde, trabalhador e virtuoso que está tentando ter uma boa educação! Vocês pagam o quanto é preciso pelo fígado para Aquele Gato, que está explodindo de gordo. Bem, descontem o valor do meu salário e convidem o rapaz!".

O evangelho segundo Rebecca foi aceito. Lewis Allen virá jantar, e nem o fígado do Dusty Miller nem o salário da Rebecca Dew serão reduzidos. A querida Rebecca Dew!

A tia Chatty veio até meu quarto na noite passada e me contou que queria uma capa decorada com contas, mas a tia Kate disse que ela era velha demais, e isso feriu os seus sentimentos. Perguntou se eu concordava, pois não queria parecer inapropriada, mas sempre quis uma capa com contas! Sempre achou que elas são o que você chamaria de garbosas e agora elas voltaram à moda! Eu lhe assegurei que ela não é velha demais e que ninguém é velho demais para usar o que deseja. Disse que ela não iria querer usá-la se fosse velha demais. Então, ela afirmou, em um tom nem um pouco desafiador, que deveria comprá-la e desafiar a tia Kate, mas acredito que ela vai acabar comprando-a, e eu sei como aplacar a tia Kate.

    Estou sozinha em minha torre. Lá fora, a noite está muito, muito tranquila, e o silêncio parece aveludado. Nem mesmo os álamos estão murmurejando. Eu acabei de me debruçar na janela e assoprar um beijo na direção de alguém que está a menos de cinquenta quilômetros de Kingsport.

CAPÍTULO 2

A estrada Dawlish era um caminho sinuoso e a tarde parecia feita para os caminhantes... ou foi o que Anne e Lewis pensaram enquanto o percorriam, parando aqui e ali para desfrutar de um repentino vislumbre safira do firmamento entre as árvores, ou para tirar uma fotografia da paisagem ou de uma casinha pitoresca em um vale frondoso. Já não foi tão prazeroso bater nas casas e pedir doações em prol do Clube de Artes Dramáticas, mas Anne e Lewis se revezaram, ele conversando com as mulheres, e ela manipulando os homens.

– Aborde você os homens, se for usar esse vestido e o chapéu – aconselhou Rebecca Dew. – Tenho experiência em pedir doações e garanto que, quanto mais bem vestida estiver, maior será a quantia doada, ou a promessa dela, se você falar com os homens. Porém, se for abordar as mulheres, vista a roupa mais velha e feia que tiver.

– Uma estrada não é algo fascinante, Lewis? – divagou Anne. – Não as retas, mas aquelas com desvios e cantos onde uma surpresa ou algo belo pode estar espreitando. Sempre gostei de curvas nas estradas.

– Aonde esta estrada vai dar? – perguntou o prático Lewis, que naquele mesmo instante estava refletindo que a voz da senhorita Shirley sempre o fazia pensar na primavera.

– Eu poderia ser aborrecida e didática, Lewis, e dizer que ela não chega a lugar algum, que ela fica aqui, mas não o farei, e, quanto ao local aonde ela vai dar ou leva... quem se importa? Até o fim do mundo, talvez.

Lembre-se do que disse Emerson: "Ah, o que eu tenho a ver com o tempo"[23]. Esse é o lema do nosso dia, pois suponho que o universo seguirá seu curso se o deixarmos em paz. Repare nas sombras daquelas nuvens, na tranquilidade dos vales verdes e naquela casa com uma macieira de cada lado. Imagine-a na primavera. Esse é um daqueles dias em que as pessoas se sentem vivas e cada vento que sopra é como um irmão. Fico contente que haja tantas samambaias aromáticas ao longo desta estrada... Samambaias aromáticas com delicadas teias de aranha. Isso me faz lembrar do dia em que fingi, ou acreditei, acho que eu realmente acreditei que as teias de aranha eram as toalhinhas de mesa das fadas.

Eles encontraram uma nascente em um vale dourado e sentaram-se sobre o musgo que parecia feito de minúsculas samambaias para beber de um copo que Lewis fez com uma casca de bétula.

– Você não se dá conta da verdadeira emoção que é beber água até estar sedento e não ter o que tomar – disse ele. – Naquele verão em que trabalhei na construção da estrada de ferro, eu me perdi na pradaria em um dia quente e fiquei vagando por horas. Achei que iria morrer de sede, até que encontrei a cabana de um colono, onde havia um pequeno córrego em meio a um aglomerado de salgueiros. E como eu bebi! Foi então que eu compreendi o apreço que há na Bíblia por um bom gole de água.

– Logo nós vamos tomar água de outro ângulo – disse Anne, apreensiva. – Uma chuva está se aproximando e... Lewis, por mais que eu adore tomar chuva, estou usando o meu melhor chapéu e meu segundo melhor vestido. E não há nenhuma casa a menos de um quilômetro.

– Há uma antiga oficina de ferreiro abandonada logo adiante, mas teremos que correr.

E de fato eles correram, do abrigo apreciaram a chuva da mesma forma que desfrutaram de tudo mais naquela tarde livre. Um silêncio velado recaiu sobre o mundo. Todas as brisas que sussurravam e farfalhavam tão imponentemente pela estrada Dawlish dobraram suas asas e

---

[23] Trecho do poema *Waldeinsamkeit*, do poeta estadunidense Ralph Waldo Emerson (1803-1882). (N. T.)

ficaram imóveis, em silêncio. Nem uma folha se mexia, nem uma sombra dançava. Os bordos no fim da estrada pareciam ter empalidecido de medo, com suas folhas viradas do avesso. Uma sombra fresca imensa parecia tragá-los como uma onda verde, e a nuvem os havia alcançado. E então veio a chuva, juntamente com uma rajada de vento. As gotas brincavam sobre a folhagem, bailando pela estrada vermelha e empoeirada e tamborilando alegremente sobre o teto da velha ferraria.

– Se for durar muito... – disse Lewis.

Mas não durou. Tão repentinamente quanto havia começado, a chuva cessou e o sol voltou a brilhar sobre as árvores molhadas. Vislumbres fascinantes do céu azul surgiram por entre as nuvens brancas que se desfaziam. Ao longe, era possível ver uma colina onde ainda chovia; abaixo deles, uma bruma cor de pêssego parecia transbordar do vale. Os bosques ao redor exibiam um brilho primaveril, um pássaro foi ludibriado pelo incrível e doce frescor que o mundo ganhara subitamente e começou a cantar, acreditando que era primavera.

– Vamos explorar – disse Anne quando voltaram a caminhar, olhando para uma trilha que corria entre cercas antigas escondidas por arbustos.

– Não creio que alguém more por essas bandas – disse Lewis. – Acho que é só uma estradinha que leva até o porto.

– Não importa, vamos segui-la. Sempre tive uma queda por estradas secundárias que desviam do caminho conhecido, perdidas, verdes e solitárias. Sinta o cheiro da grama molhada, Lewis. Além disso, meu sexto sentido me diz que há uma casa por ali, uma casa especial e que daria uma ótima fotografia.

O sexto sentido de Anne não a enganou. Logo eles se depararam com uma casa digna de ser fotografada. Era uma casa singular, antiga, de beirais baixos e pequenas janelas quadradas. Grandes salgueiros estendiam seus braços patriarcais sobre ela, e uma aparente selva de arbustos e plantas perenes amontoava-se ao seu redor. Parecia gasta pelo tempo e pelo clima, mas os grandes celeiros atrás dela tinham um aspecto próspero e moderno.

– Sempre ouvi dizer, senhorita Shirley, que, se os celeiros de um homem são melhores que sua casa, isso é um sinal de que sua venda é maior que seus gastos – comentou Lewis conforme avançavam pela vereda tomada pela grama.

– Eu diria que é um sinal de que ele tem mais consideração pelos cavalos do que pela família – riu Anne. – Não espero ganhar uma doação para o nosso clube aqui, mas esta é a casa com a maior probabilidade de ganhar o concurso. A cor acinzentada não fará diferença na foto.

– Essa trilha não parece ser muito usada – observou Lewis, dando de ombros. – Evidentemente, as pessoas que moram aqui não são muito sociáveis. Temo que nem saibam o que é um clube de artes dramáticas. De qualquer forma, vou garantir a minha foto antes de importuná-los.

A casa parecia deserta; depois de tirar a foto, eles passaram por um portãozinho branco, cruzaram o jardim e bateram à porta da cozinha de um azul desbotado; era visível que a porta da frente era como a de Windy Poplars, mais para adorno do que para uso, isso se uma porta encoberta por hera pudesse ser chamada de adorno.

Os dois esperavam, no mínimo, a mesma cortesia que haviam encontrado até então em suas visitas, respaldada ou não pela generosidade. Assim, eles foram absolutamente pegos de surpresa quando a porta foi escancarada, não pela esposa ou a filha sorridente do fazendeiro, mas por um homem alto e robusto na casa dos cinquenta anos, com cabelos grisalhos e sobrancelhas cerradas, que exigiu saber sem cerimônia:

– O que querem?

– Gostaríamos de saber se o senhor tem interesse em nosso Clube de Artes Dramáticas da Escola Secundária – começou Anne, hesitante. Mas ela foi poupada do esforço.

– Nunca ouvi falar disso, também não quero ouvir e não quero nada com isso – interrompeu ele secamente, antes de bater a porta na cara deles.

– Acho que fomos esnobados – disse Anne enquanto se afastavam dali.

– Que cavalheiro mais amigável – sorriu Lewis. – Coitada da esposa dele, se for casado.

– Acredito que não seja, do contrário ela já o teria civilizado pelo menos um pouco – disse Anne, tentando se recompor. Gostaria que Rebecca Dew desse um jeito nele. – Mas nós conseguimos uma foto da casa dele, pelo menos, e tenho uma premonição de que ela vai levar o prêmio. Ai! Entrou uma pedrinha em meu sapato e vou ter que me sentar no deque de pedra para tirá-la, com ou sem a permissão dele.

– Por sorte, estamos fora do campo de visão dele – disse Lewis.

Anne tinha acabado de desatar os cadarços quando ouviu algo vindo sorrateiramente pela selva de arbustos à direita. Então um menino de cerca de oitos anos de idade surgiu e ficou parado estudando-os com timidez, enquanto segurava com firmeza nas mãozinhas gorduchas uma torta de maçã. Era uma criança bonita, com cachos castanhos lustrosos, grandes olhos cor de avelã e traços delicados. Tinha certo ar de refinamento, apesar de estar descalço e com a cabeça descoberta e de vestir uma camisa azul surrada e um par de *shorts* puído de veludo. Parecia um príncipe disfarçado.

Logo atrás dele estava um grande cão preto da raça terra-nova, cuja cabeça chegava quase à altura dos ombros do menino.

Anne olhou para ele com um sorriso que sempre ganhava o coração das crianças.

– Olá, mocinho – disse Lewis. – De onde você veio?

O menino aproximou-se, retribuindo o sorriso, estendendo a torta.

– É para vocês – ofereceu, timidamente. – O papai fez para mim, mas prefiro que a comam. Já estou satisfeito.

Lewis, um tanto sem tato, estava a ponto de recusar a guloseima do garoto quando Anne lhe deu um rápido cutucão. Compreendendo a dica, ele prontamente a aceitou e entregou a Anne, que, prontamente, partiu-a em dois pedaços e lhe deu um deles. Eles sabiam que tinham que comê-la e tinham dúvidas dolorosas sobre a habilidade do "papai" na cozinha, mas a primeira mordida os tranquilizou. Talvez o forte do "papai" não fosse a cortesia, mas ele certamente sabia fazer tortas.

– Está delicioso – disse Anne. – Qual é o seu nome, querido?

– Teddy Armstrong – disse o pequeno benfeitor. – Mas o papai sempre me chama de Pequeno Camarada. Sou tudo que ele tem, sabe, e ele gosta muitíssimo de mim, e eu gosto muitíssimo do papai. Sei que pensam que o meu pai é mal-educado por ter fechado a porta tão depressa, mas não foi a intenção dele. Ouvi vocês pedindo algo para comer. ("Não pedimos, mas isso não importa", pensou Anne.)

– Eu estava no jardim, atrás da malva-rosa, e pensei em dar a vocês a minha torta, pois tenho muita pena dos pobres que não têm o que comer. Eu tenho, sempre, pois meu pai é um cozinheiro esplêndido. Vocês precisam provar o pudim de arroz que ele faz.

– Ele coloca uvas-passas? – perguntou Lewis, com uma piscadela.

– Bastante. Ele nunca é sovina.

– Você tem uma mãe, querido? – perguntou Anne.

– Não. Minha mãe morreu. A senhora Merrill uma vez me disse que ela foi para o céu, mas o papai disse que essas coisas não existem, e eu acho que ele deve ter razão. Meu pai é um homem muito sábio, já leu milhares de livros, e quero ser exatamente como ele quando crescer, só que eu vou dar o que comer para as pessoas que precisem. Meu pai não gosta muito de pessoas, sabe, mas é muito bom comigo.

– Você vai à escola? – perguntou Lewis.

– Não. Meu pai me ensina em casa. Porém, os diretores disseram que eu deveria começar a ir no ano que vem, e acho que eu iria gostar de ter outros garotos com quem brincar. É claro que eu tenho o Carlo, e é muito legal brincar com o papai quando ele tem tempo. Meu pai é muito ocupado, sabe. Ele precisa tocar a fazenda e manter a casa limpa, também, é por isso que não se pode dar ao trabalho de receber visitas. Quando eu ficar maior, vou poder ajudá-lo mais, e então ele terá mais tempo para ser educado com os outros.

– A torta estava muito boa, Pequeno Camarada – disse Lewis, engolindo o último pedaço.

Os olhos do Pequeno Camarada se iluminaram.

– Que bom que gostaram.

– Gostaria que o Lewis tirasse uma foto sua? – perguntou Anne, sentindo que não seria correto oferecer dinheiro àquela alma generosa tão jovem.

— Eu adoraria! – disse o Pequeno Camarada, animado. – Do Carlo, também?

— Do Carlo, também.

Anne colocou os dois na frente de um arbusto, o menino com o braço ao redor do pescoço peludo do amigo. Ambos pareciam igualmente muito felizes, e Lewis tirou a foto com o último filme.

— Se ficar boa, eu a enviarei a você pelo correio – prometeu. – A quem devo endereçá-la?

— Teddy Armstrong, aos cuidados do senhor James Armstrong, estrada Glencove – disse o Pequeno Camarada. – Ah, não seria divertido receber algo pelo correio? Eu ficaria muito orgulhoso, pode apostar. Não vou dizer nada ao papai, para que seja uma surpresa.

— Bem, espere um envelope daqui duas ou três semanas – disse Lewis, quando se despediram do garoto. Anne inclinou-se e beijou a carinha queimada de sol dele. Algo nele tocou o coração de Anne, pois ele era tão doce, tão nobre e não tinha uma mãe.

Eles olharam para trás antes da curva na estrada e o viram sobre o deque de pedra, com o cachorro, acenando para eles.

Obviamente, Rebecca Dew sabia tudo sobre os Armstrong:

— James Armstrong nunca superou a morte da esposa, cinco anos atrás. Ele não era tão irascível, naquela época, só um pouco eremita, pois era o jeito dele, e vivia para a esposa, que era vinte anos mais jovem que ele. Ouvi dizer que a morte dela foi um choque terrível, que mudou completamente a natureza dele, pelo visto. Ficou amargurado e ranzinza, não quis nem uma empregada e cuida da casa e do filho por conta própria. Ele morou sozinho por um bom tempo antes de se casar, de forma que não se sai nada mal.

— Dizem que ele venera aquele menino – disse a tia Kate.

— "Não terás outros deuses além de mim"[24] – citou Rebecca Dew, de repente.

---

24 Referência ao Antigo Testamento – Êxodo 20:3. (N. T.)

CAPÍTULO 3

Lewis demorou quase três semanas para encontrar tempo de revelar as fotografias. Ele as levou até Windy Poplars no primeiro domingo em que jantou lá. A casa e o Pequeno Camarada ficaram ótimos, e o menino sorrindo na foto parecia "estar vivo", disse Rebecca Dew.

– Ele se parece com você, Lewis! – exclamou Anne.

– Parece mesmo – concordou a Rebecca Dew, estreitando os olhos. – No instante em que vi a foto, ela me fez lembrar de alguém, eu só não sabia quem.

– Os olhos, a testa, todo o semblante são seus, Lewis – disse Anne.

– É difícil de acreditar que eu fui um garotinho tão bem-apessoado – Lewis deu de ombros. – Eu tenho uma foto minha guardada em algum lugar, de quando eu tinha oito anos. Tenho que procurá-la para comparar com esta. Você riria, senhorita Shirley, pois nela há uma criança de olhos sérios, com longos cachos e uma gola de renda, rígido como uma estátua. Acredito que eu tinha preso à cabeça um daqueles aparatos de três garras que se usavam na época. Se esta foto realmente se parece comigo, é pura coincidência. O Pequeno Camarada não pode ser um parente, pois eu não tenho parentes na ilha... atualmente.

– Onde você nasceu? – perguntou a tia Kate.

– Em Nova Brunswick. Meu pai e minha mãe morreram quando eu tinha dez anos, e eu vim para cá para morar com uma prima da minha mãe... que eu chamava de tia. Ela também já morreu, há três anos.

– Jim Armstrong veio de Nova Brunswick – disse Rebecca Dew. – Ele não é nativo da ilha e, se fosse, não seria tão recluso. Nós temos as nossas particularidades, mas somos civilizados!

– Não sei se gostaria de descobrir um parentesco com o amável senhor Armstrong – disse Lewis, atacando a torrada com canela da tia Chatty. – Entretanto, depois que eu revelar a fotografia, acho que vou levá-la até lá eu mesmo para fazer algumas perguntas. Ele pode ser um primo distante ou algo do tipo. Eu realmente não sei nada da família da minha mãe, sempre tive a impressão de que ela não tinha nenhum parente vivo. Eu sei que o papai não tinha.

– Se você levar a foto pessoalmente, o Pequeno Camarada não vai ficar um pouco desapontado por perder a emoção de receber alguma coisa pelo correio? – disse Anne.

– Vou compensá-lo enviando outra coisa pelo correio.

Na tarde de sábado seguinte, Lewis apareceu na Rua do Fantasma em uma charrete antiquada, sendo guiada por uma égua ainda mais antiga.

– Estou indo a Glencove para levar a fotografia do pequeno Teddy Armstrong, senhorita Shirley. Se minha chegada não for inesperada demais, gostaria que você viesse comigo. Acho que nenhuma das rodas vai sair.

– Onde você arranjou essa relíquia, Lewis? – quis saber Rebecca Dew.

– Não tire sarro do meu galante corcel, senhorita Dew. Tenha um pouco de respeito pela idade dele. O senhor Bender me emprestou a charrete e o animal com a condição de que eu fizesse um favor a ele na estrada Dawlish. Eu não teria tempo para ir e voltar a pé de Glencove.

– Tempo! – exclamou Rebecca Dew. – Eu poderia ir e voltar de lá mais rápido que este animal.

– Carregando um saco de batatas para o senhor Bender? Você é uma mulher maravilhosa!

As bochechas de Rebecca Dew ficaram ainda mais vermelhas.

– Não se deve rir dos mais velhos – retrucou. Mas logo se abrandou. – Não gostaria de comer algumas rosquinhas antes de sair de viagem?

A égua branca, no entanto, exibiu uma potência surpreendente de locomoção quando tomaram a estrada. Anne riu consigo mesma enquanto trotavam em direção a Glencove. O que a senhora Gardiner ou até mesmo a tia Jamesina diriam se a vissem agora? Bem, ela não se importava. Era um dia magnífico para um passeio em uma terra que ainda celebrava o antigo e incrível ritual de outono, e Lewis era uma boa companhia. O jovem tinha determinação para alcançar suas ambições. Nenhum outro conhecido seu, refletiu Anne, teria coragem de convidá-la para um passeio na charrete com a égua do senhor Bender, mas não ocorreu a Lewis que pudesse haver algo de constrangedor nisso. Que diferença faz a maneira como se viaja, contanto que se chegue ao destino? Os topos das serenas colinas continuavam azuis, as estradas vermelhas, os bordos maravilhosos, independentemente de seu veículo. Lewis era um filósofo e dava a mínima quando algum aluno da Escola Secundária o chamava de "mulherzinha" por fazer os serviços domésticos na pensão. Que falassem o que quisessem! Algum dia, ele iria rir por último. Seus bolsos podiam estar vazios, mas não a sua mente. Por ora, a tarde era idílica, e eles estavam indo visitar o Pequeno Camarada. Eles contaram ao cunhado do senhor Bender o motivo da viagem enquanto colocavam o saco de batatas na charrete.

– Quer dizer que você tem uma foto do pequeno Teddy Armstrong? – exclamou o senhor Merrill.

– Sim, e uma muito boa. – Lewis abriu o embrulho e a mostrou com orgulho. – Não creio que um fotógrafo profissional teria tirado uma foto melhor.

O senhor Merrill deu um tapa sonoro na própria coxa.

– Ora essa, que coisa! Mas o pequeno Teddy Armstrong está morto...

– Morto! – exclamou Anne, horrorizada. – Ah, senhor Merrill... Não... não me diga que... aquele doce menininho...

– Sinto muito, senhorita, mas é verdade. O pai enlouqueceu, e o pior é que não tem nenhuma foto dele, mas agora vocês têm uma muito boa. Vejam só!

– É... impossível! – disse Anne, com os olhos cheios de lágrimas. Ela podia ver a delicada figura acenando para eles do deque de pedra.

– Desculpe, mas é a mais pura verdade. Ele morreu há quase três semanas de pneumonia. Sofreu demais, mas dizem que foi muito corajoso e obediente, e não sei o que vai ser do Jim Armstrong agora. Dizem que age feito um louco, andando de um lado para o outro, resmungando para si mesmo o tempo todo. "Se ao menos eu tivesse uma foto do meu Pequeno Camarada", diz sem parar.

– Sinto muita pena daquele homem – disse a senhora Merrill, de repente. Parada ao lado do marido, ela ainda não havia falado nada. Era uma mulher esquelética e atarracada, usando um avental xadrez por cima do vestido surrado. – Ele tem dinheiro, e sempre achei que nos menospreza por sermos pobres, mas nós temos o nosso menino... E não importa sua condição financeira, contanto que você tenha alguém a quem amar.

Anne olhou para a senhora Merrill com novos olhos. Ela não era bonita, mas, quando seus olhos fundos e acinzentados se encontraram com os de Anne, houve uma espécie de conexão entre suas almas. Ela nunca havia visto e jamais voltou a ver aquela senhora, mas sabia que sempre se lembraria dela como a mulher que desvendara o maior segredo da vida: você jamais será pobre de verdade se tiver algo que ame.

Aquele dia dourado estava arruinado para Anne. De alguma forma, o Pequeno Camarada havia conquistado o coração dela naquele breve encontro. Lewis e ela foram em silêncio até Glencove. Carlo estava deitado nas pedras diante da porta azul. Ele se levantou e aproximou-se conforme eles desciam da charrete para lamber a mão de Anne, com aqueles olhos grandes e esperançosos que pareciam pedir notícias sobre o colega de brincadeiras. A porta estava aberta, e na sala escura eles viram um homem com a cabeça abaixada sobre a mesa.

Quando Anne bateu, ele se levantou e veio até a porta. Ela ficou chocada com a mudança que ocorrera em seu semblante: o rosto parecia mais magro e abatido, com a barba por fazer, e em seus olhos profundos ardia uma chama incerta.

Ela esperava ser enxotada dali, mas ele pareceu reconhecê-la, pois disse com apatia:

– Então, voltou? O Pequeno Camarada disse que conversou com você e que lhe deu um beijo. Sinto muito por ter sido tão rude. O que deseja?

– Queremos lhe mostrar uma coisa – disse Anne, com gentileza.

– Querem entrar e se sentar? – ofereceu ele tristemente.

Sem dizer uma palavra, Lewis tirou a fotografia do Pequeno Camarada do embrulho e a estendeu. Ele a pegou e a estudou com um olhar incrédulo e ávido e, então, deixou-se cair na cadeira e começou a chorar. Anne nunca tinha visto um homem chorar antes. Lewis e ela ficaram ali, parados em um respeitoso silêncio, até que ele recobrou o autocontrole.

– Ah, vocês não sabem o que isso significa para mim – disse, por fim. – Eu não tinha nenhuma foto dele e eu não sou como as outras pessoas, não consigo me lembrar de rostos, não como a maioria das pessoas, que enxerga os rostos na mente. Tem sido muito horrível desde que o Pequeno Camarada morreu; não conseguia nem me lembrar de como ele era. E agora vocês me trouxeram isso, depois de eu ter sido tão grosseiro. Sentem-se... Sentem-se. Gostaria de expressar minha gratidão de alguma forma. Acho que vocês salvaram a minha sanidade, talvez até a minha vida. Ah, senhorita, não é a cara dele? A foto é tão vívida que parece até que ele vai começar a falar. Meu querido Pequeno Camarada. Como vou viver sem ele? Não tenho mais motivos para viver. Primeiro a mãe, e agora ele.

– Ele era um rapazinho encantador – disse Anne.

– Era mesmo. Teddy... Theodore, foi o nome escolhido pela mãe... "Minha dádiva dos deuses", como dizia. Era tão paciente e nunca reclamava. Uma vez ele olhou para mim, sorriu e disse: "Pai, acho que o senhor se enganou sobre uma coisa... só uma. Acho que o céu existe, sim. Não existe, pai?". Eu disse que sim, que o céu existe... Deus me perdoe por ter tentado ensinar-lhe o contrário. Ele sorriu novamente, satisfeito, e disse: "Bem, pai, eu vou para lá, e a mamãe e Deus estarão lá, também, de forma que eu ficarei bem, mas estou preocupado com você, pai, pois ficará tão sozinho sem mim, então apenas faça o seu melhor, seja educado com os outros e com o tempo você se reunirá conosco". Ele me fez prometer que iria tentar, mas, quando ele partiu, eu não consegui suportar o vazio. Eu teria ficado louco se vocês não tivessem me trazido isso. Agora, as coisas não serão tão difíceis.

Ele falou do filho por um bom tempo, como se isso lhe desse alívio e prazer. Parecia ter se despido da irritação e da rabugice, como se fossem um acessório. Finalmente, Lewis lhe mostrou uma pequena fotografia de si mesmo.

– Você acha parecida com alguém, senhor Armstrong? – perguntou Anne.

O senhor Armstrong a examinou com perplexidade.

– É muito parecido com o meu Pequeno Camarada – disse. – De quem é a foto?

– Minha – respondeu Lewis –, de quando eu tinha sete anos. Foi por causa da estranha semelhança com Teddy que a senhorita Shirley fez questão de que eu lhe mostrasse. É possível que eu e você, ou o Pequeno Camarada, tenhamos algum grau de parentesco. Meu nome é Lewis Allen, e meu pai era o George Allen. Eu nasci em Nova Brunswick.

– Qual é o nome de solteira da sua mãe?

– Mary Gardiner.

James Armstrong o encarou em silêncio por um instante.

– Ela era minha meia-irmã – disse, por fim. – Eu mal a conhecia, só a vi uma vez. Fui criado pela família do meu tio depois da morte do meu pai. Minha mãe casou-se novamente e mudou-se para longe. Ela foi me visitar uma vez e levou a filha pequena, mas morreu logo depois, e nunca mais vi minha meia-irmã. Quando vim morar na ilha, perdi completamente o contato com ela. Você é meu sobrinho e primo do Pequeno Camarada.

Foi uma notícia surpreendente para um rapaz que achava que estava sozinho no mundo. Lewis e Anne passaram o fim de tarde com o senhor Armstrong e descobriram que ele era um homem culto e inteligente. De alguma forma, ambos gostaram dele, a recepção inospitaleira de antes foi esquecida, e agora podiam ver o verdadeiro valor da personalidade que se ocultava debaixo da armadura de incivilidade.

– O Pequeno Camarada não teria amado tanto o pai se ele não fosse assim – disse Anne a Lewis no caminho de volta a Windy Poplars ao entardecer.

Quando Lewis Allen visitou o tio no fim de semana seguinte, ele disse:

– Rapaz, venha morar comigo. Você é meu sobrinho, e eu posso cuidar bem de você, como eu teria feito com o Pequeno Camarada. Você está sozinho neste mundo, e eu também. Eu preciso de você ou vou acabar ficando rude e amargurado de novo se continuar morando sozinho. Quero que me ajude a manter a promessa que fiz ao Pequeno Camarada. Ele deixou um espaço vazio; venha preenchê-lo.

– Obrigado, tio. Vou pensar na sua proposta – disse Lewis, estendendo a mão.

– E traga a sua amiga professora de vez em quando. Eu gosto dela, e o Pequeno Camarada gostou dela. Ele disse: "Papai, eu achava que não iria gostar de que mais alguém me beijasse além de você, mas eu gostei quando ela me beijou. Há algo fascinante nos olhos dela, pai".

CAPÍTULO 4

– O velho termômetro da varanda diz que está zero grau, e o novo ao lado da porta diz que está dez graus – observou Anne, em uma gélida noite de dezembro. – Não sei se levo meus protetores de orelha ou não.

– É melhor confiar no velho termômetro – aconselhou Rebecca Dew. – Deve estar mais acostumado com o nosso clima. Aonde vai nesta noite fria, aliás?

– Vou até a rua Temple para convidar Katherine Brooks para passar os feriados de fim de ano comigo, em Green Gables.

– Você vai arruinar as suas festividades, então – disse Rebecca Dew, solenemente. – Aquela lá destrataria até os anjos, quer dizer, se o céu for suficientemente bom para ela. E o pior de tudo é que ela tem orgulho dos péssimos modos... o que demonstra sua força mental, sem dúvida!

– Meu cérebro concorda com cada palavra sua, mas meu coração simplesmente não – disse Anne. – Sinto que, apesar de tudo, Katherine Brooke é apenas uma garota tímida e infeliz por baixo da carapaça hostil. Não consigo chegar até ela em Summerside, mas Green Gables talvez consiga derreter um pouco do gelo.

– Você não vai conseguir, pois ela não vai aceitar – previu Rebecca Dew. – Provavelmente vai achar insultante o convite, como se você estivesse fazendo caridade. Nós a convidamos para o jantar de Natal, uma vez, um ano antes de você chegar aqui. Lembra-se, senhora MacComber, do ano em que ganhamos dois perus e não sabíamos como iríamos comê-los? E tudo que ela disse foi: "Não, obrigada. Se tem algo que eu odeio é a palavra Natal!".

– Que horrível odiar o Natal! Algo precisa ser feito, Rebecca Dew. Eu vou convidá-la e tenho uma estranha sensação de que ela aceitará.

– De alguma forma, quando você diz que algo vai acontecer, é melhor acreditar que vai. Você não é sensitiva, é? A mãe da senhora MacComber era e me dava arrepios.

– Acho que não sou nada que possa causar arrepios. É só que faz algum tempo que tenho a impressão de que Katherine Brooke está quase enlouquecendo de solidão por baixo da amargura externa e que meu convite virá no momento psicológico certo, Rebecca Dew.

– Não tenho ensino superior – disse Rebecca com impressionante humildade – e não nego seu direito de usar palavras que nem sempre entendo. Tampouco nego sua capacidade de convencer as pessoas a fazerem o que você quer. Veja só como lidou com os Pringles, mas tenho muita pena se levar aquele *iceberg* combinado com um ralador de noz-moscada para passar o Natal com você.

Anne não se sentia tão confiante quanto aparentava enquanto caminhava pela rua Temple. Katherine Brooke estava realmente insuportável nos últimos tempos. Anne, menosprezada repetidas vezes, havia dito "nunca mais", como o sombrio corvo do poema de Poe. No dia anterior, Katherine tinha sido decididamente ofensiva em uma reunião dos professores, mas, em um momento de guarda baixa, Anne avistou algo intenso e desesperado espreitando por detrás dos olhos da outra. Era uma espécie de animal enjaulado, enlouquecido pelo desgosto. Anne passou metade da noite tentando decidir se convidaria Katherine Brooke para ir a Green Gables ou não. Por fim dormiu, com a decisão irrevogavelmente tomada.

A senhoria de Katherine a convidou para entrar e ergueu os ombros gordos quando perguntada sobre a senhorita Brooke.

– Posso avisar que você está aqui, mas duvido que vá descer, pois ela está de mau humor. Hoje, no jantar, contei que a senhora Rawlins acha escandalosa a maneira como ela se veste, para uma professora da Escola Secundária, e ela se ofendeu, como de costume.

– Não acho que a senhorita deveria ter dito isso à senhorita Brooke – explicou Anne.

– Mas eu achei que ela deveria saber – disse a senhora Dennis, com petulância.

– Também acha que ela deveria saber que o inspetor a considera uma das melhores professoras do distrito? Ou não sabia disso?

– Ah, ouvi falar, mas ela já é metida o suficiente. "Orgulhosa" não faz jus, embora eu não saiba do que tem tanto orgulho, e ela também já estava brava, porque antes eu havia avisado que não pode ter um cachorro, enfiou na cabeça que quer um cachorro e disse que pagaria pela ração e cuidaria para que não fosse um estorvo, mas o que eu faria com ele enquanto ela está na escola? Eu bati o pé. "Não aceito cães na pensão", disse.

– Ah, senhora Dennis, por que não deixa que ela tenha um cachorro? Ele não incomodaria muito. Pode deixá-lo no porão, enquanto ela estiver na escola. E ele protegeria a casa à noite. Eu gostaria tanto que deixasse... Por favor.

Havia algo nos olhos de Anne Shirley ao dizer "por favor" que as pessoas raramente resistiam. A senhora Dennis, a despeito dos ombros largos e da língua afiada, tinha um bom coração. Katherine Brooke apenas lhe dava nos nervos, às vezes, por causa da ingratidão.

– Não sei se você deveria estar se preocupando com isso. Não sabia que eram próximas. Ela não tem nenhum amigo, e eu nunca tive uma hóspede tão antissocial.

– Acho que é por isso que ela quer um cachorro, senhora Dennis. Ninguém consegue viver sem nenhuma companhia.

– Pois é o primeiro traço humano que percebo nela. Não tenho nenhuma grande objeção a um cachorro, mas a forma como perguntou me deixou aborrecida. "Suponho que diria que não se eu perguntasse se posso ter um cachorro, senhora Dennis" foi muito pedante. Pois muito bem! "Supôs corretamente", respondi, tão pedante quanto ela. Não gosto de dar o braço a torcer, mas diga-lhe que ela pode ter um cachorro se prometer que ele não bagunçará a sala de visitas.

Anne não achava que a sala poderia ficar ainda pior com a presença de um cão. Ela teve um arrepio ao reparar nas cortinas de renda sujas e nas rosas roxas horrorosas no tapete.

"Tenho dó de qualquer pessoa que tiver de passar um Natal nessa pensão", pensou. "Não é à toa que Katherine odeia essa palavra. Esse lugar precisa de uma arejada, ele cheira a mil refeições. Por que Katherine fica aqui se tem um bom salário?

– Ela disse que você pode subir – foi a mensagem que a senhora Dennis repassou, com um tanto de desconfiança.

A escada de degraus curtos era repulsiva, como se repelisse as pessoas. Ninguém a subiria se não precisasse. O linóleo do corredor estava completamente gasto. O quartinho no fim do corredor onde Anne se encontrava era ainda mais sem vida do que a sala. Era iluminado por uma única lamparina a gás sem tela. Havia uma cama de ferro bem no meio do cômodo e uma janela estreita com cortinas simplórias que dava para o quintal, onde uma grande plantação de latas de alumínio floresceu. Porém, para além dele, havia um céu maravilhoso e uma fileira de álamos que se destacavam contra distantes colinas longas e púrpuras.

– Ah, senhorita Brooke, veja aquele pôr do sol – disse Anne alegremente da cadeira de balanço que rangia e não tinha almofada, que Katherine lhe indicara sem muita graciosidade.

– Já vi pores do sol suficientes – respondeu com frieza, sem se mover. ("Sendo condescendente comigo com o anoitecer!", pensou com amargura.)

– Mas ainda não viu este. Nenhum crepúsculo é igual ao outro. Sente-se aqui e apenas o sinta adentrar em nossa alma – disse Anne, mas ela pensou: "Você não consegue dizer nada agradável?".

– Não seja ridícula, por favor.

As palavras mais ofensivas do mundo! Que soaram ainda mais insultantes no tom desdenhoso de Katherine. Ane virou-se e olhou para ela, muito mais inclinada a levantar-se e ir embora. Entretanto, o olhar dela parecia diferente. Será que estivera chorando? Com certeza, não... Era impossível imaginar Katherine Brooke chorando.

– Você não me faz sentir muito bem-vinda – disse Anne lentamente.

– Não sei fingir. Não tenho o seu dom digno de uma rainha de dizer exatamente a coisa certa para cada pessoa. Você não é bem-vinda. Por acaso este quarto parece acolhedor?

Katherine fez um gesto de desprezo para as paredes desbotadas, as cadeiras velhas e a cômoda bamba com sua toalha de musselina.

– Não é um quarto confortável, mas por que você continua aqui se não gosta?

– Ah... Por quê?... Por quê? Você não entenderia, mas não tem importância. Não me importo com o que os outros dizem. O que a trouxe até aqui? Suponho que não tenha vindo apenas assistir ao pôr do sol.

– Vim perguntar se você deseja passar o Natal comigo em Green Gables.

("E agora, lá vem outra dose de sarcasmo!", pensou Anne. "Por que não se senta, pelo menos? Fica aí, de pé, como se estivesse esperando que eu fosse embora.")

Houve um momento de silêncio. Então, Katherine disse, lentamente:

– Por que está me convidando? Não é porque você gosta de mim, nem mesmo você conseguiria fingir isso.

– É porque não suporto nem imaginar um ser humano passando o Natal em um lugar desses – disse Anne, com sinceridade.

O sarcasmo veio em seguida.

– Ah, entendi. É um surto sazonal de caridade. Eu ainda não cheguei a tal ponto, senhorita Shirley.

Anne levantou-se. Sua paciência havia se esgotado com aquela criatura estranha e distante. Ela atravessou o quarto e olhou dentro dos olhos de Katherine.

– Katherine Brooke, querendo ou não, você precisa de umas palmadas.

Elas se encararam por um instante.

– Você deve estar aliviada por ter dito isso – disse Katherine. Por algum motivo, seu tom ofensivo tinha desaparecido, e o início de um sorriso curvava o canto dos lábios dela.

– Estou. Faz tempo que eu queria lhe dizer isso. Não a convidei para ir a Green Gables por caridade, e você sabe disso perfeitamente. Eu lhe contei meu verdadeiro motivo. Ninguém deveria passar o Natal aqui. A mera possibilidade de isso acontecer já é indecente.

– Você só está me chamando por ter dó de mim.

– Sim, tenho mesmo, pois você afastou o mundo da sua vida, e agora o mundo está se afastando de você. Chega, Katherine. Abra as portas para o mundo, e o mundo virá.

– A versão da Anne Shirley para o velho ditado: "Sorria para o mundo, e o mundo sorrirá de volta" – disse Katherine, dando de ombros.

– Como todos os ditados, este é a mais pura verdade. Agora, você irá comigo para Green Gables ou não?

– Se eu aceitasse, o que você diria? Para si mesma, não para mim.

– Diria que você está demonstrando os primeiros sinais de bom senso que já detectei em você – retrucou Anne.

Katherine riu, surpreendentemente, foi até a janela, fez uma cara feia para o que restava do pôr do sol alaranjado e virou-se para Anne.

– Muito bem... Eu irei. Agora você pode me dizer o quanto está feliz e como nós nos divertiremos à beça.

– Eu estou feliz, mas não sei se você se divertirá à beça ou não. Isso vai depender quase inteiramente de você, senhorita Brooke.

– Ah, vou me comportar decentemente, e você se surpreenderá. Não serei uma convidada muito animada, mas prometo que terei modos à mesa e que não ofenderei as pessoas quando comentarem que o dia está lindo. Francamente, só aceitei o convite porque até eu não suporto a ideia de passar os feriados de fim de ano aqui, sozinha. A senhora

Dennis vai passar a semana do Natal com a filha em Charlottetown. Fico aborrecida só de pensar em ter que preparar minha própria comida, pois sou uma péssima cozinheira. Aí está, o triunfo da matéria sobre a mente, mas você pode me dar a sua palavra de honra de que não me desejará um feliz Natal? Simplesmente não quero me sentir feliz no Natal, pode ser?

– Sim, posso. Porém não posso responder pelos gêmeos.

– Não vou pedir para se sentar aqui, pois você congelaria, e vejo que surgiu uma lua muito bonita no lugar do seu entardecer. Se quiser, posso lhe fazer companhia no caminho de volta e ajudar você a apreciá-la.

– Eu quero – disse Anne –, mas gostaria de deixar claro que temos luas muito mais bonitas em Avonlea.

– Então, ela aceitou o convite? – perguntou Rebecca Dew enquanto enchia a garrafa de água quente de Anne. – Bem, senhorita Shirley, espero que nunca tente me converter ao islamismo, pois você provavelmente conseguiria. Onde está Aquele Gato? Deve estar perambulando por Summerside, com a temperatura na casa do zero grau.

– Não de acordo com o novo termômetro. E o Dusty Miller está enrolado sobre a cadeira de balanço em minha torre, ao lado do fogão, roncando alegremente.

– Ah, que bom – disse a Rebecca Dew, fechando a porta da cozinha com um arrepio. – Gostaria que todas as pessoas do mundo estivessem tão quentinhas e protegidas quanto nós, nesta noite.

CAPÍTULO 5

Anne não sabia que a pequena Elizabeth assistia furtivamente à sua partida de Windy Poplars pela janela do sótão de Evergreens. Era uma Elizabeth com lágrimas nos olhos, que se sentia a mais Lizzie das Lizzies, como se tudo que fazia a vida ter sentido estivesse indo embora, ainda que por pouco tempo. Quando o trenó dobrou a esquina da Rua do Fantasma, ela ajoelhou-se na beirada da cama.

– Querido Deus – sussurrou –, sei que não adianta pedir ao Senhor um Natal feliz, pois a vovó e a Ajudante são incapazes de ficarem felizes, mas, por favor, permita que a minha adorada senhorita Shirley tenha um Natal muito, muito alegre e traga-a em segurança de volta para mim quando tudo terminar. – Ela então se levantou. – Agora, sei que fiz tudo que estava em meu alcance.

Anne já estava saboreando a felicidade do Natal. Ela cintilava enquanto o trem partia da estação, deixando para trás as ruas tristes, levando-a para casa, para a sua Green Gables. O mundo era branco, dourado e violeta no campo aberto, adornado aqui e ali pela magia dos escuros abetos e pela delicadeza das bétulas despidas de folhas. O sol parecia correr por entre as árvores nuas como uma entidade esplêndida conforme o trem ganhava velocidade. Katherine estava em silêncio, mas não parecia emburrada.

– Não espere que eu converse – havia avisado à Anne, secamente.

– Não se preocupe. Espero que não ache que sou uma daquelas pessoas que fazem com que você se sinta obrigada a conversar o tempo todo. Nós conversaremos quando tivermos vontade. É provável que eu tenha vontade de falar durante boa parte do tempo, mas você não tem obrigação de prestar atenção em coisa alguma.

Davy as esperava em Bright River em um trenó de dois lugares repleto de mantas de pele e com um abraço de urso para Anne. As duas se ajeitaram no assento de trás. O trajeto da estação até Green Gables sempre fora uma das partes favoritas de Anne nos finais de semana em casa, pois ela sempre se recordava da primeira vez em que chegara a Green Gables, com Matthew. Apesar de ter sido na primavera, a paisagem de dezembro parecia dizer-lhe "você se lembra?". O trenó abria caminho ruidosamente, a música dos sinos ecoava pelas fileiras dos pinheiros pontudos, cobertos de neve. A Via Láctea da alegria havia posto festões cheios de estrelas em volta das árvores, e da penúltima colina elas avistaram o grande golfo, alvo e místico sob o luar, ainda livre do gelo.

– Há um ponto nesta estrada em que subitamente me sinto em casa – disse Anne. – É no topo da próxima colina, de onde veremos as luzes de Green Gables. Já estou imaginando o jantar que Marilla preparará para nós; acho que posso sentir o cheiro dele daqui. Ah, é bom, tão bom estar de volta ao meu lar!

Cada árvore na entrada de Green Gables parecia dar-lhes boas-vindas, cada janela acesa parecia chamá-las. E que aroma delicioso as recebeu ao abrirem a porta da cozinha de Marilla! Houve abraços, exclamações e risadas e, de alguma forma, até mesmo Katherine parecia em casa. A senhora Rachel Lynde havia colocado o estimado abajur da sala de visitas sobre a mesa de jantar. Era uma peça horrorosa, com um globo vermelho horroroso, mas que brilho róseo convidativo lançava sobre tudo! Que acolhedoras e amigáveis eram as sombras! Que mocinha linda estava ficando Dora! E Davy parecia um homenzinho.

Havia boas-novas. Diana ganhara uma filhinha, Josie Pye tinha um namorado, e Charlie Sloane, ao que parece, estava noivo. Tudo era tão interessante, como se fossem notícias do império. A nova colcha da senhora Lynde, feita com cinco mil retalhos, estava em exibição e recebeu os devidos elogios.

– Quando você volta para casa, Anne, tudo parece ganhar vida – disse Davy.

– Ah, é assim que a vida deveria ser – ronronou o gatinho da Dora.

– Sempre achei difícil de resistir ao fascínio de uma noite de luar – disse Anne após o jantar. – Que tal um passeio com sapatos para neve, senhorita Brooke? Ouvi dizer que sabe usá-los.

– Sim, é a única coisa que sei fazer, só que não faço isso há seis anos – respondeu, encolhendo os ombros.

Anne buscou seus sapatos para neve no sótão, e Davy correu até Orchard Slope para pedir emprestado um velho par da Diana para Katherine. Elas caminhavam pela Travessa dos Amantes, repleta de sombras incríveis; atravessaram campos onde pequenos pinheiros bordeavam as cercas; e cruzaram bosques que pareciam a ponto de sussurrar seus segredos, mas que nunca o faziam, e passaram por clareiras que mais pareciam lagos de prata.

Elas não conversaram e tampouco queriam conversar. Era como se estivessem com medo de estragar algo belo. Anne nunca havia se sentido tão próxima de Katherine. A noite de inverno parecia ter unido as duas com a sua mágica ou quase.

Quando saíram na estrada principal e um trenó passou como um raio, em uma algazarra de sinos e risadas, ambas suspiraram involuntariamente. Era como se estivessem voltando para um mundo que não tinha nada em comum com o qual deixavam para trás, um mundo onde não existia tempo, um mundo de juventude eterna e onde almas não precisavam de um meio tão rudimentar como as palavras para se comunicarem.

– Foi maravilhoso – disse Katherine, tão perceptivelmente para si mesma que Anne não respondeu.

Elas caminharam pela estrada e subiram a vereda que levava até Green Gables. Pouco antes da porteira, as duas pararam como se por um impulso compartilhado e ficaram em silêncio. Elas se apoiaram na velha cerca coberta de musgo e observaram a casa imponente e maternal, atrás do véu de árvores. Que linda era Green Gables em uma noite de inverno!

Mais abaixo, a Lagoa das Águas Brilhantes estava presa sob o gelo, bordeada pelas sombras das árvores. A quietude era quase absoluta, salvo pelo trotar de um cavalo sobre a ponte. Anne sorriu ao lembrar-se da frequência com que ouvia aquele som de seu quarto no sótão e fingia que era o galope dos cavalos das fadas pela noite.

De repente, outro som quebrou o silêncio.

– Katherine, você está... Não me diga que está chorando!

Por algum motivo, parecia impossível imaginar Katherine aos prantos, mas lá estava ela. E suas lágrimas a tornavam humana. Anne não tinha mais medo dela.

– Katherine... Minha querida Katherine... Qual é o problema? Posso ajudar?

– Ah, você não entenderia – arfou. – As coisas sempre são tão fáceis para você. É como se você vivesse em um mundinho encantado de beleza e romance. "Qual será a incrível descoberta que farei hoje?" parece ser a sua atitude na vida. E, quanto a mim, já não sei mais como se vive, não, acho que nunca soube. Eu sou um animalzinho preso em uma jaula, que nunca conseguiu escapar, e é como se alguém estivesse sempre me cutucando com uma vara através das grades. E você? Tem mais alegrias do que é capaz de aproveitar, amigos por toda a parte, um namorado! Não que eu queira um, pois detesto os homens, mas, se eu morresse hoje, nenhuma alma viva sentiria a minha falta. Como se sentiria sem nenhum amigo no mundo?

Katherine soluçou.

– Você diz que gosta de franqueza. Então, vou ser franca: a culpa é toda sua por não ter nenhum amigo. Eu sempre quis ser sua amiga, mas você sempre afasta todo mundo!

– Ah, eu sei... Eu sei. Como a odiei da primeira vez em que a vi! Gabando-se da sua aliança de pérolas...

– Katherine, eu não me gabei dela!

– Ah, acho que não. É só a minha natureza ressentida, mas era como se o próprio anel se exibisse, não que eu tenha inveja do seu namorado, pois nunca quis me casar e presenciei o suficiente de mamãe e papai. Detestava que você estivesse acima de mim, sendo mais nova que eu, e fiquei contente quando os Pringles começaram a importuná-la. Você parecia ter tudo que eu não tinha... Charme... Amizades... Juventude. Juventude! Eu tive uma juventude de necessidades. Você não sabe o que é isso, você não faz a mínima ideia do que é não ter ninguém no mundo que lhe queira. Ninguém!

– Ah, eu não sei? – exclamou Anne.

Em algumas frases contundentes, Anne resumiu sua infância antes de vir para Green Gables.

– Gostaria de ter descoberto tudo isso antes – disse Katherine. – Teria feito uma grande diferença. Para mim, você parecia uma dessas garotas mimadas pela sorte. Eu morria de inveja de você e, depois que conseguiu o cargo que eu queria, ah, sei que é mais bem qualificada do que eu, mas mesmo assim. Você é linda ou pelo menos faz as pessoas acharem que é, mas a minha primeira recordação é de alguém dizendo "que criança mais feia!". Você chega aos lugares e encanta a todos. Ah, lembro-me da primeira manhã em que pisou na escola, mas acho que o principal motivo para eu detestá-la tanto é que você sempre pareceu ter uma alegria secreta, como se todos os dias fossem uma aventura. Apesar do meu ódio, houve vezes em que eu tive de admitir que você parecia ter vindo de outro planeta.

– Katherine, está me deixando sem ar com todos esses elogios, mas você não me odeia mais, não é mesmo? Podemos ser amigas agora.

– Não sei... Nunca tive amigos, muito menos da minha idade. Não pertenço a lugar algum e nunca pertenci. Acho que não sei como ser uma amiga. Não, eu não a odeio mais e não sei o que sinto por você agora. Ah, deve ser o seu famoso encanto que está começando a fazer efeito em mim. Só sei que sinto vontade de lhe contar como foi a minha vida e jamais conseguiria fazer isso se não tivesse contado como era a sua vida antes de vir para Green Gables. Gostaria que compreendesse o que me tornou assim. Não sei por quê, mas quero.

– Conte-me, minha querida Katherine. Quero compreendê-la.

– Você sabe como é ser rejeitada, eu admito, mas não como é saber que seu pai e sua mãe não a querem, como os meus, pois eles me odiaram desde o instante em que nasci. Minha infância foi um pesadelo, eles morreram quando eu tinha sete anos, e eu fui morar com a família do meu tio Henry, que também não me queria. Todos me rechaçavam por eu "viver de caridade". Lembro-me de todas as humilhações, todas, e não me recordo de nenhuma palavra amiga. Eu tinha que vestir as roupas usadas dos meus primos. Havia um chapéu em especial que me fazia parecer um cogumelo, e eles zombavam de mim sempre que eu o colocava. Um dia, eu o cortei em pedaços e coloquei fogo nele. Tive de usar uma boina horrenda para ir à igreja pelo resto do inverno. Nunca tive sequer um cachorro, e eu queria tanto um! Porém, eu era inteligente e ansiava por um título de professora... E, naturalmente, isso era como desejar a lua. No entanto, o tio Henry concordou em financiar meus estudos na Queen's contanto que eu lhe pagasse tudo assim que conseguisse um emprego. Ele pagou por um quarto em uma pensão de terceira que ficava sobre a cozinha, que era frio como gelo no inverno, escaldante no verão e que cheirava a comida velha durante todas as estações. E as roupas que eu tinha de usar para frequentar as aulas! Mas eu consegui me formar e assumi a segunda classe na Escola de Summerside, o único pouquinho de sorte que tive. Desde então, venho economizando e evitando excessos para pagar o tio Henry, não só pelos meus estudos, mas também por tudo que ele gastou durante os anos em que morei na pensão. Estava determinada a devolver cada centavo, e é por isso que moro com a senhora Dennis e me visto tão mal. Eu acabei de pagar tudo que lhe devia e, pela primeira vez na vida, sinto-me livre. Só que, durante todo esse tempo, eu nunca soube como viver. Sei que sou antissocial, que nunca digo o que é certo na hora certa, que a culpa é toda minha por sempre ser ignorada em eventos sociais. Estou ciente de que transformei em uma arte ser desagradável, sei que sou sarcástica, que meus alunos me consideram uma tirana e que eles me odeiam. Acha que não dói saber tudo isso? Eles parecem estar sempre com medo de mim. Odeio quando as pessoas parecem ter medo de mim. Ah, Anne, o ódio me consome como se fosse uma doença. Quero ser como as outras pessoas e sei que nunca poderei ser. É isso que me deixa tão amarga.

– Ah, mas é claro que pode! – Anne colocou o braço ao redor dos ombros de Katherine. – Você pode tirar o ódio da sua vida e curar-se dele. A vida só está começando para você, agora que finalmente está livre e independente! E nós nunca sabemos o que há depois da próxima curva na estrada.

– Já ouvi você dizer isso e achei graça da sua "curva na estrada". O problema é que não há nenhuma curva na minha estrada. Posso vê-la estender-se até o horizonte em uma monotonia interminável. Ah, a vida nunca a assusta, Anne, com o seu vazio, seu mar de pessoas frias e desinteressantes? Não, é claro que não. Você não terá que passar o resto da vida em uma sala de aula. E você parece achar todo mundo interessante, até mesmo aquele tomate ambulante que se chama Rebecca Dew. A verdade é que eu detesto ensinar e não sei fazer mais nada. Uma professora é um mero escravo do tempo. Ah, sei que gosta da profissão, só não entendo como. Anne, quero viajar, e é o que sempre quis fazer. Lembro-me do único quadro que havia em meu quarto no sótão do tio Henry, uma velha fotografia que fora descartada dos outros cômodos com desprezo. Ela mostrava um monte de palmeiras ao redor de um veio de água no deserto e uma fila de camelos que marchavam ao longe. Ela me fascinava, literalmente, e sempre quis descobrir onde fica aquele lugar. Quero ver o Cruzeiro do Sul, o Taj Mahal e os pilares de Karnak. Quero constatar, e não apenas acreditar que o mundo é redondo, mas jamais conseguirei fazer isso com o salário de professora. Terei de passar o resto da vida falando das esposas de Henrique VIII e dos recursos inesgotáveis do Império.

Anne riu. Era seguro rir agora, pois a amargura não estava mais presente na voz de Katherine. Ela soava meramente pesarosa e impaciente.

— De qualquer forma, nós seremos amigas e passaremos dez dias maravilhosos aqui, para dar início à nossa amizade. Sempre quis ser amiga sua, Katherine, com letra K! Sempre tive a sensação de que, por baixo de todos os seus espinhos, esconde-se alguém de quem vale a pena ser amigo.

— Então é isso que você realmente pensava de mim? Com frequência já me perguntei isso. Bem, vou tentar mudar meus velhos hábitos, se é que isso é possível. Talvez seja. Este lugar é inacreditável. Green Gables é o primeiro lugar que eu sinto que é um lar. Gostaria de ser mais como as outras pessoas, se não for tarde demais. Vou até praticar um sorriso para quando o Gilbert chegar, amanhã de noite. Obviamente, já me esqueci de como se fala com moços jovens, se é que algum dia já soube. Ele vai me achar uma velha boba. Eu me pergunto se, quando for para a cama hoje, vou ficar furiosa por ter tirado a máscara e permitido que visse minha débil alma.

— Não, não vai. Você vai pensar: "Que bom que ela sabe que sou humana". Vamos nos aninhar entre os cobertores fofinhos, provavelmente com duas garrafas de água quente, pois não duvido de que a Marilla e a senhora Lynde preparem duas, cada uma por contra própria, por medo de a outra se esquecer. E você vai se sentir deliciosamente sonolenta depois desse passeio ao luar gélido e, quando menos esperar, já será de manhã, e você terá a sensação de ser a primeira pessoa a descobrir que o céu é azul. E também terá uma aula sobre pudins de ameixa, pois vai me ajudar a preparar um para a terça, um pudim imenso e suculento.

Anne se impressionou com a melhora no semblante de Katherine quando entraram. Sua aparência estava radiante depois da longa caminhada no ar gelado, e o rubor fazia toda a diferença do mundo para ela.

"Katherine ficaria linda se usasse o tipo certo de chapéus e vestidos", refletiu Anne, tentando imaginá-la com um chapéu de veludo vermelho estupendo que vira em uma loja de Summerside ou com os cabelos negros arrumados sobre os olhos cor de âmbar. "Tenho que descobrir o que pode ser feito".

CAPÍTULO 6

Sábado e domingo foram repletos de diversão em Green Gables. O pudim de ameixa foi preparado, e a árvore de Natal foi trazida para casa. Katherine, Anne, Davy e Dora foram até a floresta em busca dela, um lindo pinheiro de porte médio que Anne só aceitou cortar porque ele se encontrava em uma pequena clareira na propriedade do senhor Harrison, que iria ser arada na primavera.

Eles passearam, recolhendo galhos e pinhas para guirlandas e algumas samambaias que continuavam verdes em certas partes profundas do bosque. Até que a noite começou a acenar por sobre as colinas brancas e eles voltaram para Green Gables, triunfantes, para encontrar um jovem de olhos castanhos e com o início de um bigode que o fazia parecer tão mais velho e maduro que Anne se perguntou por um instante se aquele era mesmo Gilbert ou algum desconhecido.

Katherine, com um sorrisinho que tentava (em vão) ser sarcástico, deixou-os a sós na sala e passou o início da noite brincando com os gêmeos na cozinha. Para a própria surpresa, Katherine deu-se conta de que estava se divertindo. E que formidável foi descer até o porão com Davy e ver que maçãs doces ainda existiam no mundo!

Katherine nunca havia estado no porão de uma casa de campo antes e não sabia o quão interessante e assustador o local podia ser à luz de velas. Sua vida já parecia mais calorosa e, pela primeira vez, ocorreu à Katherine que a vida poderia ser bela, até mesmo a dela.

Davy fez barulho suficiente para acordar os Sete Adormecidos[25] bem cedinho na manhã de Natal, tocando um velho chocalho de vaca pelas escadas. Marilla ficou horrorizada, porque havia visitas em casa, mas Katherine desceu para a sala com um sorriso. De alguma forma, uma amizade peculiar surgira entre ela e Davy. Ela confessou a Anne que não simpatizava muito com a impecável Dora, mas que tinha uma curiosa afinidade com o menino.

Os presentes foram abertos na sala antes do desjejum, pois nem mesmo Dora teria conseguido comer alguma coisa. Katherine, que não esperava ganhar nada, com exceção, talvez, de algum presente da parte de Anne por obrigação, acabou ganhando presentes de todos: uma linda manta de crochê da senhora Lynde; uma bolsinha de raiz de lírio perfumada, de Dora; um abridor de cartas, de Davy; uma cesta cheia de potinhos com geleia e compota de Marilla; até mesmo um peso de papel em forma de gato, de Gilbert.

E, aninhado embaixo da árvore sobre uma confortável manta de lã, havia um filhotinho de cachorro de olhos castanhos e orelhas felpudas em alerta. Em um cartão preso em sua coleira, lia-se: "De Anne, que se atreve, no final das contas, a desejar-lhe um feliz Natal".

Katherine tomou o corpinho mole nos braços e disse, com a voz trêmula:

– Anne... Ele é adorável! Mas a senhora Dennis não vai permitir. Eu perguntei se poderia ter um cachorro e ela disse que não.

– Já conversei com a senhora Dennis. Ela não vai se opor, e, de qualquer forma, sua estadia por lá não se estenderá por muito mais tempo. Você precisa encontrar um lugar decente para viver, agora que já cumpriu com suas obrigações. Veja a maravilhosa caixa de papéis de carta

---

25 Referência aos Sete Adormecidos de Éfeso, uma história lendária sobre um grupo de jovens que se esconderam em uma caverna, nos arredores da cidade de Éfeso, para escapar da perseguição aos cristãos perpetrada pelo imperador romano Décio. Este ordenou que a caverna fosse selada com os sete dentro. Muitos anos depois, um camponês reabriu a caverna e encontrou os sete vivos, adormecidos, acreditando que tinham dormido apenas um dia. (N. T.)

que Diana me enviou. Não é fascinante olhar para as páginas em branco e imaginar o que será escrito nelas?

A senhora Lynde estava grata por ser um Natal branco, pois havia menos germes e micróbios... Para Katherine, porém, o Natal era púrpura, carmesim e dourado, e a semana seguinte foi tão deslumbrante quanto. Diversas vezes, Katherine havia se perguntado como seria ser feliz, e agora ela sabia. Ela desabrochava de maneiras impressionantes. Anne descobriu-se desfrutando da companhia dela.

"E pensar que eu tive medo de que ela estragasse os feriados de fim de ano", refletiu ela, admirada.

"E pensar que quase recusei o convite de Anne para vir para cá!", disse Katherine para si mesma.

Elas deram longos passeios... pela Travessa dos Amantes e pela Floresta Assombrada, onde o próprio silêncio parecia amigável; por colinas onde a neve fina rodopiava em uma dança invernal de duendes; através dos pomares repletos de sombras violetas; pelos bosques ao entardecer. Não havia o canto ou o gorjeio de pássaros, o gorgolejar de córregos, o mexerico dos esquilos, mas o vento tocava músicas ocasionais, compensando em qualidade o que falta em quantidade.

– Há sempre algo prazeroso para se ver ou ouvir – comentou Anne.

Elas conversaram sobre "repolhos e reis"[26] e voltaram para casa com um apetite que não poupou a despensa de Green Gables. Certo dia caiu uma tempestade e elas não puderam sair de casa. O vento do Leste açoitava os beirais, e o golfo cinzento urrava, mas até os aguaceiros tinham seu charme em Green Gables. Era aconchegante sentar-se ao pé do fogão e observar, em meio a sonhos, as luzes das chamas tremeluzindo no teto, enquanto degustavam maçãs e guloseimas. Que delícia era jantar com a tempestade rugindo lá fora!

Em uma noite, Gilbert as levou para visitar Diana e o recém-nascido.

– Nunca tinha segurado um bebê na minha vida – disse Katherine enquanto regressavam. – Primeiramente porque eu nunca quis, mas

---

26 Outra referência ao poema *A Morsa e o Carpinteiro*, de Lewis Carroll. (N. T.)

também por medo de que se quebrasse em minhas mãos. Você não imagina como me senti, tão grande e desajeitada com aquela coisinha delicada em meus braços. Sei que a senhora Wright passou o tempo todo achando que eu iria derrubá-lo; pude perceber seus esforços heroicos para esconder o pânico. Mas segurar o bebê mexeu comigo, só não consegui ainda definir como.

– Bebês são criaturas fascinantes – disse Anne, divagando. – Ouvi alguém dizer em Redmond que eles são "magníficos pacotinhos de potencialidades". Pense, Katherine, Homero já foi um bebê, um bebê com covinhas e grandes olhos brilhantes. Ele não era cego desde a infância, claro.

– Que lástima a mãe dele não saber que ele iria se tornar "O" Homero – disse Katherine.

– Mas estou contente pela mãe de Judas não saber de antemão que ele seria um Judas. Espero que não tenha chegado a descobrir.

Houve um concerto no salão da cidade, certa noite, com uma festa na casa de Abner Sloane em seguida, e Anne persuadiu Katherine a ir a ambos os eventos.

– Gostaria que lesse algo de nosso programa, Katherine. Ouvi dizer que você recita lindamente.

– Eu costumava recitar e gostava muito, mas no verão passado eu recitei em um evento na praia, organizado por um grupo de veranistas, e depois eu os ouvi rir de mim.

– Como sabe que eles estavam rindo de você?

– Só podia ser. Não havia outro motivo para estarem rindo.

Anne refreou um sorriso e persistiu.

– Poderia recitar *Genevra*. Ouvi dizer que sua leitura do poema é esplêndida. A senhora Stephen Pringle me contou que não conseguiu pregar o olho na noite em que ouviu você recitá-lo.

– Não. Nunca gostei desse poema. Está no programa da escola, então eu ocasionalmente tento mostrar à classe como recitá-lo. Na verdade, não tenho paciência para lê-lo. Por que ela não gritou quando percebeu que estava trancada? Alguém teria ouvido seus gritos enquanto a procuravam, com toda a certeza.

Katherine por fim prometeu que faria a leitura, mas não tinha certeza sobre a festa.

– Eu irei, é claro. Mas ninguém vai me chamar para dançar, e eu me sentirei sarcástica, invejosa e envergonhada. Sempre fico triste em festas, nas poucas a que já fui. Ninguém acha que eu sei dançar, e você sabe muito bem que isso não é verdade, Anne. Aprendi na casa do tio Henry, pois uma criada também queria aprender e nós costumávamos dançar juntas na cozinha ao som das músicas que tocavam na sala. Acho que até gostaria, com o parceiro certo.

– Você não ficará infeliz na festa, Katherine, e não vai ficar de fora, só olhando. Sabe, existe um mundo de diferença entre estar dentro e olhando para fora, e estar de fora olhando para dentro. Seu cabelo é tão lindo, Katherine. Você se importaria se eu tentasse um novo penteado?

Katherine deu de ombros.

– Ah, como quiser. Sei que meu cabelo é horroroso, mas não tenho tempo de penteá-lo sempre. Não tenho vestido de festa. Será que posso usar aquele meu verde, de tafetá?

– Não há outra opção, embora você nunca devesse usar verde, minha Katherine. Porém, você vai usar também uma gola de chiffon vermelha que eu fiz para você. Vai, sim. Você deveria ter um vestido vermelho, Katherine.

– Sempre odiei vermelho. Quando fui morar na casa do tio Henry, a tia Gertrude sempre me fazia usar aventais de um vermelho intenso. As outras crianças gritavam "fogo!" quando eu ia à escola com um deles. De qualquer forma, não gosto de me preocupar com essas coisas.

– Deus, me dê paciência! Roupas são muito importantes – disse Anne seriamente, enquanto penteava e trançava os cabelos de Katherine. Depois de aprovar seu trabalho, ela colocou as mãos sobre os ombros e virou-a para o espelho.

– Você não acha que somos uma dupla de garotas muito bonitas? – divertiu-se ela. – Não é lindo pensar que as pessoas vão se sentir bem ao olharem para nós? Há tantas pessoas desmazeladas por aí que ficariam tão atraentes com um pouquinho de esforço... Três domingos atrás, na igreja... Lembra-se daquele dia em que o pobre senhor Milvain estava tão gripado que ninguém entendeu uma palavra do sermão? Bem, eu passei o tempo todo fazendo as pessoas ao meu redor ficarem bonitas. Dei à senhora Brent um novo nariz, enrolei os cabelos de Mary Addison e dei um enxague de limão aos de Jane Marden; vesti Emma Dill em azul, em vez de marrom, Charlotte Blair em listas, e não xadrez; removi várias verrugas e as longas costeletas loiras de Thomas Anderson. Você não os teria reconhecido depois que terminei e, exceto talvez pelo nariz da senhora Brent, eles mesmos poderiam ter feito tudo isso. Katherine, seus olhos são da cor do chá... com tons âmbares. Agora, faça jus ao seu nome esta noite. Um "córrego"[27] deve ser cintilante, diáfano e alegre.

– Tudo que não sou.

– Tudo que você tem sido na última semana. Então, você conseguirá.

– É a mágica de Green Gables. Voltar para Summerside será a badalada da meia-noite para a Cinderela.

– A mágica voltará consigo. Olhe só para você... Deslumbrante como sempre deveria estar.

– Pareço mesmo anos mais jovem – admitiu. – Você estava certa... As roupas ajudam muito. Ah, sei que aparento ser mais velha do que sou, mas eu não me importava. Por que deveria? Ninguém mais se importava. E não sou como você, Anne, que aparentemente já nasceu sabendo como viver. Não sei nada disso, nem mesmo o abc. Imagino se já é tarde demais para mudar. Sou sarcástica há tanto tempo que não sei se consigo deixar de sê-lo. O sarcasmo parecia ser a única forma de eu conseguir causar alguma impressão em alguém. E me parece, também, que sempre tive medo de estar na companhia dos outros, medo de dizer algo estúpido ou medo de que rissem de mim.

---

27 Trocadilho entre o sobrenome de Katherine Brooke e a palavra "brook", que significa "córrego" em inglês. (N. T.)

– Katherine Brooke, olhe para si mesma no espelho e leve consigo esta imagem: os cabelos magníficos emoldurando seu rosto, em vez de puxados para trás, os olhos cintilando como estrelas negras, um leve rubor de entusiasmo nas bochechas, então leve-a e não terá medo. Agora, venha. Vamos nos atrasar, mas felizmente todos que se apresentarão têm o que a Dora chamou de assentos "preservados".

Gilbert as levou até o salão. Era como nos velhos tempos. No entanto, era Katherine que estava ao seu lado, e não Diana. Anne suspirou. Diana tinha tantos outros interesses agora. As festas e os concertos haviam chegado ao fim para ela.

E que bela noite! Que estradas prateadas e acetinadas, com o horizonte de um verde pálido a Oeste depois da neve! Orion marchava majestosamente pelo céu, e colinas, campos e bosques os rodeavam sob um silêncio perolado.

A leitura que Katherine fez capturou a plateia desde a primeira linha, e não houve música suficiente na festa para todos os possíveis parceiros. De repente, ela descobriu-se rindo sem amargura. Depois voltaram para Green Gables, onde aqueceram os dedos dos pés na lareira sob a luz acolhedora das velas sobre a cornija. A senhora Lynde entrou de mansinho no quarto delas, tarde da noite, para perguntar se queriam outro cobertor e para garantir que o filhotinho de Katherine estava enrolado e quentinho em um cesto atrás do fogão da cozinha.

"Vejo a vida com novos olhos, agora", pensou Katherine conforme adormecia. "Não sabia que existiam pessoas assim."

– Volte para nos visitar – disse Marilla quando chegou a hora de partirem.

Marilla jamais dizia isso a alguém a menos que o desejasse.

– Claro que ela voltará – disse Anne. – Para passar os fins de semana, e as semanas durante o verão. Acenderemos fogueiras e trabalharemos no jardim, colheremos maçãs, cuidaremos das vacas, passearemos de barco na lagoa e nos perderemos nos bosques. Quero lhe mostrar o jardim da pequena Hester Gray, Katherine, e também Echo Lodge e o Vale das Violetas repleto de flores.

CAPÍTULO 7

Windy Poplars
5 de janeiro

A rua que fantasmas (supostamente) frequentam.
MEU ESTIMADO AMIGO,
Não foi a avó da tia Chatty que escreveu isso, mas ela teria escrito se tivesse lhe ocorrido.

Minha resolução de Ano-novo é de escrever cartas de amor mais sensatas. Acha que é possível?

Fui embora da minha querida Green Gables, mas voltei para a minha adorada Windy Poplars. Rebecca Dew havia acendido o fogo no quarto da torre e posto uma garrafa de água quente em minha cama.

Que bom que gosto de Windy Poplars. Seria horrível morar em um lugar de que não gosto, que não fosse acolhedor e que não dissesse: "estou feliz por ter voltado". Windy Poplars faz isso. É uma casa um pouco antiquada e empertigada, mas gosta de mim.

Também fiquei contente em reencontrar a tia Kate, a tia Chatty e a Rebecca Dew. Não posso deixar de ver seus aspectos engraçados e as amo muito por causa deles.

Rebecca Dew me disse algo muito bonito ontem: "A Rua do Fantasma se tornou um lugar diferente depois que veio para cá, senhorita Shirley".

Que bom que gostou da Katherine, Gilbert. Ela foi surpreendentemente simpática com você. É incrível como consegue ser agradável quando quer e acredito que esteja tão impressionada com ela mesma quanto as outras pessoas. Ela não fazia ideia de como seria tão fácil.

Ter uma vice com quem é possível trabalhar vai fazer muita diferença na escola. Ela vai mudar de pensão, e já a persuadi a comprar o chapéu de veludo. Também não perdi as esperanças de convencê-la a juntar-se ao coral.

Ontem, o cachorro do senhor Hamilton veio até aqui e perseguiu Dusty Miller. E Rebecca Dew disse que era o fim da picada. Com as bochechas vermelhas ainda mais vermelhas, as costas gordas tremendo de raiva, ela saiu correndo, na pressa, vestiu o chapéu ao contrário e foi até a casa do senhor Hamilton para dizer-lhe algumas verdades. Posso imaginar o rosto divertido dele enquanto a ouvia. Ela disse a ele que não gosta Daquele Gato, mas que ele é o nosso gato e o cachorro dos Hamiltons não pode vir aqui e desrespeitá-lo no próprio quintal. O senhor Hamilton disse que o cachorro só fez isso de brincadeira, e Rebecca disse que o conceito de diversão dos Hamiltons era bem diferente do dos MacCombers, dos MacLeans e, por falar nisso, dos Dews. Sem jeito, ele se desculpou: "Deixe disso. Você deve ter comido repolho no jantar, senhorita Dew", e ela respondeu: "Não, mas poderia. A senhora do capitão MacComber não vendeu todos os repolhos no outono passado e deixou a família sem nenhum porque o preço estava alto. Algumas pessoas não conseguem escutar direito por causa do tilintar nos bolsos".

E ela o deixou pensando nisso. E depois perguntou-me o que se podia esperar de um Hamilton. Pois era Gente de quinta categoria!

Há uma estrela rubra sobre a Rainha das Tormentas. Gostaria que estivesse aqui para observá-la comigo. Se estivesse, aposto que seria mais do que um momento de apreço e amizade.

12 de janeiro

Duas noites atrás, a pequena Elizabeth veio até aqui para pedir que eu lhe explicasse que tipo peculiar e terrível de animal eram os decretos papais e para me contar com lágrimas nos olhos que a professora a convidou para cantar em um concerto que a escola está organizando, mas que a senhora Campbell negou categoricamente. Quando Elizabeth tentou suplicar, a idosa disse para fazer a bondade de não responder para ela.

A pequena Elizabeth derramou algumas lágrimas amargas no quarto da torre naquela noite e disse que isso a faria ser a Lizzie para sempre. Que jamais conseguiria ser outro de seus nomes e que na semana passada amava Deus, mas não nesta.

Toda a sua classe ia participar do programa, e ela se sentia uma "regada". Achei uma gracinha ela querer dizer que se sentia uma renegada, o que era suficientemente triste. A querida Elizabeth não deveria se sentir assim.

Então, inventei uma desculpa para ir até Evergreens no fim da tarde do dia seguinte. A Ajudante, que poderia muito bem ter vivido nos tempos do Dilúvio, de tão anciã, fulminou-me com os olhos cinza e inexpressivos, acompanhou-me sorumbaticamente até a sala de visitas e foi avisar a senhora Campbell que eu queria falar com ela.

Acho que nenhum raio de sol entra naquela sala desde a sua construção. Havia um piano, mas tenho certeza de que nunca foi tocado. Cadeiras duras, cobertas por brocado de seda, estavam encostadas na parede. Toda a mobília estava, exceto uma mesinha de centro de tampo de mármore. Nenhuma das peças parecia conhecer as outras.

A senhora Campbell chegou. Eu nunca a vira antes. Tinha um rosto fino e esculpido que poderia ter sido o de um homem, com olhos negros e sobrancelhas pretas fartas sob o cabelo grisalho. Não havia renunciado a todos os adornos vaidosos do corpo, pois usava grandes brincos de ônix que chegavam até os ombros. Ela foi dolorosamente educada comigo, e fui dolorosamente educada com ela. Sentamos e trocamos amenidades sobre o clima por alguns instantes ambas, como Tácito observou há alguns milhares de anos, "com expressões adequadas à ocasião"[28]. Expliquei, com sinceridade, que estava ali para saber se poderia me emprestar as memórias do reverendo James Wallace Campbell por um curto período de tempo, pois me parecia que havia muita coisa nelas sobre a história do condado que eu gostaria de usar nas aulas.

A senhora Campbell abrandou-se visivelmente e chamou Elizabeth, pedindo que fosse até o quarto e buscasse o livro. O rosto de Elizabeth mostrava traços de lágrimas, e a senhora explicou que era porque a professora havia escrito outro bilhete implorando que a menina pudesse participar do concerto e que ela, a senhora Campbell, escrevera uma resposta taxativa para que a menina levasse para a professora na manhã seguinte. Ela disse que não aprovava que crianças da idade de Elizabeth cantassem em público, pois isso as deixava impertinentes e atrevidas.

Como se a pequena Elizabeth pudesse ficar mais impertinente e atrevida! Então comentei em meu melhor tom condescendente: "Suponho que a senhora seja sábia, senhora Campbell. Mabel Phillips vai cantar e me disseram que a voz dela é tão maravilhosa que ofuscará as outras. Sem dúvida, é muito melhor que Elizabeth não compita com ela".

A senhora Campbell parecia intrigada, pois podia ser uma Campbell por fora, mas era uma Pringle no âmago. Ela não disse nada, contudo eu sabia o momento certo de parar. Agradeci pelo livro e fui embora.

Na noite seguinte, quando a pequena Elizabeth foi buscar o leite, seu rostinho pálido e delicado como uma flor parecia literalmente brilhar. Ela me contou que a senhora Campbell permitiu que ela cantasse no coral, mas que tomasse cuidado para não ficar vaidosa.

Acontece que Rebecca Dew havia me contado que o clã dos Philips e o dos Campbells sempre competiram para ver quem tinha a melhor voz!

---

28 Referência ao livro *Anais*, de Tácito, senador e historiador romano (97 d.C.-56 d.C.). (N. T.)

Eu dei um quadro de presente de Natal para Elizabeth, para que pendure sobre a cama, uma senda em um bosque sarapintada pelo sol, que leva colina acima até uma pitoresca casinha entre algumas árvores. A pequena disse que agora não tem mais tanto medo de dormir no escuro, pois, assim que se deita, ela se imagina caminhando pela vereda até entrar na casa, toda iluminada, e encontrar o pai dela, coitadinha! Não consigo evitar de detestar o pai dela.

19 de janeiro
Ontem houve um baile na casa de Carry Pringle. Katherine estava lá, em seu vestido de seda vermelho-escuro com babados nas laterais e um penteado feito por uma cabeleireira. Dá para acreditar que pessoas que a conhecem desde que veio ensinar em Summerside chegaram a perguntar umas para as outras quem era ela, quando chegou? Creio que não foi o vestido nem o penteado que fizeram tanta diferença, mas uma mudança nela mesma. Antes, sempre que estava na presença de outras pessoas, sua atitude era: "Essa gente me aborrece, e espero que eu as aborreça também". Na noite passada, porém, foi como se ela tivesse acendido velas em toda as janelas de sua alma. Foi trabalhoso ganhar a afeição de Katherine, mas nada que valha a pena vem fácil, e eu sempre soube que era digna da amizade dela.

A tia Chatty está de cama há dois dias com uma gripe febril e acha que é melhor que o médico venha visitá-la amanhã, caso esteja com pneumonia. Assim, Rebecca Dew, com um lenço amarado na cabeça, passou o dia limpando a casa feito uma louca para deixá-la em perfeitas condições antes da possível chegada do doutor. Agora ela está na cozinha, passando a camisola branca de algodão com um laço de crochê da tia Chatty, para que esteja de prontidão caso precise vesti-la sobre a camisola de flanela. Estava impecavelmente limpa, mas a Rebecca Dew achou que a cor não estava boa o suficiente, por ter ficado guardada na cômoda.

28 de janeiro

Janeiro foi um mês de dias frios e pardacentos, com ocasionais tempestades passando pelo porto e jogando neve e vento na Rua do Fantasma, mas na noite passada houve um degelo prateado, e hoje o sol brilhou. Meu bosque de bordos abrigava esplendores inimagináveis, até mesmo os lugares comuns pareciam adoráveis, e as cercas de arame pareciam maravilhosas rendas de cristal.

Nesta tarde, Rebecca Dew estava debruçada sobre uma de minhas revistas, lendo um artigo intitulado "Tipos de Beleza Feminina", ilustrado com fotografias. Ela disse, melancolicamente: "Não seria lindo se alguém simplesmente agitasse uma varinha mágica e tornasse todo mundo bonito? Imagine o que eu sentiria, senhorita Shirley, se me descobrisse linda! Porém, se todos fôssemos beldades, quem faria o trabalho pesado?".

CAPÍTULO 8

– Estou tão cansada – queixou-se a prima Ernestine Bugle, sentando-se à mesa de jantar em Windy Poplars. – Às vezes tenho medo de me sentar e nunca mais conseguir levantar.

A prima Ernestine, prima de terceiro grau do falecido Capitão MacComber ("ainda assim, próxima demais", como a tia Kate costumava comentar), viera de Lowvale para fazer uma visita. Não se pode dizer que as viúvas a receberam de coração aberto, apesar dos sagrados laços familiares. A prima Ernestine não era uma pessoa vivaz, um desses seres desafortunados que estão constantemente preocupando-se não apenas com os próprios problemas, mas também com os dos demais, e que nunca dão descanso para si mesmos ou para os outros. Só de olhá-la você sente que a vida é um vale de lágrimas, como declarou Rebecca Dew.

Certamente não era bonita, e era extremamente duvidoso que já tivesse sido. Tinha um rosto diminuto, seco e franzido, olhos azuis desbotados, várias verrugas nos piores lugares possíveis e uma voz chorosa. Usava um vestido preto velho e uma echarpe decrépita de pele que se recusou a tirar à mesa, por medo de correntes de ar.

Rebecca Dew poderia ter se sentado com elas se quisesse, pois as viúvas não consideravam a prima Ernestine uma "visita" em particular. Porém, Rebecca sempre comentava que não conseguia "saborear a refeição" na presença daquela velha estraga-prazeres. Ela preferia comer na cozinha, mas isso não a impediu de participar da conversa enquanto as servia.

– Deve ser a primavera que está entrando em seus ossos – comentou com antipatia.

– Ah, tomara que seja só isso, senhorita Dew. Tenho medo de que seja o mesmo caso da infeliz da senhora Oliver Gage. Ela comeu cogumelos no verão passado, mas devia ter algum venenoso no meio, pois ela nunca mais foi a mesma desde então.

– Mas não é possível que tenha comido algum cogumelo nessa época – disse a tia Chatty.

– Não, mas temo ter comido alguma outra coisa. Não tente me animar, Charlotte. A intenção é boa, mas inútil, pois já vivi muita coisa. Tem certeza de que não tem uma aranha no pote do creme, Kate? Creio que vi uma quando você me serviu.

– Nunca há aranhas em nossa louça – disse Rebecca Dew solenemente, antes de bater a porta da cozinha.

– Talvez fosse apenas uma sombra – disfarçou a prima Ernestine. – Meus olhos já não os mesmos, temo que logo ficarei cega. O que me faz lembrar que fui visitar Martha MacKay nesta tarde, e ela estava se sentindo febril, com algum tipo de alergia por todo o corpo. "Parece que é sarampo", eu disse. "Provavelmente vai deixá-la quase cega; toda a sua família tem a vista ruim." Achei que ela deveria estar preparada. A mãe dela também não está bem. O médico disse que é indigestão, mas temo que seja um tumor. "E, se você tiver que passar por uma operação e ser sedada com clorofórmio, temo que não volte a acordar", eu disse. "Lembre-se de que você é uma Hillis, e todos os Hillis têm o coração fraco. Seu pai morreu do coração, você sabe."

– Aos oitenta e sete! – disse Rebecca Dew, tirando o prato dela.

– E você sabe que três vintenas mais dez é o limite de idade na Bíblia – comentou a tia Chatty alegremente.

A prima Ernestine serviu-se de uma terceira colherada de açúcar e mexeu o chá com tristeza.

– Foi o que disse o rei Davi, Charlotte, mas temo que Davi não era um homem muito bom em certos aspectos.

Anne captou o olhar da tia Chatty e riu antes que pudesse se conter.

A prima Ernestine olhou para ela com reprovação.

– Ouvi dizer que você é uma garota risonha. Bem, espero que isso dure, mas temo que não durará. Temo que muito em breve descobrirá que a vida é um assunto melancólico. Ah, bem, eu também já fui jovem.

– Foi mesmo? – perguntou Rebecca Dew sarcasticamente, trazendo os *muffins*. – Tenho a impressão de que você sempre teve medo de ser jovem. É preciso coragem, eu garanto, senhorita Bugle.

– Rebecca Dew tem um jeito tão estranho de dizer as coisas – reclamou a prima Ernestine. – Não que ela me incomode, longe disso. E pode rir o quanto quiser, senhorita Shirley, mas temo que esteja provocando a Divina Providência sendo tão feliz. Você me lembra muito a tia da esposa do nosso último ministro. Ela estava sempre rindo e morreu de ataque paralítico. O terceiro é fatal. Temo que o nosso novo ministro em Lowvale tenha tendências frívolas. No instante em que o vi, eu disse para Louisy: "Temo que um homem com pernas como as dele seja viciado em dançar". Suponho que tenha renunciado à dança quando se tornou ministro, mas temo que seja algo de família. Tem uma esposa jovem, e dizem que ela é escandalosamente apaixonada por ele. Não consigo aceitar a ideia de alguém se casando com um ministro por amor; temo que seja terrivelmente irreverente. Seus sermões são muito bons, mas, com base no que disse sobre Elias, o Tisbita, no domingo passado, temo que sua leitura da Bíblia seja muito liberal.

– Vi nos jornais que Peter Ellis e Fanny Bugle se casaram na semana passada – disse a tia Chatty.

– Ah, sim. Temo que seja um caso de casamento às pressas e arrependimento a perder de vista. Eles se conhecem há apenas três anos, e receio que Peter descubra que nem tudo que reluz é ouro. Temo que Fanny seja muito indolente, pois ela passa os guardanapos de mesa só do lado direito. Diferentemente da santa da mãe dela. Ah, ela era um exemplo de mulher prestativa. Sempre usava camisolas pretas quando estava de luto e dizia que sentia tão mal de dia quanto à noite. Eu estava na casa de Andy Bugle, ajudando na cozinha, e me deparei com a Fanny comendo um ovo de desjejum, sendo que ia se casar naquele dia! Acho que vocês não acreditam em mim, e eu também não acreditaria se não tivesse visto com meus próprios olhos. Minha falecida irmã não comeu nada por três dias depois que se casou. E, depois que o marido morreu, todos temíamos que jamais voltaria a comer. Às vezes, sinto que já não consigo mais entender os Bugles. Houve um tempo em que você sabia onde estava junto aos seus, mas as coisas já não são mais assim.

– É verdade que Jean Young vai se casar novamente? – perguntou a tia Kate.

– Temo que seja verdade. Fred Young foi dado como morto, mas tenho muito medo de que reapareça vivo. Aquele homem nunca foi confiável. Ela vai se casar com Ira Roberts, e temo que ele esteja se casando apenas para fazê-la feliz. O tio dele, Philip, quis se casar comigo, mas eu falei: "Bugle eu nasci, e Bugle morrerei". Houve um monte de casamentos em Lowvale neste inverno, e temo que haverá funerais o verão todo para compensar. Annie Edwards e Chris Hunter se casaram no mês passado. Daqui a alguns anos, temo que não gostarão tanto um do outro como agora. Receio que ela tenha se deixado levar pelo charme dele. O tio dele, Hiram, era louco, pois acreditou durante anos que era um cachorro.

– Se só latia, não vejo por que alguém deveria ter estragado a diversão dele – disse Rebecca Dew, trazendo a conserva de pera e o bolo.

– Nunca ouvi falar que ele latia – disse a prima Ernestine. – Só roía ossos e os enterrava quando ninguém estava olhando. A esposa o deixou.

– Onde a senhora Hunter foi passar este inverno? – perguntou a tia Chatty.

– Foi passar com o filho em São Francisco, e tenho muito medo de que aconteça outro terremoto antes que ela volte. De qualquer modo, com certeza tentará trazer alguma mercadoria contrabandeada e terá problemas na fronteira. Em suas viagens, quando não é uma coisa, é outra, mas parece que as pessoas são loucas por viajar. Meu primo Jim Bugle foi passar o inverno na Flórida. Temo que esteja se tornando rico e mundano. Eu lhe disse antes de partir, pois lembro que foi na noite antes de o cachorro dos Colemans morrer ou não? Sim, foi. Eu disse: "A soberba precede a ruína, e a altivez do espírito precede a queda"[29]. A filha dele dá aula na escola da estrada Bugle e não consegue se decidir entre os pretendentes. "Posso garantir uma coisa, Mary Antonetta", eu disse, "você nunca escolherá o que mais ama. Assim, é melhor escolher aquele que a ama, se tiver certeza do amor dele". Espero que escolha melhor que Jessie Chipman, pois receio que se casará com Oscar Green só porque ele sempre esteve por perto. "Foi isso que você escolheu?", eu disse para ela. O irmão dele morreu de tuberculose galopante. "E não se case em maio, pois é um mês de má sorte para um casamento."

– Que encorajadora você é! – disse Rebecca Dew, trazendo um prato de *macarons*.

– Poderiam me dizer – disse a prima Ernestine, ignorando a Rebecca Dew e servindo-se novamente de peras –, se uma calceolária é uma flor ou uma doença?

– Uma flor – disse a tia Chatty.

A prima Ernestine pareceu ficar um pouco desapontada.

– Bem, o que quer que seja, é o que tem a viúva de Sandy Bugle, pois eu a ouvi contar para a irmã na igreja, no domingo passado. Seus gerânios estão terrivelmente desfolhados, Charlotte. Temo que você não os adube adequadamente. A senhora Sandy já deixou o luto, e o Sandy morreu há apenas quatro anos. Ah, bem, os mortos são rapidamente esquecidos, hoje em dia. Minha irmã usou crepe em honra ao marido por vinte e cinco anos.

– Sabia que sua carcela está aberta? – disse Rebecca, colocando uma torta de coco diante da tia Kate.

---

[29] Referência ao Antigo Testamento – Provérbios 16:18. (N. T.)

– Não tenho tempo para ficar olhando no espelho – disse a prima Ernestine acidamente. – E qual é o problema? Estou usando três anáguas, não estou? Dizem que as garotas de hoje em dia usam apenas uma. Temo que o mundo esteja terrivelmente expansivo e leviano. Pergunto-me o que as pessoas pensam do dia do juízo.

– Acha mesmo que no juízo final vão nos perguntar quantas anáguas estamos usando? – perguntou Rebecca Dew, escapando para a cozinha antes que alguém adotasse uma expressão de horror. Até mesmo a tia Chatty achava que ela tinha ido longe demais.

– Suponho que tenha lido sobre a morte de Alec Crowdy nos jornais, na semana passada – suspirou a prima Ernestine. – A esposa dele morreu dois anos atrás, literalmente levada à sepultura pelas amarguras. Dizem que estava solitário depois da morte dela, mas temo que seja bom demais para ser verdade e receio que os problemas não tenham terminado, mesmo depois que ele foi para a cova. Ouvi dizer que ele não quis fazer um testamento e temo que haverá muitas brigas por causa da propriedade. Dizem que Annabel Crowdy vai se casar com um pau para toda obra. O primeiro marido da mãe dele era um, e talvez seja hereditário. Annabel já teve uma vida dura e temo que acabará saindo da panela para cair no fogo, isso se não descobrir que ele já tem outra esposa.

– O que Jane Goldwin anda fazendo neste inverno? – quis saber a tia Chatty. – Ela não vem à cidade há muito tempo.

– Ah, coitada da Jane! Está misteriosamente desvanecendo-se. Ninguém sabe o motivo, mas temo que seja apenas um álibi. Por que a Rebecca Dew está rindo como uma hiena na cozinha? Tenho medo de que vocês acabem tendo de cuidar dela. Existem muitos problemas mentais na família Dew.

– Fiquei sabendo que Thyra Cooper teve um filho – comentou a tia Chatty.

– Ah, sim, a pobrezinha. Só um, graças a Deus. Temia que viessem gêmeos. É comum entre os Coopers.

– Thyra e Ned são um casal de jovens tão lindo – disse a tia Kate, como se estivesse determinada a salvar alguma coisa da catástrofe que era o universo.

A prima Ernestine, porém, não admitira que houvesse algum bálsamo em Gilead, muito menos em Lowvale.

– Ah, ela teve sorte em finalmente conseguir agarrá-lo. Houve uma época em que ela temia que ele nunca fosse voltar do Oeste. Eu a avisei: "tenha toda a certeza de que ele a desapontará; ele sempre decepcionou as pessoas, e todos achavam que iria morrer antes de completar um ano de vida, mas segue vivo, como pode ver". Quando ele comprou a antiga casa dos Holly, voltei a adverti-la: "Receio que o poço esteja contaminado por febre tifoide, pois o capataz dos Hollys morreu de febre tifoide cinco anos atrás". Eles não podem me culpar se algo acontecer. Joseph Holly tem um problema nas costas; ele chama de lumbago, mas receio que seja o começo de uma meningite.

– O velho tio Joseph é um dos melhores homens do mundo – disse Rebecca Dew, trazendo um novo bule de chá.

– Ah, é uma pessoa boa – disse a prima Ernestine lugubremente. – Boa até demais! Temo que seus filhos se perderão para o outro lado. Como acontece com muita frequência, é como se um equilíbrio tivesse que ser alcançado. Não, muito obrigada, Kate, mas não quero mais chá... bem, talvez um *macaron*. Eles me caem bem, mas receio que já tenha comido o suficiente. Devo partir, pois não quero chegar em casa antes do anoitecer nem molhar meus pés; tenho muito medo de pegar pneumonia. Durante todo o inverno, senti algo que desce pelo meu braço até as pernas. Passei noites e noites em claro. Ah, ninguém sabe o que eu passei, mas não sou do tipo que reclama. Estava decidida a vê-las mais uma vez, pois talvez eu não esteja aqui na próxima primavera, mas vocês parecem muito debilitadas, de forma que talvez acabem indo antes de mim. Ah, bem, é melhor partir enquanto ainda há alguém da família para sepultar você. Meu Deus, como está ventando! Receio que o telhado do nosso celeiro seja levado se vier um temporal. Tivemos muito vento nessa primavera e temo que o clima esteja mudando. Obrigada, senhorita Shirley... – disse quando Anne a ajudou com o casaco. – Cuide-se. Você parece terrivelmente abatida e receio que os ruivos não tenham uma saúde de ferro.

– Minha saúde está muito bem, obrigada – sorriu Anne, entregando à prima Ernestine um chapéu indescritível, com uma pena de avestruz oleosa na parte de trás. – Estou com um pouco de dor de garganta nesta noite, só isso.

– Ah! – A prima Ernestine teve outro de seus pressentimentos sombrios. – Tome cuidado com a dor de garganta. Os sintomas de difteria e amidalite são iguais até o terceiro dia, mas há um consolo: se morrer jovem, será poupada de muitas preocupações.

CAPÍTULO 9

Quarto da Torre
Windy Poplars
20 de abril

MEU POBRE E QUERIDO GILBERT,

"Concluí que o riso é loucura e que a alegria de nada vale."[30] Temo que ficarei grisalha ainda jovem... Temo que acabarei em um asilo... Temo que nenhum de meus alunos passe nas provas finais... O cachorro do senhor Hamilton latiu para mim no sábado à noite, e receio que terei hidrofobia... Temo que meu guarda-chuva vire do avesso quando me encontrar com Katherine nesta noite... Katherine e eu somos tão amigas agora, que receio que logo brigaremos... Temo que meu cabelo não seja castanho-avermelhado, no fim das contas... Receio que uma verruga nascerá na ponta do meu nariz quando tiver cinquenta anos... Temo que a minha escola pegue fogo... Tenho medo de encontrar um rato em minha cama à noite... Receio que tenha ficado noivo de mim só porque eu estava ao seu lado o tempo todo... Tenho medo de que em breve começarei a implicar com a colcha da cama.

---

30 Referência ao Antigo Testamento, Eclesiastes 2:2. (N. T.)

Não, meu amado, não estou louca... Ainda não. É que a prima Ernestine é contagiosa.

Agora sei por que a Rebecca Dew sempre a chamou de "senhorita Temerosa". A pobre alma procura tanto por problemas que deve estar irremediavelmente endividada com o destino.

Há tantos Bugles no mundo, nem todos tão fanáticos como a prima Ernestine, talvez, mas ainda assim são uma família de estraga-prazeres, receosos de desfrutar do agora por causa do que trará o amanhã.

Gilbert, querido, nunca tenhamos medo das coisas, pois é uma escravidão pavorosa. Dancemos para receber a vida e tudo que ela pode nos oferecer, mesmo que isso acabe em um monte de problemas, febre tifoide e gêmeos!

Hoje foi um verdadeiro dia de junho em pleno abril. A neve se foi, e as pradarias marrons e as colinas douradas cantam a primavera. Tenho certeza de que ouvi a flauta do Fauno no pequeno vale verdejante em meu bosque de bordos, e a minha Rainha das Tormentas está envolta por uma etérea névoa púrpura. Tivemos muita chuva ultimamente, e eu adoro sentar-me em minha torre e apreciar os crepúsculos úmidos e primaveris, mas esta é uma noite de rajadas fortes de vento. As nuvens parecem estar com pressa, e o luar derrama-se por entre elas impacientemente para inundar o mundo.

Imagine, Gilbert, que estamos passeando de mãos dadas por uma das longas estradas em Avonlea!

Gilbert, temo que eu esteja escandalosamente apaixonada por você. Não acha isso uma ideia irreverente, acha? Ainda bem que você não é ministro da igreja.

CAPÍTULO 10

– Sou tão diferente... – suspirou Hazel.

Era muito ruim ser discrepante dos outros e maravilhoso, ao mesmo tempo, como se fosse originário de outro planeta. Por nada no mundo Hazel preferiria pertencer ao rebanho dos comuns, não importava o quanto sofresse por ser tão distinta.

– Todo mundo é diferente – disse Anne, de bom humor.

– Você está sorrindo. – Hazel juntou as mãos muito brancas e cheias de pintas e olhou com ternura para Anne. Ela enfatizou pelo menos uma sílaba em cada palavra que pronunciou. – Você tem um sorriso tão fascinante e tão marcante que eu soube, no instante em que a vi pela primeira vez, que você compreenderia tudo, pois estamos na mesma sintonia. Às vezes acho que sou sensitiva, porque sempre sei instintivamente se vou gostar de uma pessoa ou não no momento em que a conheço e soube de cara que você tem empatia e que me entenderia. É tão bom ser compreendia, e ninguém me entende, senhorita Shirley. No entanto, quando eu a vi, uma vozinha sussurrou: "Ela compreenderá, com ela poderá ser você mesma". Ah, senhorita Shirley, sejamos sempre francas: você me ama, pelo menos um pouquinho, um tiquinho?

– Acho você um encanto – disse Anne, rindo e afagando os cachos dourados dela com os dedos delgados. Era muito fácil gostar de Hazel.

Hazel estava desabafando com Anne no quarto da torre, de onde podiam ver uma lua jovem sobre o porto e o crepúsculo do fim de maio tingindo as tulipas carmesim nas janelas.

– Não acenda nenhuma luz ainda – implorou Hazel, ao que Anne respondeu:

– Não... É lindo quando a escuridão é sua amiga, não acha? As luzes a tornam nossa inimiga; ela nos encara com ressentimento.

– Posso até pensar em coisas desse tipo, mas nunca consigo expressá-las de maneira tão linda – lamentou Hazel, em um arroubo de emoção. – Você fala na língua das flores, senhorita Shirley.

Hazel não saberia explicar o que queria dizer com isso, mas não tinha importância. Soava tão poético!

O quarto da torre era o único cômodo tranquilo da casa. Rebecca Dew disse naquela manhã, com um olhar preocupado: "Temos que trocar o papel de parede da sala e do quarto de visitas antes da reunião da Sociedade Assistencial das Damas", e imediatamente retirou toda a mobília de ambos os cômodos para abrir espaço para o forrador, que acabou avisando que só viria no dia seguinte. Windy Poplars estava uma balbúrdia, e o quarto da torre era o único oásis.

Hazel Marr tinha um notório "fascínio" por Anne. Os Marrs eram novos em Summerside, tendo se mudado de Charlottetown durante o inverno. Hazel era uma "loira de outubro", como gostava de se descrever, com cabelos da cor do bronze e olhos castanhos. Segundo Rebecca Dew, descobrir que era bonita foi a pior coisa que lhe poderia ter acontecido, mas era popular, especialmente entre os rapazes, que achavam seus olhos e cachos uma combinação irresistível.

Anne gostava dela. Ao fim do dia, ela voltou para casa cansada e um tanto pessimista depois de todas as atividades na escola, mas agora já se sentia descansada. Se era graças à brisa de maio, doce com o perfume das macieiras em flor, ou ao papo com Hazel, ela não saberia dizer ao certo; era graças a ambos, talvez. Por algum motivo, Hazel fazia Anne lembrar-se da própria mocidade, com todos os êxtases, ideais e romantismos.

Hazel pegou a mão de Anne e a beijou com reverência.

– Odeio todas as pessoas que já amou antes de mim, senhorita Shirley. Odeio todas as outras pessoas que ama agora. Quero você exclusivamente.

– Não está sendo um pouco irracional, querida? Você ama outras pessoas além de mim. O Terry, por exemplo.

– Ah, senhorita Shirley! É disso que quero conversar. Não suporto mais ficar em silêncio e tenho que falar com alguém, com alguém que me compreenda. Ontem eu saí e dei voltas e mais voltas ao redor do lago a noite inteira. Bem, quase a noite inteira, até a meia-noite. De qualquer forma, já sofri tanto!

Hazel adotou uma expressão trágica, com seu rosto rosa e branco, os longos cílios e o halo de cachos.

– Mas eu achei que Terry e você eram tão felizes, que estava tudo acertado...

Anne não tinha culpa por pensar assim. Hazel só falara sobre o Terry Garland nas últimas três semanas, pois sua atitude era: qual era o sentido de se ter um namorado se você não pode falar dele com alguém?

– Todo mundo acha isso – retrucou Hazel com grande amargura. – Ah, senhorita Shirley, a vida parece tão cheia de problemas complexos! Às vezes tenho vontade de deitar-me em algum lugar, cruzar os braços e nunca mais pensar.

– Minha querida, o que deu errado?

– Nada e tudo. Ah, posso contar tudo e abrir meu coração para você?

– Claro, querida.

– Realmente não tenho como aliviar minha alma – disse Hazel pateticamente. – Apenas em meu diário, é claro. Gostaria de ver o meu diário algum dia, senhorita Shirley? É muito revelador e, mesmo assim, não posso escrever nele sobre o que aflige a minha alma. Está... sufocando-me! – Hazel agarrou o pescoço dramaticamente.

– Claro que sim, se quiser. Mas o que está acontecendo entre você e o Terry?

– Ah, Terry! Acreditaria se eu dissesse que ele parece um desconhecido para mim? Um estranho! Alguém que nunca vi antes – acrescentou Hazel, para que não houvesse engano.

– Mas, Hazel, achei que você o amasse. Você disse...

– Ah, eu sei. Eu achei que o amasse também, mas agora sei que foi um terrível engano. Ah, senhorita Shirley, nem sonharia o quão difícil é a minha vida, o quão impossível!

– Posso imaginar – disse Anne, lembrando-se de Roy Gardiner.

– Ah, tenho certeza de que não o amo suficientemente para casar-me com ele. Percebo isso agora que já é tarde demais. Só fui levada a achar que o amo por causa da lua. Se não fosse por ela, certamente teria pedido mais tempo para pensar, mas fui pega de surpresa e agora eu percebo. Ah, vou fugir, vou fazer algo desesperado!

– Mas, Hazel, se acha que foi um erro, por que não conta a ele...

– Ah, eu não conseguiria! Isso o mataria. Ele simplesmente me adora. Não tenho escapatória, e Terry está começando a falar de casamento. Imagine, uma criança como eu, que tem só dezoito anos! Todos os meus amigos a quem contei sobre meu noivado em segredo me parabenizaram. Eles acham que Terry é um ótimo partido porque herdará dez mil dólares quando fizer vinte e cinco; foi a avó que deixou para ele. Como se eu me importasse com uma coisa sórdida como dinheiro! Ah, senhorita Shirley, por que o mundo é tão mercenário. Por quê?

– Ele é mercenário em alguns aspectos, mas não de todo, Hazel. E, se não tem certeza em relação ao Terry, todos nós erramos, e às vezes é difícil saber o que queremos...

– Ah, não é mesmo? Eu sabia que você entenderia. Gosto muito dele, senhorita Shirley. A primeira vez em que o vi, passei a noite inteira olhando para ele. Ondas de sensações atravessaram meu corpo quando nossos olhos se encontraram. Ele estava tão lindo, embora eu já achasse que o cabelo dele era muito encaracolado e seus cílios brancos demais. Isso deveria ter me alertado, mas eu sempre entro de cabeça nas coisas, sabe, sou muito intensa. Eu sentia calafrios de êxtase sempre que ele se aproximava de mim. E agora não sinto nada! Ah, envelheci nessas últimas semanas, senhorita Shirley... e como! Mal tenho comido desde que fiquei noiva; pergunte para a mamãe. Estou certa de que não o amo o suficiente para nos casarmos. Independentemente das minhas outras dúvidas, disso eu tenho certeza.

– Então vocês não deveriam...

– Mesmo na noite enluarada em que ele me pediu em casamento, eu estava pensando no vestido que iria usar na festa à fantasia de Joan Pringle. Pensei em ir como rainha de maio, de verde-claro, com uma faixa em um tom de verde-escuro e pérolas rosa-chá nos cabelos. E um mastro decorado com rosas minúsculas e fitas de cores rosa e verde penduradas. Não é uma ótima ideia? Mas aí o tio da Joan resolveu morrer, e ela cancelou a festa, então de nada serviu. Mas a questão é... Eu não o amava de verdade, já que meus pensamentos não paravam de vagar, não é mesmo?

– Não sei... Nossos pensamentos pregam peças na gente, às vezes.

– Não sei nem se quero me casar algum dia, senhorita Shirley. Você tem um palito de madeira para me emprestar? Obrigada. Minhas unhas estão ásperas; é melhor lixá-las enquanto conversamos. Não é divertido trocar confidências? Temos tão poucas oportunidades... O mundo simplesmente não deixa. Bem, do que eu estava falando... Ah, sim, do Terry. O que devo fazer, senhorita Shirley? Quero o seu conselho. Ah, sinto-me como uma criatura trancafiada!

– Mas, Hazel, é tão simples...

– Ah, nem um pouco! É incrivelmente complicado. A mamãe está tremendamente feliz, mas a tia Jean não gosta do Terry, e todos dizem que ela é ótima para julgar as pessoas. Não quero me casar com ninguém. Sou ambiciosa, quero uma carreira. Às vezes, acho que gostaria de ser uma freira. Seria maravilhoso ser a noiva de Cristo! Acho a igreja católica tão pitoresca... Você acha? Mas claro que não sou católica. De qualquer forma, acredito que não dá para chamar isso de carreira. Sempre achei que iria adorar ser uma enfermeira. É uma profissão tão romântica, não concorda? Aliviar as testas febris e tudo mais, e então um belo paciente milionário cai de amores por você e a leva para passar a lua de mel em uma *villa* ensolarada na Riviera, de frente para o Mediterrâneo azul. Sonhos tolos, talvez. Ah! Mas tão doces. Não posso abrir mão deles pela realidade prosaica de um casamento com Terry Garland e uma vida em Summerside!

Hazel arrepiou-se só de pensar e examinou minuciosamente as unhas.

– Suponho que... – começou Anne.

– Não temos nada em comum, sabe, senhorita Shirley. Ele não liga para poesia e romance, e elas são a minha vida. Às vezes acho que sou a reencarnação de Cleópatra... ou seria da Helena de Troia? Alguma dessas mulheres lânguidas e sedutoras. Tenho pensamentos e sentimentos tão maravilhosos... Não sei de onde eles surgem se esta não for a explicação. E Terry é tão terrivelmente mundano; não deve ser a reencarnação de ninguém. O que ele disse quando contei sobre a caneta-tinteiro da Vera Fry prova isso, não é?

– O que tem a caneta-tinteiro da Vera Fry? – perguntou Anne, impaciente.

– Ah, você não sabe? Achei que tinha lhe contado. O noivo de Vera fez uma caneta-tinteiro para ela com uma pena que havia caído da asa de um corvo. Ele disse "que seu espírito se eleve ao céu sempre que usá-la, como o pássaro que uma vez a carregou". Não é maravilhoso? Mas Terry disse que a pena ficaria gasta logo, especialmente se Vera escrevesse tanto quanto fala, e que, de qualquer forma, ele não achava que corvos voassem tão alto assim. Ele não entendeu o significado do todo, a essência pura.

– E qual é o significado?

– Ah... Bem... Bem... Elevar-se, sabe... fugir das baixezas da terra. Reparou na aliança da Vera? Uma safira. Acho que safiras são escuras demais para alianças de noivado. Prefiro seu romântico e delicado anel de pérolas. Terry queria me dar a aliança logo de início, mas eu disse que não, por enquanto... Seria como um grilhão... tão irrevocável, sabe? Não teria me sentido assim se o amasse de verdade, não é?

– Receio que não...

– Foi maravilhoso poder contar a alguém como me sinto de verdade. Ah, se ao menos eu conseguisse ser livre novamente, livre para buscar o verdadeiro sentido da vida! Terry não entenderia o que quero dizer com isso. E sei que ele tem pavio curto, como todos os Garlands. Ah, senhorita Shirley, se você pudesse falar com ele, dizer como me sinto, ele acha você incrível e se deixaria guiar por suas palavras.

– Hazel, minha menina, não posso fazer isso.

– Não vejo por que não. – Hazel terminou de lixar a última unha e baixou o palito de madeira dramaticamente. – Mas, se não pode, não vejo nenhuma outra alternativa. Só sei que nunca, NUNCA me casaria com Terry Garland.

– Se não ama o Terry, você precisa ser sincera com ele, não importa o quanto isso o magoe. Algum dia você encontrará alguém que realmente ama, querida Hazel, e não terá dúvida alguma. Você saberá.

– Nunca mais amarei ninguém – disse Hazel com uma calma estoica. – O amor só traz sofrimento. Mesmo ainda muito jovem, já aprendi. Isso daria um ótimo enredo para uma de suas histórias, não acha? Tenho que ir embora. Não tinha percebido como já é tarde. Estou me sentindo tão melhor depois de ter conversado com você... "Tocou a minha alma na terra das sombras", como diria Shakespeare.

– Acho que foi Pauline Johnson – corrigiu Anne com gentileza.

– Bem, sei que foi alguém que já viveu. Acho que vou conseguir dormir esta noite, senhorita Shirley. Mal consigo dormir desde meu noivado, sem a mínima ideia de como isso aconteceu.

Hazel afofou os cabelos e colocou o chapéu decorado com flores rosas, com aba bordada também de rosa. Ficou tão deslumbrante que Anne lhe deu um beijo impulsivamente.

– Você é muito linda, minha querida – admirou Anne.

Hazel permaneceu imóvel.

Então, ergueu os olhos e olhou através do teto do quarto da torre, através do sótão, até alcançar as estrelas.

— Nunca, jamais me esquecerei deste momento maravilhoso, senhorita Shirley — murmurou, arrebatada. — Sinto como se minha beleza, se é que tenho alguma, tivesse sido consagrada. Ah, você não sabe como é terrível ter fama de ser bela e estar sempre com medo de que as pessoas não a achem tão bonita quanto ouviram dizer que era. É uma tortura. Às vezes morro de aflição por achar que as pessoas estão desapontadas. Talvez seja só a minha imaginação. Ela é muito fértil, e até demais para o meu próprio bem, receio. Eu imaginei que estava apaixonada por Terry, sabe. Ah, senhorita Shirley, está sentindo o aroma de flores de maçã?

Como tinha um nariz, Anne estava.

— Não é simplesmente divino? Espero que o céu seja forrado de flores. Uma pessoa conseguiria ser boa se morasse em um lírio, não acha?

— Acho que seria um pouco apertado — disse Anne zombeteiramente.

— Ah, senhorita Shirley, não seja sarcástica com alguém que a idolatra. Sarcasmo me faz murchar como uma folha.

— Vejo que não morreu de tanto ouvi-la falar — disse Rebecca Dew quando Anne voltou para casa, depois de acompanhar Hazel pela Rua do Fantasma. — Não sei como a suporta.

— Gosto dela, Rebecca, de verdade. Eu fui uma criança muito tagarela. Imagino se as pessoas que tinham de me ouvir me consideravam tola, às vezes.

— Eu não a conheci quando pequena, mas tenho certeza de que não — disse Rebecca. — Porque você seria sincera de qualquer forma que se expressasse, e Hazel Marr, não. Ela não passa de um lobo em pele de cordeiro.

— Ah, claro que ela tem ares dramáticos como a maioria das garotas, mas acho que é sincera na maior parte do tempo — disse Anne, pensando em Terry. Talvez por ter uma má impressão do sujeito, ela acreditava que Hazel tinha sido sincera. Anne achava que Hazel não deveria ficar com Terry, apesar da herança de dez mil. Considerava Terry um jovem bonito, ainda que fraco, capaz de se apaixonar pela primeira garota que trocar olhares com ele e pela próxima, com a mesma facilidade, se a primeira o rejeitasse ou deixasse sozinho por muito tempo.

Anne vira Terry bastante naquela primavera, pois Hazel insistia que ela os acompanhasse em uma série de atividades, e estava destinada a vê-lo ainda mais. Quando Hazel foi visitar amigos em Kingsport, ele se apegou a Anne na ausência da noiva, levando-a para passear e acompanhando-a até em casa. Eles chamavam um ao outro de "Anne" e "Terry", pois tinham a mesma idade, ainda que ela se sentisse maternal em relação a ele. Terry sentia-se imensamente lisonjeado pelo fato de a "inteligente senhorita Shirley" aparentemente gostar da companhia dele, e, na noite da festa de May Connelly, em um jardim enluarado, onde as sombras das acácias dançavam e se agitavam loucamente, ele ficou tão sentimental que Anne precisou lembrá-lo da ausente Hazel, entre risos.

– Ah, Hazel! – disse Terry. – Aquela criança!

– Você está noivo daquela "criança", não está? – disse Anne severamente.

– Não oficialmente. Não passa de um namorico bobo, e eu acho que só me deixei levar pelo luar.

Anne raciocinou rapidamente. Se Terry realmente se importava tão pouco com Hazel, a criança estaria muito melhor sem ele. Talvez aquela fosse uma oportunidade enviada do céu para libertá-los do nó no qual haviam se metido, do qual nenhum dos dois, avaliando a situação com a seriedade da juventude, sabia como escapar.

– Evidentemente – continuou Terry, interpretando de maneira errada o silêncio dela –, estou em um dilema, eu admito. Receio que Hazel tenha me levado a sério demais, e eu não sei a melhor maneira para fazê-la enxergar o erro que cometeu.

Anne, impulsiva como sempre, adotou sua melhor expressão maternal.

– Terry, vocês são duas crianças brincando de serem adultas. Hazel importa-se com esse noivado tanto quanto você. Aparentemente, o luar afetou os dois, e ela quer ser livre, mas tem medo de ferir seus sentimentos. Ela é uma garota confusa e romântica, e você é um garoto apaixonado por apaixonar-se, e algum dia vão rir muito disso.

(Acho que me saí muito bem, pensou Anne complacentemente.)

Terry inspirou fundo.

– Você tirou um peso das minhas costas, Anne. A Hazel é um doce, obviamente, e eu detestaria magoá-la, mas faz algumas semanas que me dei conta do meu... do nosso erro. Quando um homem conhece uma mulher... *A* mulher... Já vai, Anne? Quer mesmo desperdiçar todo esse luar? Você parece uma rosa branca sob a luz da lua... Anne...

Porém Anne já tinha ido embora.

CAPÍTULO 11

Anne, que corrigia provas no quarto da torre em uma noite de junho, parou para assoar o nariz. Ela já o havia limpado tanto naquele dia que ele estava vermelho e dolorido. A verdade era que Anne estava sendo vítima de uma gripe muito severa e muito pouco romântica. A enfermidade não lhe permitia desfrutar do céu levemente esverdeado atrás das cicutas de Evergreens, da lua prateada logo acima da Rainha das Tempestades, do perfume fascinante dos lilases sob sua janela ou dos lírios azul-claros no vaso sobre a mesa. Obscurecia seu passado e nublava seu futuro.

– Uma gripe em junho chega a ser imoral – disse para Dusty Miller, que meditava no peitoril da janela. – Mas daqui a duas semanas irei para Green Gables em vez de ficar aqui, passando raiva com provas cheias de erros e limpando o nariz. Imagine só, Dusty Miller.

Dusty Miller aparentemente imaginou. Ele também deve ter imaginado que a jovem que vinha cruzando apressada a Rua do Fantasma tinha um aspecto furioso, alterado e destoante do mês de junho. Era Hazel Marr, que voltara no dia anterior de Kingsport, uma Hazel Marr visivelmente muito perturbada, que alguns minutos depois adentrou feito um vendaval o quarto da torre sem esperar por uma resposta à sua batida rápida.

– Ora, querida Hazel... (*Atchim!*). Já voltou de Kingsport? Pensei que voltaria só na semana que vem.

– Deve ter pensado, mesmo – disse Hazel sarcasticamente. – Sim, senhorita Shirley, eu voltei. E o que descobri? Que você tem feito de tudo para tirar o Terry de mim e que quase conseguiu!

– Hazel! *(Atchim!)*

– Ah, eu sei de tudo! Você disse ao Terry que eu não o amava, que eu queria romper o noivado... Nosso sagrado noivado!

– Hazel... Meu bem! *(Atchim!)*

– Isso, caçoe de mim... Caçoe o quanto quiser! Mas não tente negar. Você fez isso deliberadamente!

– Claro que fiz. Foi você que pediu.

– Eu... pedi!

– Aqui, neste mesmo quarto. Você disse que não o amava e que jamais se casaria com ele.

– Ah, deve ter sido uma coisa de momento. Nunca imaginei que me levaria a sério. Achei que você entenderia meu temperamento artístico. Você é bem mais velha que eu, é óbvio, mas não o bastante para ter se esquecido das coisas insanas que as garotas falam e sentem. Você fingiu ser minha amiga!

"Só pode ser um pesadelo", pensou Anne, limpando o nariz.

– Sente-se, Hazel...

– Sentar-me! – Hazel andava freneticamente de um lado para o outro. – Como posso me sentar... como alguém conseguiria se sentar com a vida ruindo ao redor? Ah, se isso é efeito da idade, ter inveja da felicidade dos mais jovens a ponto de querer destruí-la, eu rezarei para nunca ficar velha.

Anne foi acometida por um estranho e súbito desejo primitivo de dar um tabefe na orelha de Hazel. Reprimiu-o tão prontamente que nunca chegou a acreditar que de fato lhe ocorreu. Mesmo assim, ela achou que um castigo suave e gentil era indicado.

– Se não consegue sentar-se e conversar com sensatez, Hazel, gostaria que fosse embora. (Um *atchim* muito violento.) – Estou ocupada. – E fungou repetidas vezes.

– Não vou embora até dizer tudo o que penso sobre você. Ah, sei que a culpa é minha, eu deveria saber, eu sabia. Soube instintivamente, no instante em que a vi, que era perigosa. Esse cabelo vermelho e esses olhos verdes! Porém eu jamais teria sonhado que você chegaria ao ponto de se meter entre mim e Terry. Achei que era uma cristã, pelo menos. Nunca ouvi falar de um cristão fazendo uma coisa dessas. Bem, você partiu meu coração. Espero que esteja satisfeita.

– Sua tolinha...

– Não vou falar com você! Ah, Terry e eu éramos felizes antes de você estragar tudo. Eu era feliz... A primeira do meu grupo a ficar noiva. Já tinha planejado todo o meu casamento: quatro madrinhas usando adoráveis vestidos celestes de seda, com uma faixa de veludo preto. Tão chique! Ah, eu não sei se tenho mais ódio ou pena de você! Como pôde me tratar assim... Eu a amava tanto... E confiava... E acreditava tanto em você!

A voz de Hazel falhou, os olhos se encheram de lágrimas e ela deixou-se cair em uma cadeira de balanço.

"Seus pontos de exclamação devem ter acabado", pensou Anne. "Mas sua provisão de itálicos parece inesgotável."

– Mamãe vai morrer de desgosto – soluçou Hazel. – Ela estava tão contente, todo mundo estava tão contente, todos achavam que éramos um par ideal. Ah, será que nada voltará a ser como era antes?

– Espere até a próxima noite de luar e tente – disse Anne gentilmente.

– Ah, pode rir, senhorita Shirley... Ria do meu sofrimento. Não tenho dúvida de que achará divertido... muito divertido! Você não sabe o que é sofrer! É terrível... Terrível!

Anne olhou para o relógio e espirrou.

– Então não sofra – aconselhou Anne.

– Eu vou sofrer. Meus sentimentos são muito intensos. É óbvio que uma alma superficial não sofreria. Pode ser muitas coisas, mas sou grata por não ser superficial. Faz alguma ideia do que é estar louca de amor, senhorita Shirley? Realmente, terrivelmente, profundamente, maravilhosamente apaixonada? E então confiar e ser traída? Fui para Kingsport tão feliz e amando o mundo! Eu falei para o Terry ser gentil com você durante minha ausência, para não a deixar sozinha. Cheguei ontem em casa tão feliz. Aí ele me disse que não me ama mais, que foi tudo um erro. Um erro! E que você contou que eu não sentia mais nada por ele e que queria ser livre!

– Minhas intenções foram nobres – disse Anne, rindo. Seu senso de humor pícaro veio ao resgate, e ela riu tanto de si mesma como de Hazel.

– Ah, como eu sobrevivi à noite? – exclamou Hazel. – Fiquei andando de um lado para o outro. E você não sabe que não seria capaz nem de imaginar o que tive de suportar durante o dia. Tive de me sentar e ouvir as pessoas comentando da queda de Terry por você. Ah, o povo estava de olho em vocês! Todos sabem o que vocês estavam aprontando. Mas por quê?... Por quê? Não consigo entender. Você já tem o seu noivo... Por que não deixou o meu em paz? O que tem contra mim? O que eu fiz para você?

– Eu acho que você e o Terry precisam de umas boas palmadas – disse Anne, exasperada. – Se você não estivesse tão alterada para ouvir a razão...

– Ah, não estou alterada, senhorita Shirley, só magoada e terrivelmente magoada – disse Hazel, com uma voz embargada por lágrimas. – Sinto como se tivesse sido traída em tudo: nas amizades e no amor. Bem, dizem que, depois que o seu coração é partido, você não sofre mais. Espero que seja verdade, mas receio que não.

– O que aconteceu com a sua ambição, Hazel? E quanto ao milionário e a lua de mel em uma *villa* no mediterrâneo azul?

– Não faço a mínima ideia do que você está falando, senhorita Shirley. Não sou nem um pouco ambiciosa, não sou uma dessas absurdas mulheres modernas. Minha maior ambição era ser uma esposa feliz e deixar o lar feliz para o meu marido. Era... Era! E pensar que é no pretérito imperfeito! Bem, não se pode confiar em ninguém. Aprendi a lição. Uma lição muito, muito amarga!

Hazel limpou as lágrimas, e Anne, o nariz, e Dusty Miller olhou para a Estrela da Tarde com uma expressão misantropa.

– É melhor ir embora, Hazel. Estou realmente muito ocupada e não vejo motivos para prolongarmos esta conversa.

Hazel caminhou até a porta com se fosse a Rainha da Escócia aproximando-se da forca e então virou-se dramaticamente.

– Adeus, senhorita Shirley. Deixo isso a cargo da sua consciência.

Anne, a sós com a própria consciência, abaixou a caneta, espirrou três vezes e deu um sermão em si mesma:

– Você pode ser uma bacharela em Letras e Belas Artes, mas ainda precisa aprender algumas coisas que até a Rebecca Dew poderia ter lhe ensinado e que de fato ensinou. Seja sincera consigo mesma, minha querida menina, e engula o remédio como uma boa garota. Admita que se deixou levar pelos elogios. Admita que gostava da adoração assídua de Hazel. Admita que era gostoso ser adorada. Admita que gostava da ideia de ser um tipo de *dea ex machina*, tentando salvar pessoas da própria tolice que nem sequer queriam ser salvas. E depois de admitir tudo isso e sentir-se mais sábia, triste e alguns milhares de anos mais velha, ela pegou a pena e continuou a corrigir as provas, parando para notar que Myra Pringle achava que serafins eram "animais que abundam a África".

CAPÍTULO 12

Uma semana depois, Anne recebeu uma carta escrita em papel celeste com borda prateada.

QUERIDA SENHORITA SHIRLEY,
Escrevo para contar que todos os mal-entendidos foram resolvidos entre mim e Terry e que estamos profunda, intensa e maravilhosamente felizes por termos decidido perdoar você. Terry disse que foi levado pelo luar a ser romântico com você, mas que o coração dele nunca realmente me traiu. Ele disse que gosta de garotas doces e simples, que todos os homens gostam, e que não tem interesse nas mulheres intrigantes e astutas. Não entendemos por que se comportou conosco dessa forma e talvez jamais entendamos. Talvez você só quisesse material para uma história e por isso resolveu brincar com o primeiro e grande amor de uma garota. Mas agradecemos por ter nos revelado um ao outro. Terry disse que nunca tinha pensado no sentido mais profundo da vida antes. Então, tudo terminou bem. Temos muita afinidade e podemos ler os pensamentos um do outro. Ninguém o compreende como eu, e quero ser uma fonte de inspiração eterna para ele. Eu não sou inteligente como você, mas sinto que posso ser tal inspiração, pois somos almas gêmeas e juramos honestidade e fidelidade eterna, não importa quantas pessoas invejosas e amigos falsos tentem nos separar.

Vamos nos casar assim que terminar meu enxoval. Vou comprá-lo em Boston. Não há nada interessante em Summerside. Meu vestido será de moiré branco, e meu traje de viagem será cinza-claro com chapéu, luvas e um casaco de azul-escuro. Claro que ainda sou muito jovem, mas quero me casar enquanto ainda sou jovem, antes de minha vida começar a murchar.

Terry é tudo que imaginei em meus sonhos mais selvagens, e cada batida do meu coração é somente para ele. Sei que seremos arrebatadoramente felizes. Já cheguei a acreditar que todos os meus amigos se alegrariam com a minha felicidade, mas aprendi uma lição amarga em sabedoria sobre a vida.

Sinceramente,
HAZEL MARR.

P.S.1. Você disse que o Terry tem pavio curto, mas a irmã dele me garantiu que ele é um anjo.
H.M.

P.S.2. Ouvi dizer que suco de limão tira sardas. Você poderia experimentar.
H.M.

– Para citar a Rebecca Dew – disse Anne para Dusty Miller –, o P.S. número dois é o fim da picada.

CAPÍTULO 13

Anne foi para casa nas férias de seu segundo ano em Summerside com inquietações. Gilbert não iria para Avonlea naquele verão. Ele tinha viajado para o Oeste, para trabalhar na construção de uma estrada de ferro. Porém Green Gables continuava Green Gables, e Avonlea continuava Avonlea. A Lagoa das Águas Brilhantes reluzia e cintilava como de costume. As samambaias continuavam viçosas na Bolha da Dríade e a ponte de troncos, ainda que estivesse mais gasta e coberta de musgo, ainda levava às sombras o silêncio e os ventos cantantes da Floresta Assombrada.

E Anne conseguiu que a senhora Campbell deixasse que a pequena Elizabeth passasse duas semanas com ela e nem um dia a mais. Elizabeth, ansiosa pelas duas semanas inteiras ao lado da senhorita Shirley, não queria mais nada da vida.

– Eu me sinto como a senhorita Elizabeth hoje – contou à Anne com um suspiro de satisfação enquanto se afastavam de Windy Poplars. – Poderia me chamar de "senhorita Elizabeth" quando for me apresentar para seus amigos em Green Gables? Eu me sentiria tão adulta!

– Eu prometo – disse Anne com seriedade, recordando-se de uma mocinha de cabelos ruivos que já havia implorado para ser chamada de Cordélia.

A viagem de Elizabeth de Blight River a Green Gables, por uma estrada cuja paisagem só poderia pertencer à Ilha do Príncipe Edward em junho, foi quase tão deslumbrante quanto fora para Anne naquela primavera memorável, tantos anos atrás. O mundo era lindo, com prados ao vento de cada lado e surpresas à espreita em cada curva. Ela estava com sua amada senhorita Shirley; ela ficaria livre da Ajudante durante duas semanas inteiras; ela havia ganho um vestido xadrez rosa e um par de adoráveis botas marrons. Era quase como se o Amanhã já tivesse chegado, com mais catorze amanhãs pela frente. Os olhos de Elizabeth brilhavam sonhadoramente ao entrar na estradinha de Green Gables, onde as rosas silvestres cresciam.

As coisas pareceram mudar magicamente para Elizabeth quando chegaram a Green Gables. Por duas semanas, ela viveu em um mundo de romance. Era impossível sair pela porta e não dar de cara com algo romântico. Coisas estavam prestes a acontecer em Avonlea, se não hoje, amanhã. Elizabeth sabia que ainda não tinha chegado ao Amanhã, mas que estava bem próxima.

Tudo em Green Gables parecia conhecê-la. Até mesmo o antigo jogo de chá rosa-claro de Marilla lhe parecia familiar. Os quartos a recebiam como se ela sempre os tivesse amado. Até a grama parecia mais verde que em qualquer outro lugar. E os moradores de Green Gables eram o tipo de pessoas que habitavam o Amanhã. Ela os amou e foi amada por eles. Davy e Dora se encantaram por ela e a mimaram; Marilla e a senhora Lynde a aprovaram. Ela era asseada, tinha modos e tratava os mais velhos com respeito. Eles sabiam que Anne não gostava dos métodos da senhora Campbell, mas era visível que ela educara a neta propriamente.

– Ah, eu não quero dormir, senhorita Shirley – sussurrou Elizabeth na pequena cama do quartinho do sótão, depois de uma noite divertida. – Não quero perder um minuto dessas maravilhosas semanas. Bem que eu queria passar esse tempo sem precisar dormir.

Ela não dormiu de imediato. Era celestial ficar ali quietinha, ouvindo o esplêndido ribombar distante que a senhorita Shirley lhe dissera ser do oceano. Elizabeth também gostou do silvo do vento nos beirais. Ela sempre tivera "medo da noite". Quem saberia dizer que criaturas espreitavam por aí, prontas para atacar? Mas agora não tinha mais medo. Pela primeira vez, a noite parecia ser sua amiga.

Elas iriam à praia no dia seguinte, a senhorita Shirley havia prometido, para mergulhar em meio às ondas de bordas prateadas que quebravam além das grandes dunas de Avonlea quando cruzavam a última grande colina. Elizabeth já podia vê-las chegando, uma depois da outra. Uma delas era uma imensa onda de sono, que levou Elizabeth junto, com um delicioso suspiro de rendição.

"É... tão... fácil... amar... Deus... aqui..." foi o último pensamento consciente dela.

Em todas as noites em Green Gables, ela ficou acordada até bem depois da senhorita Shirley, pensando nas coisas. Por que a vida em Evergreens não podia ser como em Green Gables?

Elizabeth nunca morou em um lugar onde pudesse fazer barulho quando quisesse. Todos em Evergreens tinham que se mover de mansinho, falar de mansinho e até pensar de mansinho, era a impressão que Elizabeth tinha. Havia ocasiões em que ela desejava, perversamente, gritar com todas as forças.

– Você pode fazer quanto barulho quiser aqui – Anne lhe dissera. Porém era estranho, ela não queria mais gritar, agora que não havia nada a impedindo.

Ela gostava de andar com cuidado em meio às coisas adoráveis que a cercavam. Também aprendeu a rir durante sua estadia em Green Gables. E, quando voltou para Summerside, ela levou consigo recordações tão deliciosas quanto as que deixou para trás. Green Gables, para o pessoal de lá, pareceu durante meses repleta de lembranças da menina, que continuou a ser chamada de "pequena Elizabeth", apesar de Anne tê-la apresentado solenemente como "senhorita Elizabeth". Ela era tão pequena, tão dourada, tão parecida com um elfo que todo mundo só conseguia chamá-la de pequena Elizabeth: a pequena Elizabeth dançando entre os lírios de junho do jardim em um fim de tarde, encarapitada em um galho da grande macieira, lendo contos de fadas, livre e desimpedida; a pequena Elizabeth quase submersa em um campo de flores, em que o topo de sua cabecinha parecia um grande botão-de-ouro; caçando mariposas verde-prateadas ou tentando contar vagalumes na Travessa dos Amantes; ouvindo o zunir das abelhas entre as campânulas; comendo morangos com creme ou groselhas na companhia de Dora... "Groselhas são tão lindas, não são, Dora? É como comer pedras preciosas, não acha?"; a pequena Elizabeth cantando entre as samambaias, sob o mágico entardecer, com as mãos perfumadas depois de colher enormes rosas-de-cem-pétalas; admirando a grande lua sobre o vale do córrego... "Acho que a lua tem um olhar preocupado, não acha, senhora Lynde?"; chorando amargamente porque o herói de uma das revistas de Davy terminara um capítulo em um triste dilema... "Ah, senhorita Shirley, tenho certeza de que não conseguirá escapar!"; a pequena Elizabeth, doce e corada como uma flor silvestre, tirando um cochilo vespertino no sofá da cozinha com os gatinhos de Dora ao seu redor, gargalhando ao ver o vento erguer as penas dos rabos das galinhas, de aspecto tão respeitável ("será que é a pequena Elizabeth que está rindo desse jeito?"); ajudando Anne a fazer *cupcakes*, a senhora Lynde a cortar retalhos para sua nova colcha e a Dora a polir os velhos candelabros de bronze até que conseguissem ver o próprio reflexo e cortando biscoitinhos com um molde sob a supervisão de Marilla. Os moradores de Green Gables mal podiam olhar para um lugar ou alguma coisa sem se lembrar da pequena Elizabeth.

"Será que algum dia eu serei tão feliz como fui nesta última quinzena?", perguntou-se a pequena Elizabeth quando partiu de Green Gables. O trajeto até a estação era tão exuberante quanto havia sido duas semanas atrás, mas a menina não conseguia enxergá-lo por causa das lágrimas.

Depois que a menina foi embora, Katherine Brooke e seu cachorro vieram passar o resto do verão. Katherine havia resignado o cargo de professora na Escola Secundária e agora pretendia mudar-se para

Redmond para fazer um curso de secretariado na universidade, como Anne a aconselhara.

– Sei que vai adorar. Você nunca gostou de dar aulas – disse em um fim de tarde, quando estavam sentadas em meio a um campo de trevos, observando a glória do céu no poente.

– A vida ainda me deve algo além de tudo que já me pagou, e eu vou cobrá-la – disse Katherine decididamente. – Sinto-me muito mais jovem do que no ano passado – acrescentou, com uma risada.

– Tenho certeza de que é o melhor para você, ainda que eu deteste pensar em Summerside e na escola sem a sua presença. Como será o quarto da torre no ano que vem sem nossas noites de confabulação e discussões, sem nossas horas de tolices, em que transformamos tudo e todos em uma piada?

O TERCEIRO ANO

CAPÍTULO 1

Windy Poplars
Rua do Fantasma
8 de setembro

Querido,
O verão chegou ao fim... O verão em que eu vi você somente naquele fim de semana em maio e voltei para Windy Poplars, para meu terceiro e último ano na Escola Secundária de Summerside. Katherine e eu nos divertimos muito em Green Gables e vou sentir muito a falta dela. A nova professora é uma figura alegre, pequena, rechonchuda, corada e amistosa como um filhotinho de cachorro. Todavia, por algum motivo, isso é tudo que tem a oferecer. Tem olhos azuis brilhantes e vazios, sem nenhum pensamento por trás deles. Katherine mostrou-se uma pessoa tão interessante depois que consegui passar pelas barreiras dela...

Nada mudou em Windy Poplars, aparentemente. A velha vaca vermelha havia partido desta para melhor, conforme Rebecca Dew me informou durante o jantar na segunda-feira. As viúvas decidiram não ir atrás de outra e passaram a comprar leite e creme do senhor Cherry. Isso significa que a pequena Elizabeth não virá mais buscar o leite no portão do jardim, o que já não faz muita diferença, pois a senhora

Campbell parece não se importar mais que a menina venha aqui quando quiser.

Há outra mudança a caminho. A tia Chatty avisou, para a minha grande tristeza, que vão doar Dusty Miller assim que encontrarem um lar adequado para ele. Quando protestei, ela explicou que haviam chegado a essa decisão em prol da paz, pois Rebecca Dew passara o verão inteiro reclamando dele e não havia outro jeito de aplacá-la. Pobre Dusty Miller, é um gato tão adorável e ronronante!

Amanhã, sábado, vou tomar conta dos gêmeos da senhora Raymond enquanto ela vai ao funeral de um parente, em Charlottetown. Ela é uma viúva que se mudou para a cidade no inverno passado. A Rebecca Dew e as viúvas de Windy Poplars (Summerside é realmente um ótimo lugar para viúvas) a consideram "sofisticada demais" para a cidade, mas ela foi de grande ajuda para mim e Katherine Brooke em nosso Clube de Artes Dramáticas. Uma boa ação merece outra em troca.

– Gerald e Geraldine têm oito anos e são duas crianças angelicais, mas Rebecca Dew "torceu o nariz", para usar uma de suas expressões, quando contei que iria cuidar deles.

– Mas eu amo crianças, Rebecca.

– Crianças, sim, mas eles são dois diabinhos, senhorita Shirley. A senhora Raymond não acredita em punir as crianças, não importa o que façam. Diz que está determinada a lhes dar uma vida "natural". Enganam a todos com a aparência angelical, mas já ouvi o que os vizinhos têm a dizer sobre eles. A esposa do ministro fez uma visita, certa tarde... bem, a senhora Raymond a recebeu com a mais absoluta cordialidade, mas, quando estava indo embora, uma avalanche de cebolas desceu pelas escadas, e uma derrubou o chapéu da mulher do ministro. "Crianças sempre se comportam mal quando queremos que elas sejam boazinhas", foi tudo que a senhora Raymond disse, como se tivesse orgulho por serem tão indomáveis. Eles são estadunidenses, sabe?... – como se isso explicasse tudo. Rebecca gostava tanto de ianques quanto a senhora Lynde.

CAPÍTULO 2

Na manhã de sábado, Anne foi até a bela casa antiga localizada em uma rua que levava até o campo, onde a senhora Raymond morava com os famosos gêmeos. Ela já estava pronta para partir, talvez vestida de maneira um tanto alegre para um funeral, ainda mais com o chapéu florido sobre os cabelos castanhos e ondulados, mas, ainda assim, estava muito bonita. Os gêmeos de oito anos, que tinham herdado a beleza da mãe, estavam sentados nas escadas com uma expressão de querubim. A tez deles era rósea e alva, os olhos eram grandes e azuis, e os macios cachos loiro-claros formavam uma auréola ao redor da cabeça.

Eles sorriram com uma doçura contagiante quando a mãe os apresentou a Anne e informou que a senhorita Shirley tivera a bondade de vir cuidar deles enquanto ela comparecia ao funeral da querida tia Ella, que eles iriam se comportar e não dariam nem um pingo de trabalho, não é mesmo, meus queridinhos?

Os queridinhos assentiram solenemente, com uma expressão ainda mais angelical.

A senhora Raymond fez Anne acompanhá-la até o portão.

– Eles são tudo que tenho agora – declarou ela, em um tom patético. – Talvez eu os tenha mimado demais. Eu sei que as pessoas pensam assim. Já reparou que as pessoas sempre sabem criar os filhos dos outros muito melhor do que os próprios pais, senhorita Shirley? Eu acho que carinhos são sempre melhores do que palmadas, não concorda? Tenho certeza de que você não terá problemas com eles. As crianças sempre sabem com quem podem e não podem fazer travessuras, não acha? Pobre senhorita Prouty, que mora na rua acima, ela veio cuidar deles um dia, mas os coitadinhos não a suportam. Então, é claro que eles a provocaram, e você sabe como são as crianças. Então ela vingou-se espalhando as mais ridículas lorotas sobre eles por toda a cidade, mas sei que eles vão adorar você e que vão se comportar como anjinhos. É claro, eles têm muita energia, como toda criança deveria ter, não acha? É tão penoso ver crianças com uma expressão acuada, não é mesmo? Gosto que sejam naturais. E você? Crianças comportadas demais não parecem naturais, ou parecem? Não permita que eles brinquem com os barcos na banheira ou no lago, tudo bem? Morro de medo de que peguem um resfriado, pois o pai deles morreu de pneumonia.

Os olhos da senhora Raymond pareciam prestes a transbordar, mas ela corajosamente conteve as lágrimas.

– Não se preocupe se brigarem um pouco. Crianças estão sempre brigando, não é mesmo? Mas, se um estranho as atacar... minha nossa! Eles se adoram, sabe, e eu poderia levar um deles ao funeral, mas eles simplesmente não aceitaram, pois nunca ficaram um dia na vida longe um do outro, e eu não conseguiria tomar conta de dois gêmeos em um funeral, ou conseguiria?

– Não se preocupe, senhora Raymond – disse Anne com bondade. Tenho certeza de que Gerald, Geraldine e eu passaremos um lindo dia juntos. Eu amo crianças.

– Eu sei. Tive essa certeza no instante em que a vi, e dá para notar isso, não acha? Uma pessoa que ama crianças transmite um certo ar, e a coitada da senhorita Prouty os detesta, pois ela só sabe ver o que há de pior nelas. Você não sabe como é reconfortante saber que meus tesouros estão sob os cuidados de alguém que ama e compreende as crianças. Não tenho dúvida de que conseguirão aproveitar o dia.

– Você poderia nos levar ao funeral – gritou Gerald, subitamente colocando a cabeça para fora de uma das janelas do andar superior. – Nós nunca vamos a nenhum lugar divertido!

– Ah, eles estão tomando banho! – exclamou a senhora Raymond tragicamente. – Querida senhorita Shirley, por favor, tire-os de lá. Gerald, meu bem, você sabe que não posso levar os dois ao funeral. Ah, ele está de novo com o tapete de pele de coiote da sala amarrado no pescoço pelas patas e vai acabar arruinando-o. Por favor, mande-o tirar imediatamente. Agora tenho que correr ou então perderei o trem.

A senhora Raymond afastou-se elegantemente, e Anne correu até o andar de cima e encontrou a angelical Geraldine tentando tirar o irmão da janela puxando-o pelas pernas.

– Senhorita Shirley, faça o Gerald parar de mostrar a língua para mim – exigiu ela.

– Isso machuca você? – perguntou Anne, sorrindo.

– Bem, ele não está passando a língua em mim – retrucou Geraldine, lançando um olhar fulminante para Gerald, que o retribuiu com interesse.

– A língua é minha, e você não pode me impedir de colocá-la para fora quando eu quiser... Ou ela pode, senhorita Shirley?

Anne ignorou a pergunta.

– Queridos gêmeos, só falta uma hora para o almoço. Vamos nos sentar no jardim, para brincar e contar histórias? E, Gerald, coloque a pele de coiote no lugar, por favor.

– Mas eu quero brincar de lobo.

– Ele quer brincar de lobo – choramingou Geraldine, aliando-se ao irmão de repente.

– Queremos brincar de lobo – pediram os dois juntos.

A campainha da porta acabou com o dilema de Anne.

– Vamos ver quem é – exclamou Geraldine. Os dois desceram as escadas pelo corrimão e chegaram à porta antes de Anne. A pele de coiote soltou-se e foi abandonada durante o processo.

– Nunca compramos nada de mascates – disse Gerald para a mulher parada na soleira de pedra.

– Posso falar com sua mãe? – perguntou ela.

– Não, não pode. A mamãe foi ao funeral da tia Ella, e a senhorita Shirley está cuidando da gente. Ela está descendo as escadas, e agora você terá que sumir daqui.

A própria Anne sentiu vontade de mandar a visita "sumir dali" quando viu quem era. A senhorita Pamela Drake não era popular em Summerside. Ela estava sempre "pegando pedidos" para alguma coisa e era praticamente impossível livrar-se dela sem colaborar, comprar alguma coisa, visto que era completamente imune a recusas e indiretas e que, aparentemente, tinha todo o tempo do mundo ao seu dispor.

Dessa vez ela estava "pegando pedidos" para uma enciclopédia, algo que toda professora deveria ter. Anne explicou em vão que não precisava de uma enciclopédia, que a Escola Secundária já possuía uma muito boa.

– Dez anos desatualizada – disse a senhorita Pamela com firmeza. – Vamos nos sentar neste banco rústico, senhorita Shirley, e eu lhe mostrarei meu panfleto.

– Receio não ter tempo para isso, senhorita Drake. Tenho que cuidar das crianças.

– Não vai levar mais que alguns minutos. Faz tempo que queria falar com você, senhorita Shirley, e foi muita sorte encontrá-la aqui. Podem brincar, crianças, enquanto a senhorita Shirley e eu folheamos este lindo panfleto.

– A mamãe contratou a senhorita Shirley para cuidar de nós – disse Geraldine, balançando os cachos diáfanos. Gerald então a puxou para dentro e bateu a porta com força.

– Veja, senhorita Shirley, como é esta enciclopédia. Veja que lindo papel, sinta-o, e que gravuras esplêndidas. Nenhuma outra enciclopédia no mercado tem metade do número de gravuras que esta tem. Que beleza de impressão, que até um cego é capaz de ler, e tudo por oitenta dólares. São oito dólares de entrada e oito dólares por mês até sua quitação. Você não terá outra chance como essa, pois este é o preço de lançamento. Ela custará cento e vinte no ano que vem.

– Mas eu não quero uma enciclopédia, senhorita Drake – disse Anne, desesperadamente.

– Claro que você quer uma enciclopédia. Todo mundo quer uma enciclopédia, ou melhor, uma enciclopédia nacional. Não sei como eu vivi tanto tempo sem uma enciclopédia nacional. Eu acho que não vivia, eu meramente existia! Olhe esta gravura do casuar, senhorita Shirley, você já tinha visto um casuar antes?

– Mas, senhorita Drake...

– Se o custo for um pouco oneroso, tenho certeza de que podemos chegar a um acordo, já que você é professora. Seis dólares por mês, em vez de oito. É simplesmente impossível recusar uma oferta dessas, senhorita Shirley.

Anne tinha a sensação de que era, mesmo. Não compensaria pagar seis dólares por mês para se livrar daquela mulher terrível que evidentemente estava decidida a não ir embora antes de fazer uma venda? Além disso, o que será que os gêmeos estavam aprontando? Eles estavam alarmantemente quietos. Talvez estivessem brincando com o barco na banheira. Ou, ainda, eles podiam ter escapulido pela porta dos fundos para ir até o lago.

Ela fez mais uma tentativa pífia de escapar.

– Vou pensar a respeito...

– Não há melhor momento que o presente – disse a senhorita Drake, sacando a caneta-tinteiro. – Você sabe que vai comprar a enciclopédia nacional, então o melhor momento para assinar o contrato é agora. De nada adianta postergar as coisas. O preço pode subir a qualquer momento, e então você terá que pagar cento e vinte. Assine aqui, senhorita Shirley.

Anne sentiu a caneta ser forçada em sua mão, mais alguns segundos se passaram, e então a senhorita Drake deu um grito de gelar o sangue, fazendo com que Anne derrubasse a caneta entre as flores ao redor do banco rústico e encarasse a visita com assombro e horror.

Aquela era a senhorita Drake? Aquela criatura sem chapéu, sem os óculos e quase careca? Chapéu, óculos e peruca flutuavam acima da cabeça dela, a meio caminho da janela do banheiro, de onde assomavam duas cabeças loiras. Gerald segurava uma vara de pescar com duas linhas e anzóis. O menino havia conseguido realizar uma fisgada tripla, por um passe de mágica que só ele conhecia ou talvez por pura sorte.

Anne correu para o andar de cima. Quando chegou ao banheiro, os gêmeos já tinham escapado. Gerald derrubara a vara de pescar, e uma espiada lá de cima mostrou a senhorita Drake recolhendo furiosamente seus pertences, incluindo a caneta-tinteiro, e marchando em direção ao portão. Pela primeira vez na vida, a senhorita Pamela Drake havia falhado em fazer uma venda.

Anne encontrou os gêmeos sentados como dois serafins na varanda dos fundos, comendo maçãs. Ela não sabia o que fazer e, certamente, um comportamento desse não podia passar sem uma reprimenda, porém Gerald a salvara de uma situação complicada, e a senhorita Drake era uma pessoa odiosa que precisava de uma lição. Ainda assim...

– Você comeu um bicho gigante! – gritou Gerald. – Eu o vi desaparecer pela sua garganta.

Geraldine largou a maçã e instantaneamente passou mal, muito mal, e Anne teve trabalho por um bom tempo. Já era a hora do almoço quando Geraldine melhorou, e Anne decidiu por impulso deixar Gerald se safar com apenas uma reprimenda leve. Afinal, a senhorita Drake não havia sofrido nenhum dano sério e provavelmente ela guardaria o incidente para si mesma.

– Você acha, Gerald, que sua atitude foi própria de um cavalheiro?

– Não – disse o menino –, mas foi bem engraçada. Nossa, como eu sou um bom pescador, não é mesmo?

O almoço foi excelente. A senhorita Raymond o havia preparado antes de partir e, independentemente de suas deficiências como disciplinadora, ela era uma boa cozinheira. Gerald e Geraldine, ocupados com a comilança, não brigaram nem demonstraram modos à mesa piores do que qualquer criança. Anne lavou a louça depois do almoço e colocou Geraldine para secá-la e Gerald para guardá-la com cuidado no armário. Os dois eram muito habilidosos, e Anne refletiu com complacência que tudo de que precisavam era um treinamento adequado e um pouco de firmeza.

CAPÍTULO 3

Às duas da tarde, o senhor James Grand chegou. Ele era presidente do conselho administrativo da Escola Secundária de Summerside e tinha assuntos importantes que gostaria de tratar antes de partir para uma conferência educacional em Kingsport na segunda-feira. Anne perguntou se ele não poderia ir a Windy Poplars no fim da tarde, mas infelizmente não seria possível.

O senhor Grand era um bom homem à sua maneira, mas Anne havia descoberto há muito tempo que deveria lidar com ele com cuidado. Além do mais, Anne estava muito ansiosa para tê-lo ao seu lado na grande batalha pelo novo equipamento que se aproximava. Ela foi buscar os gêmeos.

– Queridinhos, vocês podem brincar comportadamente no quintal enquanto eu dou uma palavrinha com o senhor Grand? Não vai demorar e, depois, vamos tomar o chá da tarde nos bancos ao redor do lago. Vou ensiná-los a fazer bolhas de sabão com tinta vermelha. São adoráveis!

– Você dará vinte e cinco centavos para cada um se nos comportarmos? – exigiu Gerald.

– Não, meu querido – disse Anne com firmeza –, não vou chantageá-los. Sei que vai ser bonzinho só porque eu pedi, como um cavalheiro.

– Seremos bonzinhos, senhorita Shirley – prometeu Gerald.

– Incrivelmente bonzinhos – acrescentou Geraldine.

Talvez eles tivessem se comportado se Ivy Trent não tivesse aparecido assim que Anne fechou a porta da sala de estar. Os gêmeos odiavam Ivy Trent, a impecável Ivy Trent que nunca fazia nada de errado, que parecia sempre ter acabado de se arrumar.

Naquela tarde em particular, era óbvio que a menina tinha vindo exibir as novas e lindas botas marrons, a faixa, os laços nos ombros e as fitas de cabelo escarlates. A senhora Raymond, apesar de pecar em alguns aspectos, era muito sensata na hora de vestir as crianças. Os vizinhos bondosos diziam que ela gastava tanto consigo mesma que não sobrava para gastar com os gêmeos, e Geraldine nunca teve a chance de desfilar pela rua ao estilo de Ivy Trent, que tinha um vestido para cada tarde da semana. A senhora Trent sempre a vestia de "branco imaculado", e a menina estava sempre impecável, pelo menos antes de sair de casa. Se na hora que voltasse ela já não estivesse tão limpa, a culpa era das crianças "invejosas" que abundavam na vizinhança.

Geraldine tinha inveja. Ela ansiava por uma faixa vermelho-escura, laços nos ombros e vestidos bordados. O que ela não daria por botas marrons de abotoar como aquelas?

– Gostaram da minha nova faixa e dos meus laços novos? – perguntou Ivy com orgulho.

– "Gostaram da minha nova faixa e dos meus laços novos?" – remedou Geraldine para provocá-la.

– Mas você não tem laços novos – respondeu Ivy, altiva.

– "Mas você não tem laços novos."

Ivy parecia confusa.

– Eu tenho, sim. Não está vendo?

– "Eu tenho, sim. Não está vendo?" – zombou Geraldine, muito contente com sua ideia brilhante de repetir com escárnio tudo que a outra dizia.

– Eles não foram pagos – disse Gerald.

Ivy Trent estava ficando irritada. Dava para ver pelo seu rosto, que estava ficando tão vermelho quanto seus laços nos ombros.

– Foram, sim. Minha mãe sempre paga as contas.
– "Minha mãe sempre paga as contas" – cantarolou Geraldine.
Ivy estava incomodada. Ela não sabia exatamente como lidar com a situação. Então ela virou-se para Gerald, que indubitavelmente era o garoto que achava mais bonito na rua. Ela havia tomado uma decisão.
– Vim aqui para contar que você vai ser meu pretendente – disse, olhando eloquentemente para Gerald com um par de olhos castanhos que, mesmo aos sete anos, Ivy já sabia que tinham um efeito devastador na maioria dos meninos que conhecia.
Gerald enrubesceu.
– Não quero ser seu pretendente.
– Mas vai ser – disse Ivy serenamente.
– "Mas vai ser" – imitou Geraldine, sacudindo a cabeça para o irmão.
– Não vou! – gritou Gerald furiosamente. – E pare de dizer besteiras, Ivy Trent.
– Você tem que ser – insistiu Ivy.
– "Você tem que ser" – disse Geraldine.
Ivy a encarou.
– Cale a boca, Geraldine Raymond!
– Eu posso fazer o que quiser no meu quintal – disse Geraldine.
– Ela pode, mesmo – disse Gerald. – E, se você não calar a boca, Ivy Trent, eu vou até a sua casa e arrancarei os olhos da sua boneca.
– Minha mãe lhe daria uma surra – gritou Ivy.
– Ah, é mesmo? Bem, sabe o que a minha mãe faria com a sua se ela me batesse? Daria um soco no nariz dela.
– Bem, de qualquer forma, você tem que ser meu pretendente – disse Ivy, voltando calmamente para o assunto.
– Eu vou enfiar a sua cabeça no barril de chuva – explodiu Gerald. – Vou esfregar a sua cara em um formigueiro e vou rasgar a sua faixa e esses seus laços... – concluiu, triunfante, mas pelo menos a última parte era realizável.
– Vamos fazer isso! – gritou Geraldine.

Eles partiram para cima da infeliz da Ivy, que chutou, gritou e tentou mordê-los, mas que não era páreo para os dois. Juntos eles a levaram até o galpão do outro lado do quintal, de onde seus gritos não podiam ser ouvidos.

– Depressa – disse Geraldine. – Antes que a senhorita Shirley veja.

Não havia tempo a perder. Gerald agarrou as pernas de Ivy e Geraldine segurou os pulsos da menina com uma das mãos, enquanto rasgava a faixa e os laços nos ombros com a outra.

– Vamos pintar as pernas dela – gritou Gerald ao notar algumas latas de tinta que os pintores haviam deixado ali, na semana anterior. – Eu a seguro, enquanto você pinta.

Em vão, Ivy gritou de desespero. As meias dela foram puxadas para baixo e, alguns instantes depois, suas pernas estavam decoradas com listras vermelhas e verdes largas. Boa parte da tinta espirrou no vestido e nas botas novas. Como toque final, eles encheram os cabelos dela de carrapicho.

Quando finalmente a soltaram, Ivy dava pena. Os gêmeos gritaram de alegria ao verem o resultado. Longas semanas de arrogância e condescendência finalmente haviam sido vingadas.

– Agora, vá para casa – disse Gerald. – Isso vai ensinar você a não sair por aí dizendo para os outros que eles têm que ser seu namorado.

– Vou contar para a minha mãe – chorou Ivy. – Vou direto para casa e vou dedurar você, seu garoto horrível, horrível, odioso e feio!

– Não chame o meu irmão de feio, sua metidinha! – gritou Geraldine. – Você e seus laços no ombro! Aqui, leve-os com você, pois nós não queremos sujeira em nosso galpão.

Ivy, aos prantos, correu para a rua enquanto Geraldine arremessava os laços nela.

– Depressa, vamos até o banheiro pelas escadas de trás para nos limpar antes que a senhorita Shirley nos veja – ofegou Geraldine.

CAPÍTULO 4

O senhor Grand já tinha dito tudo que precisava e se despediu com uma reverência. Anne ficou parada por um tempo na soleira de pedra, imaginando onde estariam os gêmeos. Pelo portão entrou uma dama enraivecida, trazendo pela mão um átomo de humanidade que ainda soluçava.

– Senhorita Shirley, onde está a senhora Raymond? – quis saber a senhora Trent.

– A senhora Raymond está...

– Insisto em falar com a senhora Raymond. Ela precisa ver com os próprios olhos o que os filhos dela fizeram com a indefesa e inocente Ivy. Olhe só para ela, senhorita Shirley, olhe para ela!

– Ah, senhorita Trent, eu sinto muito! É tudo culpa minha. A senhora Raymond está fora e prometi que tomaria conta deles, mas então o senhor Grand apareceu...

– Não, a culpa não é sua, senhorita Shirley. Eu não a culpo. Ninguém consegue lidar com essas crianças diabólicas, e a rua inteira sabe disso. Se a senhora Raymond não está, então não tenho motivos para ficar aqui. Levarei a minha pobre menina para casa, mas a senhora Raymond tem que ficar ciente disso, com certeza. Escute só, senhorita Shirley, eles estão se matando?

Ela se referia ao coro de gritos e berros que ecoavam pelas escadas. Anne correu até o andar de cima. No meio do corredor havia uma massa que se retorcia, se enroscava, mordia e arranhava. Anne separou os gêmeos raivosos com dificuldade e, segurando cada um pelo ombro, exigiu saber a razão para aquele comportamento.

– Ela disse que eu tenho que ser namorado de Ivy – rosnou Gerald.

– Ele tem que ser! – gritou Geraldine.

– Eu não!

– Você tem que ser!

– Crianças! – disse Anne. Algo no tom dela os conteve. Eles olharam para cima e se depararam com uma senhorita Shirley que nunca tinham visto antes. Pela primeira vez na curta vida, eles sentiam a força da autoridade.

– Você, Geraldine, vai ficar na cama por duas horas – disse Anne, com calma. – E você, Gerald, vai passar o mesmo tempo no armário do corredor, e sem um pio. Vocês se comportaram de maneira abominável e precisam de punição. Estão sob os meus cuidados e vão me obedecer.

– Então nos puna juntos – disse Geraldine, começando a chorar.

– Sim, você não tem o direito de nos separar, pois nós nunca nos separamos – murmurou Gerald.

– Pois serão separados agora. – Anne ainda falava com calma. Geraldine obedientemente despiu-se e deitou em uma das camas em seu quarto. Gerald aquiesceu e entrou no armário do corredor. Era um quartinho arejado, com uma janela e uma cadeira, de maneira que ninguém poderia dizer que era uma punição severa e injusta. Anne trancou a porta e sentou-se com um livro próxima à janela do corredor. Por duas horas, pelo menos, ela teria um pouco de paz.

Alguns minutos depois, uma espiada mostrou que Geraldine dormia, tão angelical que Anne quase se arrependeu de ter sido severa. Bem, uma soneca faria bem a ela, de qualquer forma. Quando acordasse, teria permissão para sair do quarto, mesmo que as duas horas ainda não tivessem passado.

Ao fim de uma hora, Geraldine continuava dormindo. Gerald estava tão quieto que Anne decidiu que ele tinha encarado a punição como um homem e que já estava perdoado. Afinal, Ivy era uma menininha de nariz empinado e provavelmente tinha sido muito irritante.

Anne destrancou a porta e abriu o armário.

Gerald não estava ali. A janela, que ficava logo acima do teto da varanda, estava aberta. Anne comprimiu os lábios, desceu as escadas e saiu no quintal. Não havia nem sinal de Gerald. Ela explorou o galpão e foi até o fim da rua e nada.

Atravessou correndo o jardim e cruzou o portão que dava para um pequeno bosque e, mais além, o lago no campo do senhor Creedmore. Gerald estava dentro do pequeno bote que o senhor Creedmore mantinha por ali, impulsionando a embarcação com pedaço de madeira. Assim que Anne surgiu por entre as árvores, o pedaço de pau que Gerald usava, que estava enterrado bem fundo na lama, soltou-se com uma inesperada facilidade e o menino caiu na água.

Anne deu um grito involuntário de desânimo, pois não havia motivo para se alarmar. O lago chegava à altura dos ombros de Gerald na parte mais funda e até a cintura do menino onde ele caiu. Ele levantou-se e ficou ali parado, com uma expressão tola e os cabelos emplastrados pingando. Foi então que outro grito soou detrás de Anne. Geraldine, de camisola, irrompeu por entre as árvores e correu até a plataforma de madeira onde o bote costumava ficar.

Com um grito desesperado de "Gerald!", ela saltou e aterrissou com toda a força ao lado do irmão, quase levando-o novamente para dentro d'água.

– Gerald, você se afogou? – gritou Geraldine. – Você se afogou, querido?

– Não... Não... querida – garantiu Gerald, com os dentes tremendo.

Eles se abraçaram e se beijaram carinhosamente.

– Crianças, venham já aqui – disse Anne.

Eles chegaram até a beira com dificuldade. Aquele dia de setembro, quente pela manhã, havia ficado frio e ventoso pela tarde. Tremiam para valer, e seus rostos estavam ficando azulados. Sem uma palavra de censura, Anne os apressou para dentro de casa, retirou as roupas molhadas e os colocou na cama da senhora Raymond com garrafas de água quente aos pés, mas eles ainda tremiam. Será que pegariam um resfriado? Será que teriam pneumonia?

– Você deveria ter tomado conta melhor da gente – disse Gerald, ainda batendo os dentes.

– Deveria mesmo – disse Geraldine.

Anne, preocupada, foi até o andar de baixo e telefonou para o médico. Quando ele chegou, os gêmeos já estavam aquecidos, e ele garantiu a Anne que não corriam perigo. Se continuassem na cama até amanhã, ficaria tudo bem.

Ele encontrou a senhora Raymond vindo da estação, e foi uma dama pálida e à beira da histeria que entrou correndo em casa.

– Ah, senhorita Shirley, como pôde deixar que meus pequenos tesouros corressem tamanho risco!

– Foi o que dissemos para ela, mãe – disseram em coro os gêmeos.

– Eu confiei em você, eu lhe disse...

– Não vejo como a culpa é minha, senhora Raymond – disse Anne, com um olhar frio como uma névoa cinza. – Você perceberá isso, eu acho, quando se acalmar. As crianças estão bem, e só chamei o médico por precaução. Se Gerald e Geraldine tivessem me obedecido, isso não teria acontecido.

– Achei que uma professora teria um pouco mais de autoridade com crianças – respondeu com amargura.

"Com crianças, talvez, mas não com pequenos demônios", pensou Anne. Mas apenas disse:

– Como já chegou, senhora Raymond, é melhor eu ir embora. Creio que já não terei serventia e tenho trabalho a fazer nesta noite.

Como se fossem uma só, as crianças pularam da cama e a abraçaram.

– Espero que haja um funeral por semana – disse Gerald. – Gostei de você, senhorita Shirley, e espero que venha tomar conta de nós sempre que a mamãe sair.

– Eu também – disse Geraldine.

– Gosto muito mais de você do que da senhorita Prouty.

– Ah, bem mais – disse Geraldine.

– Pode contar uma história? – pediu Gerald.

– Ah, sim – disse Geraldine.

– Tenho certeza de que você teve boas intenções – disse a senhora Raymond, com a voz trêmula.

– Obrigada – disse Anne secamente, tentando se livrar do abraço dos gêmeos.

– Ah, vamos esquecer isso – implorou a senhora Raymond, com os grandes olhos cheios de lágrimas. – Não suporto brigar com ninguém.

– Certamente. – Anne adotara um ar imponente, e ela podia ser muito altiva. – Não acho que haja necessidade alguma de discussão. Creio que Gerald e Geraldine tiveram um ótimo dia, embora eu acredite que a pobre da Ivy Trent não concorde.

Anne foi para casa sentindo-se anos mais velha.

"E eu achava que Davy era levado", refletiu.

Ao chegar a Windy Poplars, ela encontrou Rebecca no jardim ao entardecer, colhendo amores-perfeitos.

– Rebecca Dew, eu costumava achar que o adágio "crianças devem ser vistas, e não ouvidas" era muito severo, mas agora vejo o que quer dizer.

– Coitadinha. Vou preparar um bom jantar para você – disse Rebecca Dew. O que ela não disse foi: "eu avisei".

CAPÍTULO 5

(Trecho de uma carta a Gilbert.)

A senhora Raymond veio aqui na noite passada e, com lágrimas nos olhos, implorou para que eu perdoasse seu "comportamento". Ela disse que, se eu soubesse como é o coração de uma mãe, não veria problemas em perdoá-la.

Não vejo problema algum nisso. Há algo na senhora Raymond que eu gosto, e ela foi muito generosa com o clube de teatro. Mesmo assim, eu não disse: "Em qualquer sábado que quiser viajar, posso cuidar de sua cria". As pessoas aprendem por meio da experiência, até as incorrigivelmente otimistas e confiáveis como eu.

Descobri que uma parte da sociedade de Summerside está muito alvoroçada por causa do namoro de Jarvis Morrow e Dovie Westcott, que, segundo Rebecca Dew, estão comprometidos há um ano, mas que "nunca chegam a nada". A tia Kate, que era uma tia distante de Dovie (para ser exata, acho que é tia de segundo grau de Dovie por parte da mãe), está profundamente interessada no caso, porque acredita que Jarvis é um excelente partido para Dovie e também, creio eu, porque odeia Franklin Westcott e gostaria de vê-lo derrotado em todos os âmbitos possíveis. Não que ela admitisse odiar alguém, mas a senhora Franklin Westcott era uma grande amiga dela, e a tia Kate jura solenemente que ele a assassinou. Ela disse categoricamente:

"Eu estou interessada em parte porque tenho grande apreço por Jarvis e simpatizo moderadamente com Dovie, em parte porque começo a suspeitar de que sou uma intrometida inveterada na vida dos outros, sempre com boas intenções, é claro".

A situação, em resumo, é a seguinte: Franklin Westcott é um comerciante alto, sério e linha dura, fechado e pouco sociável. Vive em uma casona antiquada chamada Elmcroft nos arredores da cidade, subindo a estrada do porto. Já o vi uma ou duas vezes, mas realmente sei muito pouco sobre ele, exceto que tem o hábito estranho de dizer algo e dar uma longa risada silenciosa. Nunca pisou na igreja desde que começaram a cantar os hinos e insiste em ter todas as janelas abertas mesmo durante as tempestades de verão. Confesso estar do lado dele nesta última parte, mas provavelmente sou a única em Summerside. Sempre foi um cidadão de grande importância, e nenhuma decisão municipal é tomada sem sua aprovação.

A esposa dele é falecida. Dizem que era praticamente uma escrava, incapaz até de dizer-se dona da própria alma. Ao que parece, quando Franklin a levou para a casa, ele disse que era seu amo.

Dovie, cujo nome verdadeiro é Sibyl, é sua única filha e uma garota de dezenove anos linda, gordinha e adorável, com uma boca vermelha que sempre deixava entrever os pequenos dentes brancos, traços claros nos cabelos castanhos, olhos azuis hipnotizantes e cílios negros tão longos que nem pareciam reais. Jen Pringle diz que Jarvis na verdade está vidrado nos olhos dela, mas Jen e eu já conversamos sobre o caso, e Jarvis é o primo favorito dela.

(A propósito, você não acreditaria no quanto Jen gosta de mim e eu dela. Ela é realmente um amor.)

Franklin Westcott nunca havia permitido que Dovie tivesse namorados. Quando Jarvis Morrow começou a "prestar atenção nela", ele o proibiu de ir à casa deles e disse a Dovie que ela não iria mais "andar por aí com aquele sujeito". Mas o mal já havia sido feito, e Dovie e Jarvis já estavam profundamente apaixonados.

Todos na cidade simpatizam com os pombinhos. Franklin Westcott está realmente sendo irracional. Jarvis é um jovem advogado de sucesso, de boa família, com boas perspectivas de vida, bom e decente. Rebecca Dew declarou que ninguém seria melhor, pois Jarvis Morrow poderia ter qualquer garota que quisesse da cidade, e que Franklin Westcott está decidido a deixar que Dovie vire uma solteirona para ter certeza de que terá uma empregada quando a tia Maggie morrer. Eu perguntei se ele não dava ouvidos a ninguém, e Rebecca respondeu: "Ninguém consegue argumentar com Franklin Westcott. É tão sarcástico! E, se alguém o coloca em desvantagem, tem ataques de raiva. Nunca vi um de seus acessos, mas ouvi a senhorita Poutry descrever como ele agiu certa vez em que estava lá, costurando. Ele ficou bravo com alguma coisa, ninguém sabia o quê, e arremessou pela janela tudo que estava à sua frente. Os poemas de Milton saíram voando por sobre a cerca e caíram no lago de lírios de George Clarke. Ele sempre teve uma espécie de rancor da vida. A mãe da senhorita Prouty lhe contou que, quando Franklin nasceu, seus gritos ultrapassavam qualquer choro que ela já tinha ouvido. Suponho que Deus tenha algum plano para homens como ele, mas não imagino quais sejam. Não vejo alternativa para Jarvis e Dovie, a menos que fujam. É uma atitude baixa, por mais que um monte de bobagens românticas já tenha sido dito sobre casais em fuga. Nesse caso, no entanto, todo mundo entenderia".

Tenho de fazer alguma coisa, mas não sei o quê. Simplesmente não consigo ficar parada e ver as pessoas arruinar a própria vida debaixo do meu nariz, não importa quantos ataques de fúria Franklin Westcott tenha. Jarvis Morrow não vai esperar a vida inteira. Há rumores de que está ficando impaciente e de que foi visto selvagemente cortando o nome de Dovie fora de uma árvore na qual o entalhara. Falam que uma jovem atraente da família Palmer está se jogando para cima dele e dizem que a irmã dele disse que a mãe deles falou que o filho dela não precisa passar anos comendo na mão de garota nenhuma.

Realmente, Gilbert, estou muito infeliz com tudo isso.

Hoje é uma noite de luar, meu amado, luar sobre os álamos, fachos de luar sobre o porto, onde um barco fantasma está zarpando, luar sobre o velho cemitério, sobre meu vale particular e sobre a Rainha das Tormentas. E a lua também brilha sobre a Travessa dos Amantes, a Lagoa das Águas Brilhantes e a velha Floresta Assombrada e o Vale das Violetas. Fadas devem estar dançando nas colinas nesta noite. Porém, meu querido Gilbert, luar sem alguém com quem compartilhá-lo é apenas um falso brilho.

Gostaria de poder levar a pequena Elizabeth para dar uma volta. Ela adora passear ao luar, tivemos ótimos passeios assim em Green Gables, mas, em casa, Elizabeth só vê o luar pela janela.

Estou começando a me preocupar com ela também. Ela vai fazer dez anos, e aquelas senhoras não fazem a mínima ideia do que ela precisa, espiritual e emocionalmente. Contanto que tenha boa comida e boas roupas, não imaginam que ela possa precisar de alguma outra coisa, e será pior a cada ano. Que tipo de juventude essa garota terá?

CAPÍTULO 6

Jarvis Morrow voltou caminhando de uma reunião da Escola Secundária junto com Anne e lhe contou seus dilemas.

– Você terá que fugir com ela, Jarvis, pois é o que todos dizem. Via de regra, não aprovo fugas ("eu disse isso como se fosse uma professora com quarenta anos de experiência", pensou Anne com um sorriso oculto), mas há exceções para todas as regras.

– Eu precisaria de duas pessoas para isso, Anne. Não posso fugir sozinho. Dovie tem tanto medo do pai que não consigo fazer com que ela concorde, e não seria um casamento às escondidas... propriamente dito. Ela iria para a casa da minha irmã Julia, a senhora Stevens, sabe? O ministro estaria esperando lá. Ele nos casaria de forma respeitosa o suficiente para que todos fiquem contentes, e então viajaríamos para passar a lua de mel na casa da minha tia Bertha, em Kingsport. Simples assim, mas Dovie não quer se arriscar, pois a pobrezinha é vítima dos caprichos do pai há tanto tempo que não tem nenhuma força de vontade.

– Você terá que obrigá-la, Jarvis.

– Deus, acha que já não tentei, Anne? Já supliquei até ficar rouco. Ela chega a quase prometer que vai fazer isso quando está comigo, mas, quando chega em casa, ela manda avisar que não pode. Parece estranho, mas a coitadinha gosta muito do pai e não suporta a ideia de que ele não a perdoe.

– Diga que ela precisa escolher entre o pai e você.
– E se ela o escolher?
– Duvido que isso possa acontecer.
– Nunca se sabe – queixou-se Jarvis, com um ar sombrio. – Porém algo deve ser decidido logo. Não posso continuar assim para sempre. Estou louco por Dovie, e todo mundo em Summerside sabe disso. Ela é como uma flor inalcançável, e eu preciso alcançá-la, Anne.
– Poesia é algo maravilhoso, Jarvis, mas que de nada lhe será útil nesse caso – disse Anne friamente. – Parece algo que Rebecca Dew comentaria, mas é verdade. O que vocês precisam é do velho bom senso. Diga a Dovie que está cansado de lenga-lenga e que ela precisa ficar com você ou deixá-lo. Se ela não gosta de você o suficiente para contrariar o pai, é melhor que isso fique bem claro.

Jarvis murmurou.

– Você não passou a vida toda sob o domínio de Franklin Westcott, Anne, e não faz ideia de como ele é. Bem, vou tentar pela última vez. Como você mesma disse, se Dovie realmente gostar de mim, ela virá comigo; caso contrário, é melhor que eu encare a pior das hipóteses de uma vez. Estou começando a pensar que fiz papel de bobo.

"Se você está começando a se sentir assim", pensou Anne, "é melhor que Dovie se cuide".

A própria Dovie visitou Windy Poplars algumas noites depois, para pedir conselhos a Anne.

– O que devo fazer, Anne? O que posso fazer? Jarvis quer que eu fuja para nos casarmos praticamente. Meu pai irá a um jantar da maçonaria em Charlottetown na semana que vem, e essa noite seria uma boa oportunidade. A tia Maggie jamais suspeitaria, e Jarvis quer que eu vá para a casa da senhora Stevens, para nos casarmos lá.

– E por que não vai, Dovie?

– Ah, Anne, acha mesmo que eu devo? – Dovie a encarou com um olhar doce, persuasivo. – Por favor, por favor, convença a minha mente. Simplesmente não consigo me decidir. – A voz dela ganhou um tom lacrimoso. – Ah, Anne, você não conhece o meu pai. Ele simplesmente odeia o Jarvis. Não consigo imaginar o porquê. Você consegue? Como alguém pode odiar o Jarvis? Quando ele veio me visitar pela primeira vez, o papai me proibiu de ir à casa dele e ameaçou soltar o cachorro se ele voltasse a me procurar... o nosso buldogue. Você sabe que essa raça nunca larga depois que morde. E meu pai nunca me perdoará se eu fugir com o Jarvis.

– Você precisa escolher um deles, Dovie.

– Foi o que o Jarvis disse – choramingou Dovie. – Ah, ele estava tão sisudo... Nunca o tinha visto assim antes. E eu não posso, não posso viver sem ele, Anne.

– Então vá viver com ele, minha querida. E não encare isso como um casamento às escondidas. Casar-se entre os amigos dele não é um casamento clandestino.

– Mas é o que o papai vai pensar! – disse Dovie, engolindo um soluço. – Mas vou seguir o seu conselho, Anne. Tenho certeza de que você não me daria um conselho ruim. Vou falar para o Jarvis conseguir a licença, e eu irei até a casa da irmã dele na noite em que o papai viajar para Charlottetown.

Jarvis contou para Anne triunfantemente que Dovie por fim aceitara.

– Vou encontrar-me com ela no fim da rua, na noite de terça-feira. Ela não quer que eu vá até a casa dela, por medo de que tia Maggie me veja. Então iremos até a casa da Julia e nos casaremos em um piscar de olhos. Todos os meus amigos estarão lá, de forma que se sentirá bem à vontade. Franklin Westcott disse que eu jamais ficaria com a filha dele, e eu mostrarei como ele está errado.

CAPÍTULO 7

Terça-feira era um dia gris do fim de novembro. Pancadas ocasionais de chuva vinham das colinas. O mundo parecia um lugar desolado, visto através da garoa cinzenta.

"Não é um dia muito aprazível para a coitada da Dovie se casar", pensou Anne. "Digamos... digamos...", ela estremeceu. "Digamos que não dê certo, no fim das contas. Seria culpa minha. Dovie jamais teria topado se eu não a tivesse aconselhado. E suponhamos que Franklin Westcott jamais a perdoe. Anne Shirley, pare com isso! Não se deixe levar pelo clima."

A chuva já havia cessado ao cair da noite, mas o ar estava gelado e cortante, e o céu, tormentoso. Anne estava no quarto da torre, corrigindo provas, com Dusty Miller encolhido embaixo do fogão. Foi quando uma batida trovejante soou na porta da frente.

Anne correu até lá embaixo. Rebecca Dew enfiou a cabeça para fora do quarto, alarmada. Anne fez sinal para que ela não saísse.

– Tem alguém na porta da frente – disse Rebecca, horrorizada.

– Está tudo bem, querida. Na verdade, receio que nada esteja bem, mas, de qualquer forma, é só o Jarvis Morrow. Eu o avistei da janela da torre e sei que ele quer me ver.

– Jarvis Morrow! É o fim da picada! – Rebecca então fechou a porta do quarto.

– Jarvis, o que foi?

– Dovie não veio – respondeu Jarvis, aflito. – Esperamos por horas, o ministro está lá, meus amigos também, Julia preparou um jantar e Dovie não veio. Esperei por ela no fim da rua até quase enlouquecer. Não ousei ir até a casa dela por medo do que possa acontecer. Aquele brutamontes velho do Franklin Westcott pode ter voltado. A tia Maggie pode tê-la trancafiado, mas eu preciso saber o que aconteceu. Anne, você precisa ir até Elmcroft e descobrir por que ela não veio.

– Eu? – disse Anne, incrédula.

– Sim, você. Não posso confiar em mais ninguém... ninguém que saiba o que está se passando. Ah, Anne, não me abandone. Você nos apoiou desde o princípio. Dovie disse que você é a única amiga verdadeira que ela tem. Ainda não está tarde, são só nove da noite. Vá, por favor.

– Para levar uma mordida do buldogue? – disse Anne.

– Aquele cachorro velho! – disse Jarvis, com desdém. – Não assustaria nem um passarinho. Você não acha que tenho medo daquele cachorro, acha? Além disso, ele sempre fica preso de noite. Eu só não quero arranjar problemas para a Dovie, se eles descobriram tudo. Anne, por favor!

– Creio que não haja outro jeito – disse Anne com um dar de ombros desolado.

Jarvis a levou até a rua que levava a Elmcroft, mas ela não permitiu que ele se aproximasse mais.

– Como você disse, as coisas podem se complicar se o pai dela voltou para casa.

Anne se apressou pela estradinha bordeada por árvores. A lua surgia ocasionalmente por entre as nuvens escuras, mas a maior parte do trajeto foi feito na escuridão total, e pensar no cachorro a inquietava ainda mais.

Parecia haver apenas uma luz acesa em Elmcroft, na janela da cozinha. A tia Maggie abriu a porta para Anne. Ela era uma irmã muito mais velha de Franklin Westcott, uma senhora de idade enrugada e um pouco encurvada que nunca fora considerada muito esperta, embora fosse uma exímia dona de casa.

– Tia Maggie, Dovie está em casa?

– Ela está na cama – respondeu a tia Maggie, impassível.

– Na cama? Está doente?

– Não que eu saiba. Passou o dia muito nervosa. Depois do jantar, disse que estava cansada e subiu para o quarto.

– Preciso vê-la por um instante, tia Maggie. Eu só preciso de uma informaçãozinha importante.

– É melhor ir até o quarto dela, então. É o da direita.

A tia Maggie apontou para a escada e foi para a cozinha.

Dovie sentou-se na cama quando Anne entrou sem cerimônia, depois de uma batida rápida.

– Dovie Westcott, você se esqueceu de que tinha prometido que iria se casar com Jarvis Morrow nesta noite?

– Não... Não... – soluçou Dovie. – Ah, Annie, sou tão infeliz e tive um dia atroz. Você jamais imaginaria o que eu passei.

– Sei o que o Jarvis passou duas horas esperando por você na estrada sob o frio e a chuva – disse Anne impiedosamente.

– Ele está muito zangado, Anne?

– Só um pouquinho – respondeu Anne com sarcasmo.

– Ah, fiquei com tanto medo! Não preguei os olhos na noite passada. Não posso fazer isso. É realmente vergonhoso casar-se às escondidas, Anne. E eu não ganharia nenhum presente bonito... Bem, não muitos, de qualquer forma. Sempre quis me casar na igreja, com uma linda decoração, toda de branco e sapatos prateados!

– Dovie Westcott, saia já da cama agora mesmo, vista-se e venha comigo.

– Anne, já é tarde demais.

– Não é tarde demais. É agora ou nunca, e você deve estar ciente disso se tem algum bom senso. Deve saber que Jarvis Morrow nunca mais falará com você se o fizer de tolo dessa maneira.

– Ah, Anne, ele me perdoará quando souber...

– Não vai. Eu conheço o Jarvis Morrow. Ele não vai permitir que você brinque indefinidamente com a vida dele. Dovie, quer eu a arraste para fora da cama?

Dovie estremeceu e suspirou.

– Não tenho nenhum vestido adequado...

– Você tem meia dúzia de belos vestidos. Vista o rosa, de tafetá.

– E não tenho nada de enxoval. Os Morrows sempre jogarão isso na minha cara...

– Você pode montá-lo depois. Dovie, você não pesou todas essas coisas na balança?

– Não... Não... É esse o problema. Só comecei a pensar nisso na noite passada. Mas e o papai? Você não conhece o meu pai, Anne...

– Dovie, vou dar dez minutos para você se vestir!

Dovie aprontou-se dentro do tempo especificado.

– Este vestido está f... f... ficando muito apertado – lamentou ela conforme Anne o fechava. – Se eu ficar muito gorda, receio que Jarvis não v... v... vai me amar. Quem dera eu fosse alta, magra e alva como você. Ah, Anne, e se a tia Maggie nos ouvir?

– Não se preocupe. Ela está trancada na cozinha, e você sabe que ela é um pouco surda. Aqui estão o seu chapéu e o casaco. Também coloquei algumas coisas na sua bolsa.

– Ah, meu coração está tão acelerado! Como estou, Anne? Horrível?

– Você está linda – disse Anne com sinceridade. A tez acetinada de Dovie estava rosada, e as lágrimas não tinham estragado seus olhos, mas Jarvis não conseguia ver os olhos dela no escuro, pois ele estava um pouco irritado com sua amada e a tratou com frieza durante o trajeto até a cidade.

– Pelo amor de Deus, Dovie, não faça essa cara de medo por ter que se casar comigo – disse, impacientemente, enquanto ela descia as escadas da residência dos Stevens. – E não chore; vai deixar o seu nariz inchado. São quase dez horas e temos que pegar o trem das onze.

Dovie se sentiu bem melhor depois que se viu irrevogavelmente casada com Jarvis. O "olhar de lua de mel", como Anne chamou maliciosamente em uma carta a Gilbert, já estava no rosto dela.

– Anne, devemos isso a você. Jamais nos esqueceremos, não é mesmo, Jarvis? Ah, querida, poderia fazer mais uma coisinha para mim? Por favor, dê a notícia ao meu pai. Ele voltará para casa amanhã de noite. Alguém precisa contar para ele, e, se alguém é capaz de aplacá-lo, essa pessoa é você. Por favor, faça o possível para que ele me perdoe.

Anne sentia que alguém também precisava acalmá-la; da mesma forma, ela se sentia responsável pelo casamento e, então, deu a sua palavra.

– É claro que ele reagirá de maneira péssima, simplesmente horrível, mas ele não vai matar você – confortou-a Dovie. – Ah, Anne, você não sabe ou não faz ideia do quanto me sinto segura com Jarvis.

Quando Anne chegou em casa, Rebecca Dew estava a ponto de enlouquecer se não saciasse sua curiosidade. Ela seguiu Anne até o quarto da torre em seu camisolão, com uma flanela ao redor da cabeça, e ouviu toda a história.

– Bem, acho que isso é o que se pode chamar de "vida" – disse sarcasticamente. – Fico muito feliz por Franklin Westcott ter finalmente colhido o que plantou, e a senhora do capitão MacComber também ficará, mas não gostaria de estar incumbida de lhe dar a notícia. Ele ficará enfurecido e dirá coisas vis. Se estivesse no seu lugar, senhorita Shirley, não conseguiria dormir nem por um segundo nesta noite.

– Creio que não será uma experiência agradável – concordou Anne com pesar.

CAPÍTULO 8

Anne foi até Elmcroft na noite seguinte, caminhando por uma paisagem onírica da névoa de novembro com uma sensação de peso na alma. Não era exatamente uma tarefa prazerosa. Como Dovie havia dito, era óbvio que Franklin Westcott não iria matá-la. Anne não temia pela violência física, se bem que, se as histórias fossem verdade, era bem capaz que ele arremessasse algo nela. Será que se enfureceria a ponto de falar coisas sem sentido? Anne nunca havia visto algo assim e imaginava que não fosse uma cena bonita de se ver, porém ele provavelmente exercitaria o dom notável do sarcasmo, que, em um homem ou uma mulher, era uma arma que Anne abominava. Sempre a feria, criando bolhas em seu ser que duravam meses.

"A tia Jamesina costumava dizer: nunca, se puder evitar, seja o portador de más notícias", refletiu Anne. "E tinha razão, como em quase tudo. Bem, aqui estou."

Elmcroft era uma casa antiquada com torres em cada canto e uma cúpula bulbosa no teto. No topo do lance de escadas, estava o cachorro.

"Eles nunca largam depois que mordem", lembrou-se Anne. Será que ela deveria tentar a porta dos fundos? Então, a ideia de que Franklin Westcott podia estar observando-a da janela lhe deu coragem. Ela jamais lhe daria a satisfação de ver que estava com medo do cachorro dele. Decidida e de cabeça erguida, ela marchou escada acima, passou pelo cão e tocou a campainha. O animal nem sequer se moveu. Quando Anne olhou de relance por cima do ombro, ele parecia estar dormindo.

Franklin Westcott ainda não havia retornado, mas chegaria a qualquer momento, pois o trem de Charlottetown estava para chegar. A tia Maggie acompanhou Anne até a sala que chamava de "bibioteca" e a deixou ali. O cachorro as seguiu e se instalou aos pés da Anne.

Anne gostou da "bibioteca". Era um cômodo alegre e desordenado, com uma lareira aconchegante acesa e tapetes de pele de urso sobre o carpete vermelho gasto. Franklin Westcott evidentemente se dava ao luxo dos livros e do cachimbo.

Então ela o ouviu chegar. Ele pendurou o chapéu e o casaco no corredor e parou diante da biblioteca com uma expressão decididamente fechada. Anne recordou que a primeira impressão que tivera dele fora a de um pirata distinto, e ela se repetiu.

– Ah, é você – bufou ele. – Bem, o que deseja?

Ele sequer ofereceu a mão para ela. Entre os dois, Anne não tinha dúvida de que achava que o cachorro tinha modos melhores.

– Senhor Westcott, por favor, ouça-me pacientemente...

– Eu sou paciente, muito paciente. Continue!

Anne concluiu que não havia motivo para rodeios com um homem como Franklin Westcott.

– Vim aqui contar que Dovie casou-se com Jarvis Morrow.

Ela esperou por um terremoto, mas nada aconteceu. Nem um músculo moveu-se no rosto moreno de Franklin Westcott. Ele então se aproximou e sentou na cadeira de couro diante dela.

– Quando?

– Na noite passada, na casa da irmã dele.

Ele a encarou por um instante com os olhos castanho-amarelados e fundos, quase encobertos pelas sobrancelhas fartas. Anne tentou imaginar momentaneamente como ele era quando bebê. Em seguida, jogou a cabeça para trás em um de seus espasmos de risada muda.

– Você não deve culpar Dovie, senhor Westcott – disse Anne sinceramente, recuperando os poderes da fala após a penosa revelação. – A culpa não é dela...

– Aposto que não – disse Franklin Westcott.

Será que ele estava sendo sarcástico?

– Não, a culpa foi toda minha – disse Anne com bravura. – Eu a aconselhei a fugir para se casar. Eu a convenci. Então perdoe-a, senhor Westcott.

Franklin Westcott pegou lentamente um cachimbo e começou a enchê-lo.

– Se você convenceu Sibyl a fugir para se casar com Jarvis Morrow, senhorita Shirley, você conseguiu mais do que imaginei que alguém conseguiria. Estava começando a achar que ela jamais teria coragem para fazer isso, então eu teria que voltar atrás e, Deus, como os Westcotts detestam voltar atrás! Você me salvou dessa, senhorita, e estou profundamente grato a você.

Houve um momento gritante de silêncio enquanto Franklin Westcott arrumava o tabaco e encarava Anne com um ar divertido. Anne estava tão perdida que nem sabia o que dizer.

– Suponho que tenha vindo até aqui tremendo de medo de me dar a notícia.

– Sim.

Franklin Westcott riu sem emitir som algum.

– Não precisava. Você não poderia ter me dado notícia melhor. Ora, eu escolhi Jarvis Morrow para a Sibyl quando ainda eram crianças. Logo que os outros garotos começaram a notá-la, eu os afugentei. Isso fez Jarvis morder o anzol. Ele iria dar uma lição no velho! Porém ele era tão popular com as garotas que eu mal pude acreditar na sorte incrível quando ele se interessou genuinamente por ela. Então, eu tracei meu plano de campanha. Conheço a família Morrow como a palma da minha mão. Você, não. São gente boa, mas os homens não gostam de nada que vem fácil e ficam obstinados a conseguir alguma coisa quando ouvem um não. Eles vão sempre na contramão. O pai de Jarvis partiu o coração de três garotas porque as famílias delas as jogaram em cima dele. Eu sabia exatamente o que aconteceria no caso de Jarvis. Sabia que perderia o interesse se ela se mostrasse fácil demais. Assim, eu o proibi de se aproximar de casa e proibi Sibyl de trocar uma palavra com Jarvis e fiz o papel do pai bravo com perfeição. Fala-se muito do encanto do desconhecido, mas isso não é nada comparado com o charme do inalcançável! Tudo saiu dentro dos conformes, mas a falta de coragem de Sibyl foi um obstáculo. Ela é uma boa menina, mas é medrosa. Achava que nunca teria coragem de me contrariar e casar-se com ele. Agora, se já recuperou o fôlego, minha jovem, conte-me toda a história.

O senso de humor de Anne novamente a salvou. Ela jamais recusava uma oportunidade de dar boas risadas, mesmo que fosse de si mesma. E de repente sentiu que se daria bem com Franklin Westcott.

Ele ouviu a história, desfrutando silenciosamente de seu cachimbo. Quando Anne terminou, ele assentiu confortavelmente.

– Vejo que minha dívida é maior do que imaginava. Ela jamais teria tido coragem se não fosse por você, e Jarvis Morrow não arriscaria ser feito de tolo duas vezes. Eu conheço a raça dele. Nossa, mas foi por pouco! Estarei eternamente a seu comando, e você foi muito valente por vir aqui depois de ter ouvido tantas fofocas. Você ouviu um monte, não é mesmo?

Anne assentiu. O buldogue roncava alegremente com a cabeça no colo dela.

– Todos concordam que você é rabugento, bravo e mal-humorado – disse ela com franqueza.

– E suponho que disseram que sou um tirano, que tornei a vida da minha esposa miserável e que governo a vida da minha família com punho de ferro.

– Sim, mas ouvi tudo isso com um pé atrás, senhor Westcott. Dovie não gostaria tanto do senhor se fosse tão desagradável como dizem as más línguas.

– Que garota sensata! Minha esposa era uma mulher feliz, senhorita Shirley. E, quando a senhora do capitão MacComber disser que eu a maltratei até morrer, mande-a calar a boca por mim. Desculpe meus modos. Mollie era linda, mais linda que Sibyl. Uma pele tão rosa e alva, cabelos castanho-dourados e olhos azuis tão orvalhados! Era a mulher mais linda de Summerside. Tinha que ser. Não teria suportado se um homem entrasse na igreja com uma esposa mais bonita que a minha. Eu mandei na minha casa como um homem deveria, mas não como um tirano. Ah, é claro que tinha um acesso de raiva aqui e ali, mas Mollie acabou se acostumando com eles. Um homem tem o direito de ter uma discussão com a esposa de vez em quando, não tem? As mulheres se cansam de maridos monótonos. Além disso, eu sempre lhe dava um anel, um colar ou algo do tipo depois que me acalmava. Nenhuma mulher da cidade tinha joias melhores que as dela. Tenho que buscá-las e dá-las para Sibyl.

Anne não resistiu.

– E os poemas de Milton?

– Poemas de Milton? Ah, aquilo! Não era Milton, e sim Tennyson. Reverencio o trabalho de Milton, mas não suporto Alfred. Ele é doce demais. Os últimos versos de *Enoch Arden* me deixaram tão irritados, certa noite, que eu joguei o livro pela janela, mas eu o recolhi no dia seguinte em nome de *Bugle Song*. Por um poema assim, eu perdoaria qualquer pessoa. E o livro não caiu no lago de lírios de George Clarke; isso é lorota da velha Prouty. Já vai embora? Fique e jante com um velho solitário roubado de sua única cria.

– Sinto muito, mas não posso. Tenho uma reunião de trabalho hoje.

– Bem, eu a verei quando Sibyl voltar. Vou dar uma festa para eles, sem dúvida. Santo Deus, que alívio. Você não faz ideia de como eu detestaria ter que dar o braço a torcer e dizer "leve-a". Agora, tudo que preciso fazer é fingir estar de coração partido, resignado e perdoá-la em nome da pobre mãe. Farei o papel lindamente... Jarvis jamais suspeitará, então não conte nada a eles.

– Prometo.

Franklin Westcott a acompanhou até a porta. O cão sentou-se e lamentou a perda. À porta, ele tirou o cachimbo da boca e o bateu no ombro dela.

– Lembre-se sempre – disse ele solenemente. – Há mais de uma maneira de esfolar um gato. Isso pode ser feito de uma forma que o animal nem perceba que perdeu o couro. E obrigado... Muito obrigado.

Anne foi para casa, desfrutando da noite serena. A neblina havia se dissipado, o vento tinha mudado, e o céu esverdeado tinha um ar invernal.

"As pessoas disseram que eu não conhecia Franklin Westcott", refletiu Anne. "E estavam certas, eu não o conhecia, e elas tampouco".

– Como ele reagiu? – Rebecca Dew estava ávida para saber. Ela estivera tensa durante a ausência de Anne.

– Nada mal, no fim das contas – confidenciou Anne. – Acho que ele perdoará Dovie com o tempo.

– Nunca vi alguém melhor do que você para convencer as pessoas, senhorita Shirley – admirou Rebecca Dew. – Você realmente leva jeito para isso.

– "Algo tentado, algo alcançado, uma noite de descanso ganha"[31] – citou Anne, cansada, enquanto subia os três degraus que levavam à sua cama. – Mas espere só da próxima vez que alguém me pedir conselhos sobre casamento!

---

31 Referência ao poema *The Village Blacksmith*, de Henry Wadsworth Longfellow. (N. T.)

CAPÍTULO 9

(Trecho de uma carta a Gilbert.)

Fui convidada para jantar amanhã com uma dama de Summerside. Sei que não vai acreditar, Gilbert, quando eu disser que o nome dela é Tomgallon, Senhorita Minerva Tomgallon. Você vai dizer que andei lendo Dickens demais, até tarde da noite.

Meu amado, você não se alegra por se chamar Blythe? Creio que jamais me casaria com você se fosse um Tomgallon. Imagine, Anne Tomgallon! Não, é impossível de imaginar.

É a honraria máxima em Summerside ser convidada para a Casa Tomgallon, ela não tem outro nome. Nada de Elms, Chestnut ou Croft para a família Tomgallon.

Sei que foram a Família Real antigamente. Os Pringles são fichinha comparados com eles, e agora a única que resta é a senhorita Minerva, a única sobrevivente de seis gerações de Tomgallons. Ela mora sozinha em uma casa imensa na rua Queen, uma casa com grandes chaminés e persianas verdes e a única casa da cidade com um vitral. É grande o bastante para quatro famílias, mas é habitada apenas pela senhorita Minerva, uma cozinheira e uma empregada. É muito bem-arrumada, porém, de alguma forma, sempre que passo por ela, sinto como se fosse um lugar esquecido pela vida.

A senhorita Minerva sai muito pouco, somente para a ir à igreja anglicana, e eu só a conheci algumas semanas atrás, quando ela compareceu a uma reunião de funcionários e administradores para fazer a doação formal da valiosa biblioteca de seu pai à escola. Tem o aspecto exato que se esperaria de uma Minerva Tomgallon: alta e magra, com um rosto longo e fino, nariz e boca compridos. Não soa muito atraente, mas a senhorita Minerva é muito bonita de uma forma altiva e aristocrática, e sempre se veste com grande elegância, ainda que um tanto obsoleta. Foi muito bela quando jovem, segundo Rebecca Dew, e seus grandes olhos negros ainda estão cheios de fogo e brilho. Não lhe faltam palavras, e acho que nunca ouvi alguém gostar tanto de fazer um discurso de apresentação.

A senhorita Minerva foi excepcionalmente gentil comigo, e ontem recebi uma nota formal me convidando para jantar com ela. Quando contei para Rebecca Dew, ela arregalou os olhos como se eu tivesse sido convidada para o palácio de Buckingham. Explicou, maravilhada, que é uma grande honra ser convidada para a Casa Tomgallon. E disse: "Nunca ouvi falar que ela já tenha convidado os outros diretores antes. Claro que eram todos homens, então acredito que não seria apropriado. Bem, espero que ela não fale até deixar você cansada, senhorita Shirley. Os Tomgallons são conhecidos por serem tagarelas e também gostam de estar à frente das coisas. Algumas pessoas dizem que a senhorita Minerva vive isolada porque está velha demais para liderar como costumava fazer e ela não quer ser a segunda de ninguém. O que vai usar, senhorita Shirley? Gostaria de ver você usar aquele vestido de seda creme, com laços pretos de veludo. É tão chique". Eu disse que receava que seria "chique" demais para um jantar, porém Rebecca rebateu: "A senhorita Minerva iria gostar, eu acho. Os Tomgallons sempre gostaram que seus convidados estivessem bem vestidos. Dizem que o avô dela bateu a porta na cara de uma convidada de baile que ele estava dando porque a mulher estava com o seu segundo melhor vestido. E ainda disse que o melhor dela não era bom o bastante para os Tomgallons". Eu disse que iria usar o meu vestido verde de *voile* e os ancestrais dos Tomgallons que se contentem com ele.

Tenho que confessar o que fiz na semana passada, Gilbert. Acho que vai dizer que estou mais uma vez me metendo na vida dos outros, mas tive de fazer alguma coisa. Eu não estarei em Summerside no ano que vem e não suporto a ideia de deixar a pequena Elizabeth nas mãos daquelas duas velhas, que estão ficando mais amargas e intratáveis a cada ano. Que tipo de mocidade ela terá naquele lugar decrépito e sem vida? Ela disse há pouco tempo, de maneira melancólica, que imaginava como seria ter uma avó de quem não se tem medo.

Foi isto o que eu fiz: eu escrevi para o pai dela. Ele mora em Paris e eu não sei o endereço dele, mas Rebecca Dew se lembrou do nome da firma cuja filial ele administra lá, de modo que eu me arrisquei e enviei a carta aos cuidados dele. Escrevi com o máximo de diplomacia possível, mas deixei bem claro que ele deveria cuidar de Elizabeth. Contei o quanto ela anseia e sonha com ele e que a senhora Campbell era severa e rigorosa demais com ela. Talvez não resulte em nada, mas, se não tivesse feito isso, eu seria assombrada para sempre pela convicção de que deveria ter agido.

Tive a ideia quando a menina me contou, com muita seriedade, que havia "escrito uma carta para Deus" pedindo que trouxesse seu pai de volta e que o fizesse amá-la. Ela disse que parou em um terreno baldio, a caminho de casa, e que leu a carta olhando para o céu. Eu sabia que ela havia feito algo estranho, pois a senhora Prouty viu a performance e me contou sobre ela quando veio costurar para as viúvas no dia seguinte. Ela achava que a Elizabeth estava ficando "esquisita, falando para o céu daquele jeito".

Eu perguntei para a menina, e ela respondeu: "Achei que Deus fosse prestar mais atenção a uma carta do que a uma oração. Já rezei tanto! Ele deve ouvir muitas orações".

Naquela noite, eu escrevi ao pai dela, mas, antes de terminar, tenho que contar sobre Dusty Miller. Algum tempo atrás, a tia Kate me disse que precisava encontrar um novo lar para ele, pois ela não suportava mais as reclamações da Rebecca Dew. Na semana passada, quando voltei da escola, Dusty Miller já não estava mais lá. A tia Chatty disse que elas o deram para a senhora Edmonds, que vive do outro lado de Summerside. Eu fiquei triste, pois Dusty Miller e eu sempre fomos ótimos amigos. "Mas, pelo menos, Rebecca Dew será uma mulher feliz", pensei.

Nesse dia, Rebecca se ausentou para ajudar uma parente a fazer tapetes. Quando ela voltou ao final do dia, nada foi dito, mas, na hora de dormir, quando ela foi até a varanda dos fundos chamar pelo bichano, a tia Kate disse que ela não precisava mais chamar pelo Dusty Miller, pois ele não estava mais lá. Tinham encontrado outro lar, e ele não a incomodaria mais.

Se Rebecca pudesse ficar pálida, ela teria ficado. Perguntou com espanto: "Não está aqui? Outro lar? Deus do céu! Mas aqui não é o lar dele?". A Tia Kate respondeu que havia dado para a senhora Edmonds, pois ela tem se sentido muito sozinha desde que a filha se casou e achou que um gato seria uma ótima companhia.

Rebecca Dew entrou e fechou a porta. Parecia muito perturbada e disse que era o fim da picada, e parecia mesmo. Nunca tinha visto os olhos de Rebecca Dew faiscar de raiva. Ela disse que ia embora no fim do mês ou o quanto antes, se possível, e tia Kate falou desconcertada que não entendia, pois Rebecca nunca gostou de Dusty Miller. E ela retrucou com amargura: "Isso mesmo, jogue as coisas na minha cara! Não tenha consideração alguma pelos meus sentimentos! Aquele pobre gato! Eu tomei conta dele e o mimei, e levantei de madrugada para deixá-lo entrar. E vocês se livram dele pelas minhas costas sem nem me avisar! E ainda o deram para Sarah Edmonds, que não compraria um pedacinho de fígado nem se o coitadinho estivesse morrendo! A única companhia que eu tinha na cozinha!". A tia Kate ia retrucar, mas Rebecca a interrompeu: "Ah, continue... Continue! Não me deixe falar uma palavra sequer, senhora MacComber. Eu cuidei daquele gato desde que era um filhotinho, preservei a saúde e a moral dele e para quê? Para a Jane Edmonds ter um gato bem-treinado de companhia. Bem, espero que ela saia nas noites geladas como eu fiz, chamando por aquele gato por horas em vez de deixá-lo no frio, mas eu duvido... Eu seriamente duvido. Bem, senhora MacComber, só espero que a sua consciência não a perturbe da próxima vez que a temperatura estiver dez abaixo de zero. Eu não conseguirei dormir quando isso acontecer, mas é claro que ninguém mais dá a mínima para isso". Tia Kate tentou falar, mas Rebecca a interrompeu de novo: "Senhora MacComber, eu não sou feita de ferro nem sou um capacho. Bem, essa foi uma lição para mim, uma lição valiosa! Nunca mais me afeiçoarei a nenhum tipo de animal. E se vocês tivessem feito isso abertamente, mas pelas minhas costas! Nunca ouvi falar de algo tão desleal! Mas quem sou eu para esperar que meus sentimentos sejam respeitados!". Tia Kate disse desesperadamente que, se a Rebecca quisesse o Dusty Miller de volta, podíamos buscá-lo. E Rebeca disse: "E por que você não disse isso antes? E eu duvido... Jane Edmonds já deve ter cravado as unhas nele. Será que ela o devolveria?". Tia Kate achava que sim e perguntou à Rebecca que se ela não iria mais embora se ele voltasse. Então ela, como se estivesse fazendo uma tremenda concessão, disse que iria pensar.

No dia seguinte, a tia Chatty trouxe Dusty Miller para casa em uma cesta coberta. Eu captei uma troca de olhares entre a tia Kate e ela depois que a Rebecca levou Dusty para a cozinha e fechou a porta. Será que tudo não passou de uma armação complexa por parte das viúvas, com a ajuda de Jane Edmonds?

Rebecca nunca mais fez uma reclamação de Dusty Miller e, quando ela o chama de noite, há em sua voz um verdadeiro tom de vitória. É como se ela quisesse que a cidade inteira soubesse que Dusty Miller havia voltado para o lar e que, mais uma vez, ela levara a melhor sobre as viúvas!

CAPÍTULO 10

Em um anoitecer escuro e ventoso de março, em que até as nuvens que passavam pelo céu pareciam apressadas, Anne subiu o lance triplo de degraus largos e baixos, flanqueados por urnas e leões de pedra, que levava à maciça porta da frente da Casa Tomgallon. Geralmente a casa parecia sombria e austera à noite, com um o débil brilho de uma luz em uma ou outra janela, mas agora ela reluzia em todo o seu esplendor. Até as alas laterais estavam iluminadas, como se a senhorita Minerva fosse receber a cidade inteira. Anne sentiu-se tocada por toda aquela decoração em sua honra e ela quase desejou ter posto o vestido cor de creme.

Não obstante, ela estava muito charmosa com o vestido verde de *voile*, e a senhorita Minerva deve ter pensando o mesmo, pois seu rosto e sua voz foram muito cordiais ao recebê-la no *hall*. A própria anfitriã tinha um ar régio em seu vestido de veludo, a tiara de diamantes sobre os espessos cachos de um cinza férreo e o imenso camafeu envolto por uma mecha de cabelo trançado de algum Tomgallon falecido. Toda a vestimenta parecia um pouco antiquada, mas a senhorita Minerva a usava com tamanha empáfia que parecia eterna como a da realeza.

– Bem-vinda à Casa Tomgallon, querida – disse, entendendo a mão ossuda para Anne, igualmente adornada por diamantes. – Estou muito contente em recebê-la.

– Eu...

— A Casa Tomgallon outrora foi um reduto de beleza e juventude. Costumávamos dar muitas festas e entreter as celebridades que vinham visitar – disse a senhorita Minerva, conduzindo Anne por um carpete de veludo vermelho puído até uma grande escadaria. – Porém tudo está diferente agora. Recebo pouca gente, sou a última dos Tomgallons e talvez seja melhor assim. Minha família, minha querida, tem uma maldição.

A senhorita Minerva usou um tom tão intenso de mistério e horror que Anne quase teve um arrepio. A Maldição dos Tomgallons! Que título para uma história!

— Esta é a escada na qual meu bisavô Tomgallon caiu e quebrou o pescoço na festa que ele deu para inaugurar a casa. Esta casa foi consagrada com sangue humano. Ele caiu ali... – A senhorita Minerva apontou um dedo comprido tão teatralmente para um tapete de pele de tigre no *hall* que Anne quase pôde ver o finado Tomgallon morto.

Ela realmente não sabia o que dizer, e então decidiu-se por um ínfimo:

— Ah!

A senhorita Minerva a levou por um corredor repleto de retratos e fotografias de descolorida beleza, com o famoso vitral no fim, até um majestoso quarto de visitas amplo e de teto alto. Sobre a cama alta de nogueira, com sua cabeceira imensa, havia uma colcha de seda tão deslumbrante que Anne achou um sacrilégio colocar o casaco e o chapéu sobre ela.

— Seu cabelo é muito bonito, minha querida – admirou a senhorita Minerva. – Sempre admirei os ruivos. A minha tia Lydia era ruiva, mas era a única da família. Em uma noite, enquanto escovava os cabelos no quarto que dá para o norte, eles pegaram fogo por causa de uma vela, e ela correu pelo corredor, aos gritos, envolta em chamas. Culpa da Maldição, minha querida, foi tudo por culpa da Maldição.

— Ela...?

— Não, ela não morreu, mas perdeu toda a beleza. Ela era muito linda e vaidosa. Nunca mais saiu de casa depois daquela noite, até o dia da sua morte, e deixou instruções para que seu caixão fosse lacrado para que ninguém visse seu rosto marcado. Não quer se sentar para tirar as galochas, querida? Esta cadeira é muito confortável. Minha irmã morreu nela, de derrame. Ela era viúva e havia se mudado para cá depois da morte do marido. A filhinha dela virou uma panela de água fervente em cima de si mesma, na nossa cozinha. Não é um jeito trágico de uma criança morrer?

– Ah, como...

– Mas pelo menos nós sabemos como ela morreu. Minha meia-tia Eliza, quer dizer, ela teria sido minha meia-tia, simplesmente desapareceu aos seis anos e ninguém nunca soube o que aconteceu com ela.

– Mas com certeza...

– Buscas foram feitas por toda parte, mas nada foi descoberto. Dizem que a mãe dela, minha meia-avó, foi muito cruel com uma sobrinha do meu avô que ficara órfã e viera morar aqui. Ela a trancafiou em um armário no topo da escadaria como castigo, em um dia quente de verão, e, quando foi soltá-la, encontrou-a morta. Algumas pessoas acharam que foi um castigo divino quando a própria filha desapareceu. Mas eu acho que foi a nossa Maldição.

– Quem colocou...?

– Como o arco do seu pé é alto, minha querida! O meu também provocava admiração. Diziam que uma corrente de água poderia passar por baixo. É o teste de uma verdadeira aristocrata.

A senhorita Minerva mostrou timidamente o sapato por baixo da saia de veludo, revelando um pé inegavelmente bonito.

– É certamente...

– Gostaria de conhecer a casa, querida, antes de jantarmos? Ela já foi o orgulho de Summerside. Suponho que agora seja antiquada, mas talvez ainda tenha algumas coisas interessantes. Aquela espada pendurada no cimo da escada pertenceu ao meu tataravô, que era oficial do exército britânico e recebeu uma concessão de terra na Ilha do Príncipe Edward pelos seus serviços. Ele nunca morou nesta casa, mas minha tataravó chegou a passar algumas semanas aqui. Ela não durou muito depois da morte trágica do filho.

A senhora Minerva guiou Anne implacavelmente por toda a casa imensa, cheia de grandes cômodos quadrados: um salão de festa, uma sala de música, sala de bilhar, três salas de estar, inúmeros dormitórios e um sótão enorme. Todos esplêndidos e ermos.

– Aqueles são o meu tio Ronald e o meu tio Reuben – disse a senhorita Minerva, indicando duas figuras nobres que pareciam estar de cara amarrada um para o outro, de lados opostos da lareira. – Eram gêmeos e se odiaram amargamente desde o nascimento. A casa chacoalhava com as brigas deles, e isso foi a mácula na vida da mãe deles. Na última briga, neste mesmo cômodo, durante uma tempestade, Reuben foi morto por um raio, e Ronald jamais se recuperou. Daquele dia em diante, foi um homem atormentado, e a esposa dele engoliu a própria aliança – acrescentou a senhorita Minerva em tom reminiscente.

– Que coisa mais...

– Ronald achou que foi um grande descuido e não quis que fizessem nada. Um emético teria resolvido, mas nunca mais se ouviu falar do anel. Ela sempre se sentiu descasada sem ele.

– Que bela...

– Ah, sim, essa era a minha tia Emilia. Não era tia minha de verdade, é claro. Apenas a esposa do tio Alexander. Era notória pelo ar etéreo, mas acabou envenenando o marido com um ensopado de cogumelos, que eram venenosos, no caso. Sempre fingimos que foi um acidente, visto que um assassinato é algo terrível de se ter na família, mas todos sabiam a verdade. É evidente que se casara com ele contra a vontade. Ela era uma jovem vivaz, e ele já era velho demais para ela. Dezembro e maio, minha querida. Não obstante, isso não justifica os cogumelos. A vida dela entrou em declínio logo em seguida. Estão enterrados juntos em Charlottetown, como todos os Tomgallons. Esta é minha tia Louise. Ela bebeu láudano. O médico fez uma lavagem estomacal e a salvou, mas todos sentimos que não podíamos mais confiar nela. Foi um alívio quando ela morreu respeitosamente de pneumonia. Alguns de nós não a culpávamos. Sabe, o marido batia nela.

– Batia...

– Exatamente. Há algumas coisas que nenhum cavalheiro deve fazer, e uma delas é bater na esposa. Derrubá-la, talvez, mas espancar, nunca! Gostaria de conhecer algum homem ousado o bastante para me dar uma surra! – disse, majestosamente.

Anne também teve vontade de conhecê-lo, mas ela percebeu que há limites para a imaginação. De forma alguma ela conseguia imaginar um marido batendo na senhorita Minerva Tomgallon.

– Este é o salão de festa. Obviamente, não o usamos mais, mas já tivemos inúmeras festas aqui. Os bailes dos Tomgallons eram famosos. Pessoas de toda a ilha compareciam. O candelabro custou ao meu pai quinhentos dólares. Minha tia-avó Patience caiu morta enquanto dançava aqui, certa noite... Bem ali, naquele canto. Ela estava apaixonada por um homem que a decepcionou. Não consigo imaginar como uma garota permite que um homem parta seu coração. Homens – disse a senhorita Minerva, olhando para a fotografia do pai, um sujeito com bigodes eriçados e um nariz de gavião – sempre me pareceram criaturas muito triviais.

CAPÍTULO 11

A sala de jantar combinava com o resto da casa. Havia outro candelabro, um espelho de moldura dourada igualmente ornamentado sobre a cornija da lareira e uma mesa posta de modo elegante com prataria, cristais e louça de porcelana. O jantar, servido por uma empregada taciturna e anciã, era abundante e delicioso, e o apetite saudável da jovem Anne lhe fez justiça. A senhorita Minerva ficou em silêncio por um instante, e Anne não ousou dizer algo, por medo de começar outra avalanche de tragédias. Em um dado momento, um grande gato preto entrou e sentou-se ao lado da senhorita Minerva com um miado rouco. A anfitriã pareceu muito mais humana depois disso, tanto que Anne perdeu boa parte do temor diante da última dos Tomgallons.

– Sirva-se de mais um pouco dos pêssegos, querida. Você comeu tão pouco... praticamente nada.

– Ah, senhorita Tomgallon, está tudo...

– Os Tomgallons sempre serviram uma boa mesa – disse a senhorita Minerva complacentemente. – Minha tia Sophia fazia o melhor pão de ló que eu já provei. Acho que a única pessoa que meu pai odiou ver em nossa casa foi Mary, a irmã dele, pois o apetite dela era péssimo. Ele encarava como uma ofensa pessoal. Meu pai era um homem inflexível. Nunca perdoou meu irmão Richard por ter se casado contra a vontade dele. Ele o expulsou de casa e nunca mais permitiu que colocasse os pés aqui. Papai sempre rezava o Pai-Nosso durante as orações da família de domingo e, depois que Richard o contrariou, ele deixou de dizer "perdoai as nossas ofensas, assim como nós perdoamos a quem nos tenha ofendido". Consigo até vê-lo – comentou a senhorita Minerva, sonhadora –, ajoelhado ali, deixando o trecho de fora.

Depois do jantar, elas foram para a menor das salas de visita, que ainda era bem grande e sombria, e passaram o resto da noite perto da lareira acolhedora. Anne fez um conjunto intricado de guardanapos de crochê, e a senhorita Minerva trabalhou em uma colcha enquanto fazia praticamente um monólogo, composto em grande parte por histórias vívidas e macabras dos Tomgallons.

– Esta é uma casa de lembranças trágicas, minha querida.

– Senhorita Tomgallon, alguma coisa boa já aconteceu nesta casa? – perguntou Anne, conseguindo terminar uma frase inteira por pouco. A senhorita Minerva havia feito uma pausa para assoar o nariz.

– Ah, acredito que sim – disse a senhorita Minerva, como se detestasse ter que admitir. – Sim, é claro, costumávamos nos divertir muito quando eu era criança. Ouvi dizer que está escrevendo um livro sobre todas as pessoas de Summerside, minha querida.

– Eu não... Isso não tem um pingo de verdade...

– Ah! – A senhorita Minerva parecia um pouco desapontada. – Bem, se algum dia o fizer, pode usar qualquer uma de nossas histórias, talvez mudando os nomes. Agora, que tal uma partida de ludo?

– Receio que já esteja tarde...

– Ah, minha querida, você não pode ir para casa nesta noite. Está chovendo canivetes. Ouça o vento. Eu não tenho mais uma carruagem, pois quase não tenho necessidade de usá-la, e você não pode caminhar meio quilômetro nesse dilúvio. Terá de passar a noite aqui.

Anne não tinha certeza se queria passar uma noite na Casa Tomgallon. E tampouco queria andar até Windy Poplars sob uma tempestade de março. Assim, elas jogaram uma partida de ludo, na qual a senhorita Minerva ficou tão absorta que se esqueceu de narrar mais horrores, e então fizeram um "lanchinho antes de dormir": comeram torradas com canela e beberam chocolate quente em canecas antigas dos Tomgallons, finas e belas.

Por fim, a senhorita Minerva levou Anne para um quarto de hóspedes. Anne de início ficou feliz por não ser o cômodo onde a irmã da senhora morrera.

– Este é o quarto da tia Annabella – explicou a anfitriã, acedendo as velas nos candelabros prateados em uma linda penteadeira verde, antes de desligar o gás. – Ela era a mais linda da família. Ali está o retrato dela, acima do espelho. Consegue notar o sorriso orgulhoso? Foi ela quem fez essa colcha maluca sobre a cama. Espero que fique confortável, minha querida. Mary trocou a roupa de cama e colocou dois tijolos quentes embaixo. Ela também arejou este camisolão para você... – Ela apontou para uma grande peça de flanela sobre uma cadeira, exalando um forte cheiro de naftalinas. – Espero que sirva em você. Ele não é usado desde que a mamãe morreu nele. Ah, quase me esqueci de contar... – A senhorita Minerva virou-se ao chegar na porta. – Este é o quarto onde Oscar Tomgallon voltou à vida, depois de ter sido dado como morto por dois dias. Só que ninguém queria que ele voltasse, sabe, essa foi a tragédia. Espero que durma bem, querida.

Anne não sabia se conseguiria dormir. De repente, ela sentiu que havia algo estranho ali ou algo hostil, mas essa não é uma sensação comum em qualquer quarto que foi ocupado por gerações? A morte já espreitara por aquele cômodo, o amor já florescera ali, tantos nascimentos, tantas paixões, esperanças e tantos rancores.

Aquela era realmente uma mansão velha e horrível, cheia de fantasmas de antigos desafetos e corações partidos, abarrotada de verdades sombrias que jamais viram a luz do dia e que ainda se putrefaziam em cada canto e esconderijo. Inúmeras mulheres já tinham chorado ali. O vento uivava assustadoramente entre os abetos próximos da janela. Anne teve a súbita vontade de fugir dali, com ou sem tempestade.

Mas então ela resolveu tomar as rédeas do bom senso. Se tragédias e tristezas haviam ocorrido ali, há anos e anos, coisas divertidas e alegres também deviam ter acontecido. Garotas belas e felizes haviam dançado ali, trocando deliciosas confidências; bebês risonhos nasceram; sem contar os casamentos, as músicas e as risadas. A mulher do pão de ló deve ter sido uma pessoa afável, e o imperdoável Richard, um charmoso pretendente.

"Vou pensar nessas coisas e dormir. Que bela colcha! Pergunto-me se estarei tão maluca quanto ela pela manhã. E este é um quarto de hóspedes! Nunca me esqueci da emoção que dormir no quarto de hóspedes de alguém me causava."

Anne soltou os cabelos e os penteou debaixo do nariz de Annabella Tomgallon, que a encarava com uma expressão de orgulho e vaidade, e com a insolência inata a uma grande beleza. Anne sentiu um arrepio ao olhar-se no espelho. Quem saberia dizer quantos rostos a encaravam de volta? Todas as mulheres trágicas e atormentadas que já se admiraram nele, talvez. Ela abriu com valentia a porta do armário, meio que esperando que um monte de esqueletos despencasse e ficasse preso em seu vestido. Sentou-se com serenidade em uma cadeira dura, que parecia ofender-se por alguém fazer isso, e tirou os sapatos. Depois ela apagou as velas, vestiu o camisolão e deitou-se na cama, que estava quentinha graças aos tijolos de Mary. Por um tempo, a chuva que escorria nas janelas e o vento nos velhos beirais a impediram de dormir. Mas então ela deixou para trás todas as tragédias dos Tomgallons e adentrou um sono sem sonhos, até que se descobriu encarando os ramos escuros dos pinheiros contra o amanhecer vermelho.

– Foi um grande prazer receber você, minha querida – disse a senhorita Minerva depois do café da manhã, quando Anne estava de partida. – Foi uma visita realmente divertida, não? Vivo sozinha há tanto tempo que quase me esqueci como se conversa. E tenho que dizer o quanto foi bom conhecer uma jovem realmente charmosa e bem-educada nesses tempos tão frívolos. Eu não lhe contei, mas ontem foi o meu aniversário, e eu adorei ter um pouco de jovialidade nesta casa. Não há mais ninguém para se lembrar do meu aniversário agora. – A senhorita Minerva deixou escapar um suspiro – Houve um tempo em que havia tanta gente...

– Bem, suponho que tenha escutado uma crônica de horrores – comentou a tia Chatty naquela noite.

– Todas aquelas coisas que a senhorita Minerva me contou aconteceram de verdade, tia Chatty?

– Sim, por mais impressionante que seja. É curioso, senhorita Shirley, mas muitas coisas ruins aconteceram aos Tomgallons.

– Não creio que tenha sido nada de diferente do que possa acontecer a uma família grande, no decurso de seis gerações – disse a tia Kate.

– Ah, creio que sim. Eles realmente parecem ser amaldiçoados. Muitos deles morreram de forma súbita e violenta. É claro que há um histórico de insanidade na família, todo mundo sabe disso, porém há uma maldição; eu já ouvi a história. Não consigo me lembrar dos detalhes, mas foi um carpinteiro que construiu a casa que a amaldiçoou. Algo sobre o contrato, o velho Paul Tomgallon o enganou e arruinou a vida dele, pois ela custou muito mais do que o esperado.

– A senhorita Minerva parece ter orgulho da maldição – disse Anne.

– Pobrezinha, é tudo que ela tem – disse Rebecca Dew.

Anne sorriu ao imaginar a pomposa senhorita Minerva sendo chamada de pobrezinha. Mas ela subiu para o quarto da torre e escreveu ao Gilbert:

Achei que a Casa Tomgallon fosse um lugar velho e modorrento onde nunca acontecia nada. Bem, talvez nada aconteça agora, mas evidentemente coisas já aconteceram. A pequena Elizabeth sempre fala do Amanhã. Mas a velha Casa Tomgallon é o Ontem. Estou feliz por não morar no Ontem e que o Amanhã ainda seja uma possibilidade.

É claro que acho que senhorita Minerva gosta de ser o centro das atenções, como todos os Tomgallons, e que adora suas tragédias. São para ela o que um marido e filhos são para outras mulheres. Mas, ah, Gilbert, não importa o quanto fiquemos velhos, espero que nunca vejamos a vida como uma grande tragédia da qual temos orgulho. Acho que detestaria uma casa de cento e vinte anos. Espero que nossa casa dos sonhos seja nova em folha, sem fantasmas e tradições, ou, se não for possível, que tenha sido ocupada por pessoas razoavelmente felizes. Jamais me esquecerei da minha noite na Casa Tomgallon e, pela primeira vez na vida, encontrei alguém capaz de me cansar de tanto falar.

CAPÍTULO 12

A pequena Elizabeth Grayson nasceu esperando que as coisas acontecessem. O fato de nunca terem acontecido sob o olhar vigilante da avó e da Ajudante nunca frustrou suas expectativas. As coisas iam acontecer em algum momento, se não hoje, amanhã.

Quando a senhorita Shirley veio morar em Windy Poplars, a pequena Elizabeth sentiu que o Amanhã devia estar muito próximo, e sua visita a Green Gables foi como um antegosto. Porém agora, em junho do terceiro e último ano da senhorita Shirley em Windy Poplars, o coração da menina parecia tão pesado a ponto de ir parar nas lindas botas de abotoar que a avó sempre lhe comprava. Muitas crianças da escola a invejavam por causa das botinhas infantis, mas a pequena Elizabeth não dava a mínima para elas, já que não serviam para levá-la à liberdade. E, agora, sua adorada senhorita Shirley estava indo embora para sempre. Ao final de junho, ela partiria de Summerside e voltaria para a bela Green Gables. A pequena Elizabeth simplesmente não podia suportar essa ideia. Não adiantou nada a senhorita Shirley prometer que a pequena iria visitá-la em Green Gables no verão antes de seu casamento. De alguma forma, a menina sabia que a avó não iria permitir. Ela sabia que a avó nunca realmente aprovara sua amizade com a senhorita Shirley.

– Será o fim de tudo, senhorita Shirley – soluçou.

– Vamos torcer para que seja apenas um novo começo – disse Anne alegremente, mas ela mesma se sentia para baixo. O pai da pequena Elizabeth nunca escrevera de volta. E, se ele não se importava, o que aconteceria com a Elizabeth? Se as coisas já eram ruins na infância, como seriam dali em diante?

– Aquelas duas velhas vão fazê-la de escrava – dissera Rebecca Dew. Anne sentia que aquelas palavras eram mais verdadeiras do que elegantes.

Elizabeth sabia que elas eram "mandonas". Em especial, ela odiava receber ordens da Ajudante. Também não gostava quando a avó fazia isso, mas ela reconhecia relutantemente que uma avó tem certos poderes sobre os netos. Porém, que direito tinha a Ajudante? Elizabeth sempre quis perguntar isso. E iria, em algum momento, quando chegasse o Amanhã. Ah, como ela iria gostar de ver a expressão da Ajudante!

A avó jamais deixaria a pequena Elizabeth passear sozinha, por medo de que ela fosse sequestrada por ciganos, e a menina achava que era apenas uma desculpa. E por que a avó se importaria se ela fosse sequestrada ou não? Ela sabia que as duas não a amavam. Oras, elas evitavam ao máximo chamá-la pelo nome, era sempre "a criança". Como Elizabeth odiava ser chamada de "a criança" da mesma forma que se refeririam ao "cachorro" e ao "gato" se tivessem algum. E, quando Elizabeth reclamou, a avó ficou irritada e a puniu por impertinência, enquanto a Ajudante só observava, contente. Ela às vezes se perguntava por que a Ajudante a odiava. Por que alguém a odiaria, uma criança? Seria ela digna de ódio? A pequena Elizabeth não sabia que a mãe cuja vida ela custara fora a queridinha da velha amargurada, e, mesmo que soubesse, não poderia compreender que formas perversas o amor frustrado é capaz de tomar.

A pequena Elizabeth odiava a magnífica e opressiva Evergreens, onde tudo lhe parecia estranho, apesar de sempre ter vivido ali, mas, depois que a senhorita Shirley viera para Windy Poplars, tudo havia mudado magicamente. A pequena Elizabeth vivia em um mundo de romance, havia beleza aonde quer que olhasse. Felizmente, a avó e a Ajudante não podiam impedi-la de enxergar, embora Elizabeth não duvidasse de que o fariam se pudessem. As curtas caminhadas ao longo da mágica estrada vermelha do porto, que raramente podia fazer ao lado da senhorita Shirley, eram o foco de luz em sua vida trevosa. Ela amava tudo que via; o longínquo farol pintado em um tom peculiar de vermelho, com anéis brancos; as distantes praias azul-claras; as pequenas ondas azuis e prateadas; as luzes que se viam sob o entardecer violeta, e tudo lhe dava tanta satisfação que chegava a doer. E o porto, com suas ilhas brumosas e ocasos resplandecentes! Elizabeth sempre os observava por cima do topo das árvores, por uma janela do sótão, e também os barcos que zarpavam ao nascer da lua... barcos que voltavam, barcos que nunca voltavam. Elizabeth ansiava por partir em um deles em uma viagem até a Ilha da Felicidade. Os barcos que nunca voltavam ficavam por lá, onde sempre era o Amanhã.

Aquela misteriosa estrada vermelha seguia por quilômetros a fio, e os pés dela coçavam para segui-la. Aonde ela levava? Às vezes Elizabeth achava que iria explodir se não descobrisse. Quando o Amanhã realmente chegasse, ela seguiria por aquele caminho e talvez encontrasse uma ilha só sua, onde a senhorita Shirley e ela viveriam sozinhas, e a avó e a Ajudante seriam proibidas. Elas odiavam água e por nada no mundo pisariam em um barco. A menina gostava de se imaginar na ilha, rindo das duas, que a observavam da terra firme com raiva.

– Aqui é o Amanhã – provocaria ela. – E não podem me pegar. Vocês ainda estão no Hoje.

Que divertido seria! Como ela iria gostar de ver a expressão da Ajudante!

Então, em uma tarde do fim de junho, uma coisa incrível aconteceu. A senhorita Shirley disse para a senhora Campbell que iria visitar uma certa senhora Thompson em Flying Cloud, que estava a cargo dos refrescos na Sociedade Assistencial das Damas, e que gostaria de levar Elizabeth junto. A avó concordou com sua usual austeridade e

Elizabeth nunca entendia por que ela concordava, uma vez que nem imaginava o horror dos Pringles a certo tipo de informação que a senhorita Shirley tinha, mas o importante era que tinha dado permissão.

– Vamos direto para a boca do porto depois do meu compromisso – sussurrou Anne.

A pequena Elizabeth foi para a cama tão empolgada que não esperava sequer pregar os olhos. Finalmente ela iria atender ao chamado da estrada. Apesar da ansiedade, ela conscienciosamente fez todo o seu ritual noturno. Dobrou as roupas, escovou os dentes e penteou os cabelos dourados. Achava que tinha um cabelo lindo, ainda que não fosse tão adorável como o castanho-acobreado e ondulado da senhorita Shirley, com os pequenos cachos ao redor das orelhas. A pequena Elizabeth daria qualquer coisa para ter um cabelo como o da senhorita Shirley.

Antes de deitar-se, a pequena Elizabeth abriu uma das gavetas na antiga cômoda preta e envernizada e retirou uma fotografia cuidadosamente escondida sob uma pilha de lenços. Era uma foto da senhorita Shirley que ela havia recortado de uma edição especial do *Weekly Courier*, que publicara fotos dos professores da Escola Secundária.

– Boa noite, minha querida senhorita Shirley.

Ela beijou a foto e a devolveu ao esconderijo. Então ela se aninhou embaixo dos cobertores, pois a noite de junho estava fria, além da brisa que vinha do porto. Aliás, ela era mais do que uma brisa naquela noite. Ela assoviava, batia e chacoalhava as janelas, e Elizabeth sabia que o porto deveria estar uma turbulenta extensão de ondas ao luar. Que divertido seria vê-lo sob a luz da lua! Mas só no Amanhã ela poderia fazer isso.

Onde ficava a ilha Flying Cloud? Que nome! Pertencia mesmo ao Amanhã. Era enlouquecedor estar tão próximo do Amanhã e não poder alcançá-lo. E se chovesse? Elizabeth sabia que não teria permissão para ir a lugar algum sob chuva.

Ela sentou-se na cama e juntou as mãos.

– Querido Deus, não quero me intrometer, mas o Senhor poderia providenciar um tempo bom para amanhã? Por favor, querido Deus.

A tarde seguinte foi gloriosa. A pequena Elizabeth sentiu que havia se libertado de amarras invisíveis quando a senhorita Shirley e ela se afastaram da casa da melancolia. Inspirou profundamente a liberdade, por mais que a Ajudante ainda estivesse vigiando-as com uma cara feia pelo vidro vermelho da porta principal. Que divino era caminhar pelo mundo com a senhorita Shirley! Era tão bom quanto estar sozinha com a senhorita Shirley. O que ela iria fazer quando a senhorita fosse embora? A menina afastou firmemente o pensamento. Ela não iria passar o dia pensando nisso. Talvez... *Talvez*... A senhorita Shirley e ela chegariam ao Amanhã naquela tarde e nunca mais se separariam. A pequena Elizabeth só queria caminhar tranquilamente em direção à extensão anil no fim do mundo, sorvendo a beleza ao seu redor. Cada curva e recanto da estrada revelava novas maravilhas e curvas, e recantos não faltavam ao longo de um regato que pareceu surgir do nada.

Em cada lado havia campos de botões-de-ouro e trevos onde as abelhas zuniam. De vez em quando, elas cortavam uma via láctea de margaridas. Ao longe, o estreito ria delas com ondas de bordas prateadas. O porto parecia uma seda molhada. A pequena Elizabeth gostava mais assim do que quando parecia um cetim azul-claro. Elas deram boas-vindas ao vento. Era uma brisa gentil, que ronronava ao redor delas, parecendo impulsioná-las adiante.

– Não é uma delícia caminhar com um vento desses? – disse a pequena Elizabeth.

– É uma brisa agradável e perfumada – disse Anne, mais para si mesma. – Eu costumava pensar que o *mistral* era assim. Por causa do som do nome. Que decepção foi descobrir que era um vento forte e agressivo!

Elizabeth não compreendeu tudo. Ela nunca tinha ouvido falar do mistral, mas a música da voz de sua amada era suficiente. Até o céu parecia alegre. Um marinheiro com argolas douradas nas orelhas era o tipo de pessoa que deveria conhecer o Amanhã e sorriu ao passar por elas. Elizabeth pensou em um verso que havia aprendido na escola dominical, "as colinas se vestem de alegria"[32]. Será que o homem que o escrevera já tinha visto colinas como aquelas sobre o porto?

– Acho que essa estrada leva até Deus – disse, sonhadora.

– Talvez – respondeu Anne. – Talvez todos os caminhos levem até Deus, pequena Elizabeth. Agora, nós viramos aqui. Temos que ir até aquela ilha Flying Cloud.

Flying Cloud era uma ilhota longa e estreita, a cerca de quatrocentos metros da costa. Havia árvores e uma casa. A pequena Elizabeth sempre desejou ter uma ilha só para ela, com uma pequena baía de areia prateada.

– Como chegaremos até lá?

– Naquele barco – disse a senhorita Shirley, pegando os remos de um pequeno bote amarrado a uma árvore.

A senhorita Shirley sabia remar. Havia alguma coisa que ela não sabia fazer? A ilha mostrou-se um lugar fascinante onde qualquer coisa poderia acontecer. É claro que ela ficava no Amanhã. Ilhas como aquela só existiam no Amanhã. Elas não tinham espaço no enfadonho Hoje.

A empregada que as recebeu na porta da casa avisou que a senhora Thompson estava no outro extremo da ilha, colhendo morangos silvestres. Uma ilha onde morangos silvestres cresciam!

Anne foi atrás da senhora Thompson, mas primeiro pediu para a pequena Elizabeth esperar na sala. Ela achava que a menina precisava descansar depois da caminhada incomumente longa. Ela achava que não, mas o menor dos desejos da senhorita Shirley era a lei.

A sala era linda, com flores por todos os cantos e uma constante brisa do mar. Elizabeth gostou do espelho acima da lareira que refletia o cômodo todo e da vista da janela para o porto, as colinas e os estreitos.

Um homem entrou pela porta de repente. Elizabeth teve um instante de pânico e terror. Seria um cigano? Ele não se assemelhava com

---

32 Referência ao Antigo Testamento – Salmos 65:12. (N. T.)

a ideia que a menina fazia dos ciganos, considerando que nunca havia visto um. Ele poderia ser. Então, em um súbito lampejo de intuição, ela decidiu que não se importaria se ele a sequestrasse. Ela gostou de seus olhos cor de avelã com rugas ao redor, os cabelos castanhos ondulados, o queixo quadrado e o sorriso. Pois ele estava sorrindo.

– Quem é você? – perguntou ele.

– Eu... Sou eu – hesitou Elizabeth, ainda um pouco agitada.

– Ah, com certeza. Você surgiu do mar, suponho, ou das dunas e não tem um nome conhecido pelos mortais.

Elizabeth achou que ele estava rindo dela, mas não se importou. Na verdade, ela até gostou e respondeu com decoro:

– Meu nome é Elizabeth Grayson.

Houve um silêncio... Um silêncio muito estranho. O homem a encarou por um momento sem dizer nada. Então, ele educadamente convidou-a para se sentar.

– Estou esperando pela senhorita Shirley – explicou. – Ela foi conversar com a senhora Thompson sobre a Sociedade Assistencial. Depois disso, iremos até o fim do mundo.

"Agora, se tem alguma intenção de raptar-me, senhor Homem..."

– Entendo. Enquanto isso, fique à vontade. Vou fazer as honras. Gostaria de tomar ou comer alguma coisa? O gato da senhora Thompson provavelmente trouxe alguma coisa para casa.

Elizabeth sentou-se. Ela se sentia inusitadamente feliz e em casa.

– Posso pedir o que eu quiser?

– Certamente.

– Então – disse Elizabeth triunfantemente –, eu gostaria de sorvete com geleia de morango por cima.

O homem tocou uma campainha e fez o pedido. Sim, ali devia ser o Amanhã, sem dúvida. Sorvete e geleia de morango não apareciam magicamente no Hoje, sem dúvida.

– Vamos guardar um pouco para a senhorita Shirley – disse o homem.

Eles ficaram amigos em pouco tempo. O homem não falava muito, mas olhava bastante para Elizabeth. Havia ternura na expressão dele, uma ternura que ela nunca tinha visto antes em ninguém, nem mesmo na senhorita Shirley. Ela sentia que ele gostava dela. E sabia que gostava dele.

Finalmente ele olhou para a janela e levantou-se. Vejo que a senhorita Shirley está chegando. Você não ficará sozinha.

– Não quer esperar para conhecê-la? – perguntou Elizabeth, lambendo os últimos vestígios de geleia da colher. A avó e a Ajudante teriam morrido só de ver.

– Não desta vez.

Elizabeth sabia que ele não tinha a menor intenção de raptá-la e teve a mais estranha e descabida sensação de desapontamento.

– Adeus e obrigada – disse ela educadamente. – É muito bonito aqui, no Amanhã.

– Amanhã?

– Aqui é o Amanhã – explicou Elizabeth. – Sempre quis conhecê-lo, e cá estou.

– Ah, entendi. – Bem, sinto dizer que não ligo muito para o Amanhã. Eu gostaria de voltar para o Ontem.

A pequena Elizabeth sentiu dó dele. Mas por que ele era infeliz? Como alguém que mora no Amanhã pode ser infeliz?

Elizabeth contemplou com melancolia a ilha Flying Cloud enquanto remavam de volta. Quando chegaram à estrada, passando pelos abetos que ladeavam a orla, ela voltou-se para uma olhada de despedida. Uma charrete puxada por cavalos a toda velocidade apareceu na curva, evidentemente fora do controle do condutor.

Elizabeth ouviu a senhorita Shirley gritar...

CAPÍTULO 13

O quarto parecia estar girando. Os móveis também se mexiam. A cama, como ela foi parar na cama? Alguém com uma touca branca saiu pela porta. Que porta? Que sensação mais esquisita! Vozes chegavam de algum lugar, vozes baixas. Ela não podia ver quem estava falando, mas de alguma forma sabia que eram a senhorita Shirley e o homem.

O que estavam dizendo? Elizabeth ouviu frases aqui e ali, em meio a uma confusão de murmúrios.

– Você realmente... – A senhorita Shirley parecia tão animada!

– Sim... A sua carta... Veja você mesma... Antes de falar com a senhora Campbell... Flying Cloud é a casa de veraneio do nosso gerente-geral...

Se ao menos o quarto parasse quieto! Realmente, as coisas se comportavam de modo muito estranho no Amanhã. Se ao menos ela conseguisse virar a cabeça e ver quem estava falando, então Elizabeth deixou escapar um longo suspiro.

Foi quando eles vieram até a cama, a senhorita Shirley e o homem. Alta e alva, como um lírio, ela parecia ter passado por uma experiência terrível, mas ainda tinha algo que irradiava de dentro dela, por trás de tudo, um esplendor que parecia parte do entardecer dourado que subitamente inundou o quarto. O homem sorria para ela. Elizabeth sentia que ele a amava muito e que havia algum segredo tenro e valioso entre ambos que ele descobriria assim que aprendesse a língua falada no Amanhã.

– Está se sentindo melhor, querida? – perguntou a senhorita Shirley.
– Eu fiquei doente?
– Você foi derrubada por um grupo de cavalos fujões na estrada principal. Eu não fui rápida o bastante. Achei que tinha morrido. Eu a trouxe de volta no barco, e o seu... este cavalheiro telefonou para um médico e uma enfermeira.
– Eu vou morrer?
– Não, minha querida. Você só ficou inconsciente e logo estará bem. E, Elizabeth, este é o seu pai.
– Meu pai está na França. Eu estou na França também? – A menina não teria ficado nem um pouco surpresa. Além disso, as coisas ainda estavam um pouco confusas.
– O papai está bem aqui, docinho. – Ele tinha uma voz tão gostosa que era o suficiente para conquistar qualquer pessoa. Ele inclinou-se e a beijou. – Eu vim buscar você. Nunca mais nos separaremos.
A mulher de gorro branco voltou. De alguma forma, Elizabeth sabia que tinha de perguntar o que quer que fosse antes que ela se aproximasse da cama.
– Vamos morar juntos?
– Sempre – disse o pai.
– E a avó e a Ajudante virão morar conosco?
– Não.
Já era quase de noite, e a enfermeira tinha um ar de reprovação. Mas Elizabeth não se importava.
– Eu encontrei o Amanhã – disse ela no momento em que a enfermeira acompanhava o pai e a senhorita Shirley para fora.
– Eu encontrei um tesouro que não sabia que possuía – disse o pai, quando a enfermeira fechou a porta. – E jamais poderei agradecer-lhe por aquela carta, senhorita Shirley.
"E assim", escreveu Anne para Gilbert naquela noite, "a misteriosa estrada da pequena Elizabeth a levou para a felicidade e para o fim do mundo antigo dela."

CAPÍTULO 14

Windy Poplars
Rua do Fantasma
(Pela última vez)
27 de junho

QUERIDO,
Cheguei a mais uma curva na estrada. Escrevi um monte de cartas a você neste velho quarto da torre nos últimos três anos. Acredito que esta será a última em muito, muito tempo, pois elas não serão mais necessárias. Daqui a algumas semanas, pertenceremos um ao outro para sempre... Estaremos juntos. Imagine só... Estarmos juntos... Conversando, passeando, comendo, sonhando, planejando e compartilhando momentos incríveis... Transformando a nossa casa dos sonhos em um lar. Nossa casa! Isso não soa "místico e maravilhoso", Gilbert? Tenho construído casas dos sonhos a minha vida inteira, e agora uma delas se tornará realidade. Já a pessoa com quem quero dividir minha casa dos sonhos... Bem, eu lhe direi às quatro horas do ano que vem.

Três anos pareciam um tempo interminável de início. E agora já se foram como uma vigília noturna. Foram três anos felizes, exceto pelos primeiros meses com os Pringles. Depois disso, a vida pareceu fluir como um rio dourado aprazível. E minha antiga rixa com os Pringles parece um sonho. Agora eles gostam de quem eu sou e se esqueceram de que chegaram a me odiar. Cora Pringle, da família das viúvas Pringles, trouxe-me um buquê de rosas, e enrolado em um dos talos havia um pedaço de papel onde estava escrito: "Para a mais doce professora no mundo todo". E isso veio de uma Pringle!

Jen Pringle está de coração partido porque vou embora. Observarei a carreira dela com interesse. Ela é brilhante e um tanto imprevisível. Uma coisa é certa: sua existência não será mundana. Não é por nada que se parece tanto com Becky Sharp.

Lewis Allen vai para a McGill. Sophy Sinclair, para a Queen's. Depois, ela pretende lecionar até juntar dinheiro suficiente para ir para a Escola de Expressão Dramática em Kingsport. Myra Pringle vai ser apresentada à sociedade no outono. É tão bonita que não faz diferença se ela sabe ou não o que é o pretérito perfeito.

E não há mais uma pequena vizinha do outro lado do portão tomado pela hera. A pequena Elizabeth deixou para sempre aquela casa lúgubre e foi para o Amanhã. Se eu fosse ficar em Summerside, eu iria sentir falta dela. Todavia, do jeito que as coisas estão, estou contente. Ela foi morar com Pierce Grayson. Ele não vai voltar para Paris, pois vai se mudar para Boston. Elizabeth chorou penosamente em nossa despedida, mas ela está tão feliz ao lado do pai que eu tenho certeza de que suas lágrimas logo cessarão. A senhora Campbell e a Ajudante ficaram muito zangadas com toda a situação e colocaram a culpa em mim, e eu a aceito com prazer e sem remorso.

– Ela teve um bom lar aqui – disse a senhora Campbell magnanimamente.

"Onde nunca ouviu uma palavra afetuosa", pensei comigo mesma. Elizabeth, em suas últimas palavras, disse à Anne que será sempre a Betty o tempo todo, menos quando estiver com saudades dela, então será a Lizzie. Eu disse para ela não se atrever a ser a Lizzie, não importa o que aconteça.

Mandamos beijos uma para a outra até não nos vermos mais, e então eu subi para a torre com lágrimas nos olhos. Ela é tão doce, aquela preciosa garotinha de madeixas douradas. Sempre me lembrou uma harpa eólica, sensível ao menor sinal de afeição. Foi uma aventura ser amiga dela. Espero que Pierce Grayson valorize a filha que tem, e eu acho que ele o faz. Ele me pareceu muito grato e arrependido. Depois, disse-me que não tinha se dado conta de que não era mais um bebê e nem como o ambiente em que vivia era hostil. Disse-me obrigado mil vezes por tudo que eu fiz por ela.

Mandei emoldurar o nosso mapa da Terra das Fadas e lhe dei como um presente de despedida.

Estou triste por deixar Windy Poplars. É claro que estou um pouco cansada de morar em um sótão, mas eu amei a minha estadia aqui, as horas frescas da manhã junto à janela, minha cama, que eu literalmente escalava todas as noites, minha almofada azul em formato de rosquinha e todas as brisas que aqui entraram. Receio que jamais voltarei a ser tão íntima do vento. E será que algum dia eu terei outro quarto com vista para o sol nascente e o poente?

Já estou pronta para deixar para trás Windy Poplars e os anos que passei aqui. E eu mantive a minha palavra. Nunca revelei à tia Kate o esconderijo da tia Chatty ou o segredo do soro de leite que uma guarda da outra.

Creio que elas lamentam a minha partida e fico satisfeita com isso. Seria terrível pensar que elas estão felizes em me ver ir embora ou que não sentiriam nem um pouco a minha falta. Faz uma semana que a Rebecca Dew vem preparando meus pratos favoritos, pois ela até gastou dez ovos para fazer um bolo duas vezes e usando a porcelana "das visitas". E os olhos castanhos e suaves da tia Chatty se enchem de lágrimas sempre que menciono minha partida. Até mesmo Dusty Miller parece me olhar com reprovação, sentado sobre as patas traseiras.

Escrevi uma longa carta para Katherine na semana passada. Ela tem um dom para escrever cartas. Conseguiu um emprego como secretária particular de um membro do parlamento que roda o mundo. Que expressão fascinante é "rodar o mundo"! Uma pessoa que diz "vamos para o Egito" da mesma forma que outras diriam "vamos para Charlottetown" e pronto! É a vida ideal para Katherine.

Ela continua a me responsabilizar pelas mudanças em sua forma de ver a vida e em seus prospectos. "Quem dera poder descrever tudo que você trouxe para a minha vida." Suponho que eu ajudei, sim. E não foi fácil no começo. Ela raramente dizia alguma coisa sem ser sarcástica e escutava todas as minhas sugestões em relação ao trabalho na escola com o ar desdenhoso de quem escuta um lunático. Porém, de alguma forma, eu esqueci tudo isso. Era tudo fruto do ressentimento secreto que tinha da vida.

Todo mundo está me convidando para jantar, até mesmo Pauline Gibson. A senhora Gibson morreu alguns meses atrás, de forma que Pauline se atreveu a me convidar. E fui mais uma vez à Casa Tomgallon, para jantar com a senhorita Minerva e suportar outra conversa unilateral. Mas me diverti bastante, desfrutando da deliciosa refeição que a senhorita Minerva providenciou, e ela também se divertiu contando mais algumas tragédias. Ela não conseguiu esconder o fato de que sente pena de qualquer pessoa que não seja uma Tomgallon, mas me fez vários elogios e me deu um anel adorável, com uma água-marinha encrustada de uma delicada mistura de azul e verde, que seu pai lhe dera no aniversário de dezoitos anos. "Quando eu era jovem e linda, minha querida... muito linda. Acho que posso dizer isso agora". Fiquei feliz por ele ter pertencido à senhorita Minerva, e não à esposa do tio Alexander. Eu não conseguiria usá-lo se fosse o caso. É um anel muito bonito. As joias do mar têm um encanto misterioso.

A casa Tomgallon é certamente um lugar esplêndido, especialmente agora que seus jardins estão florescendo. Entretanto, não trocaria a minha futura casa dos sonhos pela Casa Tomgallon, com seus gramados e seus fantasmas. Não que um fantasma não dê um toque interessante e aristocrático a um lugar. Minha única queixa sobre a Rua do Fantasma é que não há nenhum fantasma nela.

Ontem eu fui ao velho cemitério para um último passeio. Andei por todos os lados, imaginando se Herbert Pringle ocasionalmente ria em seu túmulo. E hoje à noite me despedirei da Rainha das Tormentas, sob o entardecer, e do meu pequeno vale repleto de sombras.

Estou um pouco cansada depois de um mês de provas finais, despedidas e "últimas coisas". Quando voltar para Green Gables, ficarei uma semana sem fazer nada, absolutamente nada além de andar livremente em um mundo verde de beleza estival. Sonharei acordada na Bolha da Dríade ao entardecer; navegarei pela Lagoa das Águas Brilhantes em uma chalupa feita de luar ou no barco do senhor Barry, se uma embarcação de luar não estiver disponível. Colherei flores em formato de estrelas e campânulas na Floresta Assombrada; encontrarei morangos silvestres na colina do pasto do senhor Harrison; dançarei juntamente com os vagalumes na Travessa dos Amantes e visitarei o jardim esquecido de Hester Gray; e me sentarei no degrau da porta dos fundos, sob o céu estrelado, e ouvirei o chamado do mar adormecido.

E, quando a semana terminar, você estará em casa e eu não vou desejar mais nada.

No dia seguinte, quando chegou a hora de dizer adeus ao pessoal de Windy Poplars, Rebecca Dew não estava por perto. Em um gesto solene, a tia Kate entregou uma carta a Anne:

Querida senhorita Shirley, escrevo esta carta para me despedir, pois não confio em mim mesma para fazê-lo em pessoa. Por três anos você morou sob o nosso teto. Dona afortunada de um espírito vigoroso e de uma predileção natural pelas alegrias da juventude, você nunca sucumbiu aos prazeres vazios da multidão vertiginosa e frívola. Portou--se, em todas as ocasiões e diante de todos, especialmente para esta que escreve estas linhas, com a mais refinada delicadeza. Você sempre teve toda a maior consideração por meus sentimentos, e sua partida é um fardo pesado para meu espírito. "Mas não devemos nos afligir diante do que a Providência decidiu" (1 Samuel, 29:18).

Sua ausência será lamentada por todos em Summerside que tiveram o privilégio de conhecê-la, e meu coração fiel, ainda que humilde, infindamente a reverenciará. Pedirei sempre em minhas preces sua felicidade e bem-estar neste mundo e o regozijo eterno no que está por vir.

Algo me sussurra que você não será a senhorita Shirley por muito mais tempo, que celebrará a união eterna da sua alma com aquela que seu coração escolheu, cujo dono, pelo que ouvi, é um jovem muito excepcional. Esta que escreve, possuidora de poucos encantos pessoais e que já começa a sentir a idade (mas que ainda tem uns bons anos pela frente), nunca se permitiu ter aspirações matrimoniais. Mas ela não se nega o prazer de interessar-se pelas núpcias dos amigos e gostaria de expressar seus votos fervorosos de que sua vida de casada seja uma contínua e ininterrupta fonte de felicidade. (Só não espere muito de um homem.)

Minha estima e, permita-me dizer, minha afeição por você jamais diminuirão. De tempos em tempos, quando não tiver nada melhor para fazer, lembre-se com carinho de que existe uma pessoa que é

Sua serva obediente,
REBECCA DEW.
P.S. Deus a abençoe.

Anne dobrou a carta com os olhos úmidos. Embora suspeitasse de que a Rebecca Dew tivesse copiado a maioria das frases de seu livro favorito, *O Manual de Boa Conduta e Etiqueta*, isso não as tornava menos sinceras, e o P.S. certamente veio diretamente do bom coração dela. Eu disse às viúvas para dizerem à Rebecca Dew que nunca a esquecerei e que voltarei para visitá-las em todos os verões.

Tia Chatty disse "Nada jamais apagará nossas recordações de você", e a tia Kate enfatizou: "Nada!".

Enquanto se afastava de Windy Poplars, a última mensagem que Anne recebeu foi uma grande toalha branca tremulando da janela da torre. Rebecca Dew acenava para ela.

FIM